KB090147

금속표면 처리공학개론

共著

권호영 · 강길구
양학희 · 송광호

도서출판 골드

■머리말

금속표면에 관여하는 물리화학적인 것은 전극, 고온산화, 부식전지 및 방식기술 등 직접 공업과 밀접하게 관련한 것이 많다. 그 외에 금속표면은 촉매, 결정성장, 윤활, 젖음성이나 접착 등 공업적으로 중요한 역할을 담당하는 경우도 많다. 최근에는 화학공업의 분야나 원자력발전, 우주개발 등의 부식성 환경하에서의 사용에 견디는 우수한 신뢰성이 높은 재료의 개발이 요구되고 있다. 이런 요청에 많게 재료표면과 분위와의 사이에서 일어나는 일을 금속표면의 구조와 성질에 기초하여 전기화학적으로 설명할 필요가 있다. 그렇지만, 현재까지 전기화학적 취급에 주안을 둔 해설서는 많았지만, 금속표면의 구조나 물성을 기초로 하여 설명한 서적은 많지 않았다.

이에 본서는 금속표면물성에 기초하여 전기화학적 이론 및 이에 따라 고온산화, 부식과 방식에 대한 기본적인 해설을 하고, 현재 이용되고 있는 금속표면처리법을 일목요연하게 정리하였으며, 표면물성을 측정하는 방법도 아울러 첨가하여 금속표면처리에 처음 접하는 분들도 쉽게 이해할 수는 입문서가 되기를 희망하면서 "금속표면처리공학개론"을 출간하게 되었다.

마지막으로 본서가 나오도록 힘써주신 도서출판 골드사의 박승합 사장님께 심심한 감사를 드리며, 모쪼록 본 교재를 통해 금속표면물성처리공학의 이해에 조금이나마 도움이 되고 길잡이가 되었으면 하는 바람이다.

2003년 11월 가을의 문턱에서

▣ 차 례 ▣

2. 금속의 전기화학 / 55

3. 고온산화 / 83

5. 금속의 표면처리 /193

1. 금속표면물성의 기초

일반적으로 금속의 벌크로서의 성질은 이것을 구성하고 있는 원자의 종류와 결정구조에 의해 결정된다고 생각되는데 이는 금속의 표면이 내부와는 다른 전자상태이므로 벌크에서는 보이지 않는 성질을 나타내고 있기 때문이다. 표면이 갖고 있는 성질은 금속에 한하지 않고, 모든 고체표면에 공통으로 보이는 것으로 이런 현상의 관찰은 고체의 종류와 표면의 상태에 따라 다르다.

금속의 표면은 촉매, 전극, 결정성장, 마찰, 윤활, 도금, 접착, 소결 등은 공업적으로 중요한 역할을 담당하고 있다. 촉매반응은 표면의 특수한 전자상태에 의해 초래하는 분자의 선택적인 흡착을 매개로 하여 일어나는 반응이다. 또, 전극 반응생성물은 전극표면의 전자상태에 따라 현저하게 변화한다. 이런 작용기구로는 물리적 또는 화학적이지만, 실제로는 양쪽이 복잡하게 결합된 경우도 적지 않다.

본 장에서는 먼저, 금속표면에 관여하는 현상을 이해할 때의 기초인 표면의 구조와 기본적 물성에 대해 설명하고, 뒤이어 표면의 화학결합과 반응성에 대해 기술한다.

1-1 금속표면의 구조

1-1-1 실제 표면과 청정표면

우리가 일상에서 접하고 있는 금속표면은 산화물, 수산화물, 유기물 등으로 덮여 있다. 공업용 금속표면도 또한 각종 물질에 의해 오염되어 있다. 덮여있지 않는 금속표면은 화학적으로 매우 활성하므로 흡착이나 화학반응이 쉽게 진행하게 된다. 이런 실제 표면 또는 실용표면과 결정내부의 원자가 그대로 외부에 노출한 이상적 표면에서는 물리적 또는 화학적 성질이 크게 다른 것은 당연하다. 기초적인 고체표면물성의 측정에서 표면에 존재하는 불순물이나 외부에서의 불순물 흡착이 큰 장애가 된다. 이 때문에 청정표면으로 만들거나 진공 유지가 필요하다. 예를 들어, 10-4Pa(10^{-6}Torr) 정도의 진공에서 표면은 잔류가스 단분자 흡착층으로 덮여있다.

청정표면이란, $10^{-8} \sim 10^{-9}$Pa($10^{-10} \sim 10^{-11}$Torr)의 초고진공중에서 화합물, 흡착원자나 분자 등을 가능한 한(표면 단원자층의 2~3% 이하)제거된 표면이다. 다결정이나 무정형의 표면을 포함하여 주로 대상이 되는 것은 특정 단결정면이다. Auger Electron Spectroscopy(AES)에 의해 표면 원자층의 약 1%의 불순물까지 검출이 가능하므로 표면청정도의 판정에 이용할 수 있다. 표면이 화학적으로 청정하여도 일반적인 단결정 표면에서는 스텝, Kink, 원자공공 등의 결함이 존재한다. 이런 원자척도의 결함은 기체분자의 흡착이나 표면확산 등의 거동에 큰 영향을 미친다. 표면물성의 원리적인 연구는 결함이 적고, 보다 규정된 단결정 표면(well defined surface)을 필요로 한다.

1-1-2 청정 단결정 표면의 구조

초고진공중의 단결정 표면의 구조해석을 위해서는 통상 AES와 저속전자회절(Low Energy Electron Diffraction ; LEED)의 측정이 병용된다. AES는 전술했듯이 표면의 조성, 불순물 등의 화학분석에, LEED는 단결정 표면의 동정(2차원 격자의 크기 및 대칭성)과 흡착종의 규칙배열구조를 조사하기 위해 이용된다. 먼저 단결정 표면을 기술할 때 이용되는 Miller지수에 대해서 다뤄보자.

이상적인 금속결정은 원자배열이 규칙적으로 반복된 무수히 많은 단위격자를 형성하고 있다. 그러므로, 결정 전체의 원자배열은 하나의 단위격자 중의 원자 위치만으로 결정되고, 다음에 단위 격자축에 대해 일정 거리만큼 평행 이동한다. 이런 규칙적으로 배열한 원자는 서로 평행으로 등간격으로 배열된 무수의 평면군을 만들고 있다. 이 면을 격자면이라고 부른다. 격자면은 아래에 기술하듯이 Miller지수(hkl)를 이용하여 표시한다.

일반적으로 3축계의 결정(축율을 $a : b : c$)에 대해 규정되는 면이 결정축과 교차하는 절편을 그림 1.1에 나타냈듯이 각각 pa, qb, rc로 하면 Miller지수는 다음과 같다.

$$h \,:\, k \,:\, l \,=\, \frac{1}{p} \,:\, \frac{1}{q} \,:\, \frac{1}{r} \tag{1.1}$$

여기서, h, k, l은 정수이다. 예를 들어, 그림 1.1에서는 $p=2$, $q=3$, $r=3/2$이 되므로 Miller지수는 (324)이다. 육방정계에서는 상하축의 지수를 l, 수평축의 지수를 h, i, k로 하여 Miller-Bravais지수($hkil$)로 표시한다. 특정 원점에 대하여 지수만큼 이동시킨 경우에는 지수가 음이 되는 것이 있다. 이때에는 (hkl)와 같이 표시한다. 지수에서 0이 되는 면이 그 축에 대해 평행이라는 것을 의미한다. 결정면의 방향을 나타낼 때는 [hkl]로 표시한다.

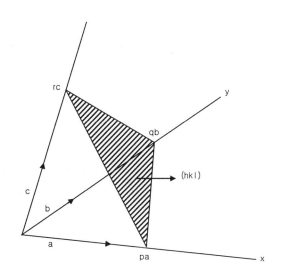

그림 1.1 Miller지수에 의한 결정면의 표시
(x, y, z ; 결정축, 결정의 축률 ; a : b : c)

일반적으로 표면의 원자밀도는 격자면에 따라 다르고, Miller지수가 큰(면간 거리가 짧은)격자면이 원자밀도가 작다. 저지수면의 원자밀도를 FCC와 BCC격자에 대해 비교한 것이 그림 1.2이다. BCC에서는 (110), (100), (111)의 순으로 밀도가 감소하고, 역으로 FCC에서는 이 순서대로 밀도가 증가한다. 단결정 표면이 갖는 하나의 특징은 표면원자배열의 대칭성이 면에 따라 다르다는 것이다. 이상 상술한 표면원자의 밀도와 대칭성은 표면의 성질을 지배하는 중요한 인자이다.

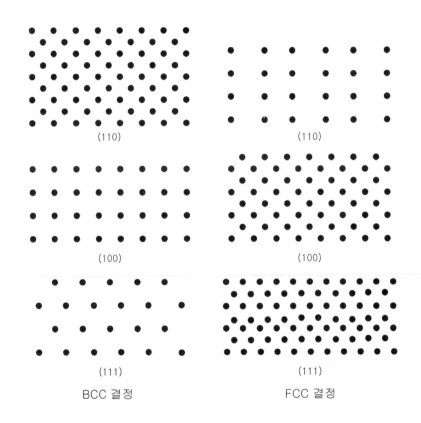

BCC 결정   FCC 결정

그림 1.2 청정 단결정 표면의 원자배열

이전의 LEED측정에 의하면 청정한 금속 단결정 표면의 원자배열은 거의 모든 경우, 결정내부의 원자배열로 예상된 것과 동일하다(이 경우표면구조는(1×1) 구조라 한다). 그러나, 드물게는 표면의 전자적 효과에 따라 원자의 재구성 (Reconstruction)이 일어나 벌크의 2차원의 주기성을 잃게 된다. 그 예로서는 4d, 5d 천이금속인 Mo, W, Ir, Pt, Au의 (100)면이다.

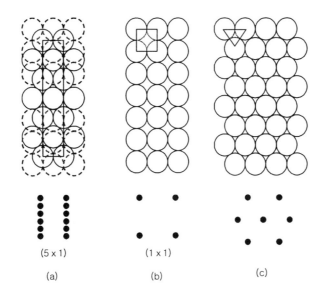

(5 x 1)　　　(1 x 1)

(a)　　　　(b)　　　　(c)

그림 1.3 청정한 Ir단결정 표면의 LEED상과 원자배열

(a) (100)면에 형성된 (5×1)초격자구조

(b) 벌크로 예상되는 (100)면의 (1×1)구조

(c) 초격자구조를 만들지 않는 (111)면1)

　　그림 1.3의 (a)는 Ir(100)면을 측정한 LEED상과 이것으로부터 도출한 표면
원자배열구조이다[1]. (b)는 벌크 결정에서 예상된 원자배열과 LEED상을 나타냈
다. 또, (c)는 Ir(111)면의 실제 LEED상과 예상된 원자배열이다. (100)면의
LEED상에는 1/5차의 회절점이 있으므로 이 표면에서는 (5×1)의 격자구조가 형
성된다는 결론을 얻었다. 이렇게 벌크의 2차원 주기에 의해서도 큰 주기를 갖는
표면구조를 초격자구조(Super Lattice Structure)라고 부른다. 그림 1.3의 (c)에
나타냈듯이 Ir(111)면에서는 재구성이 일어나지 않으므로 원자밀도가 조금 작은
Ir(100)면에서는 육방최밀구조를 형성하여 최인접원자의 수가 최대가 되는 경향
이 있다는 것을 암시하고 있다.

　　FCC(100)면보다도 더욱 표면원자밀도가 작은 FCC(110)면에서는 다른 평균
원자간 거리가 벌크에 비해 감소하는 경향을 나타낸다. Cu 및 Ni의 (110)면이
이 예이다. 이 원자간 거리의 축소는 전자가 원자간의 틈 사이를 메우고, 가능
한 한 윤활한 분포를 형성하기 위해 일어난 것으로 해석된다. 표면 제 1층과 제

2층과의 거리가 벌크의 격자간 거리보다도 길어지는 경우이다. 이는 완화 (Relaxation)라 부르는 현상으로 결국, 전자밀도의 재분포에 기초하여 완화는 원 자밀도가 큰 표면 근방에서 일어나기 쉽다.

　　이상과 같이 청정표면에서 볼 수 있는 표면원자의 재구성이나 완화는 표면 의 불연속성에 따른 미묘한 전자상태를 반영한 것이므로 표면의 불순물의 영향 을 받기 쉽다. 금속 단결정을 특정의 지수면에 대해서 약간 기울어진 방향으로 절편하면, 원래의 지수면 위에 스텝인 표면을 만들 수 있다. LEED에 의하면 표 면에 수 원자 정도의 길이인 주기적 스텝구조가 존재하면 분리된 회절점이 관측 된다. 예로서는 Pt(111)면에 형성된 스텝구조의 모델을 그림 1.4에 나타냈다. 이 구조는 Pt(s)−[6(111)×(100)]으로 쓸 수 있다. 6은 원자열의 수, (111)은 테라 스의 면지수, (100)은 1원자의 단차를 갖는 스텝의 면지수를 나타낸다.

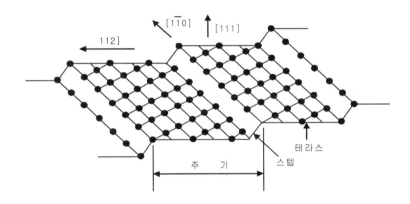

그림 1.5 주기적인 Step을 갖는 Pt단결정의 (111)면 :
Pt(s)−[6(111)×(100)]구조, 스텝은 (100)면

1-1-3 표면의 흡착구조

　　단결정 표면에서 흡착이 일어날 때 흡착종과 표면 및 흡착종간의 상호작용 에 의해 흡착종의 규칙적인 배열구조가 형성되는 것이 많다. 흡착종에 따라 하 지(下地) 표면에 형성된 표면구조를 흡착구조라 부른다. 그림 1.5는 하지 원자의

On top site에 흡착한 경우의 흡착구조의 예이다. ○은 하지의 원자, ●은 흡착원자이다. 흡착에 의해 하지원자의 재구성이 일어나지 않는 것으로 가정하면, 흡착구조는 하지의 표면구조를 기준으로 나타낼 수 있다. 예를 들어, FCC금속의 Ni(111)면에 산소원자가 흡착하여 하지의 2배 주기를 갖는 흡착구조가 형성된 경우에는 이 구조는 FCC Ni(111)-(2×2)O로 표시된다. 하지의 구조나 흡착원자가 분명할 경우에는 단순히 (2×2) 등으로도 표시한다.

흡착원자의 단위격자가 하지에 대해 각도 α만큼 회전할 때의 구조는 다음과 같이 나타낸다.

$$(\frac{|a_s|}{|a|} \times \frac{|b_s|}{|b|})R\alpha \tag{1.2}$$

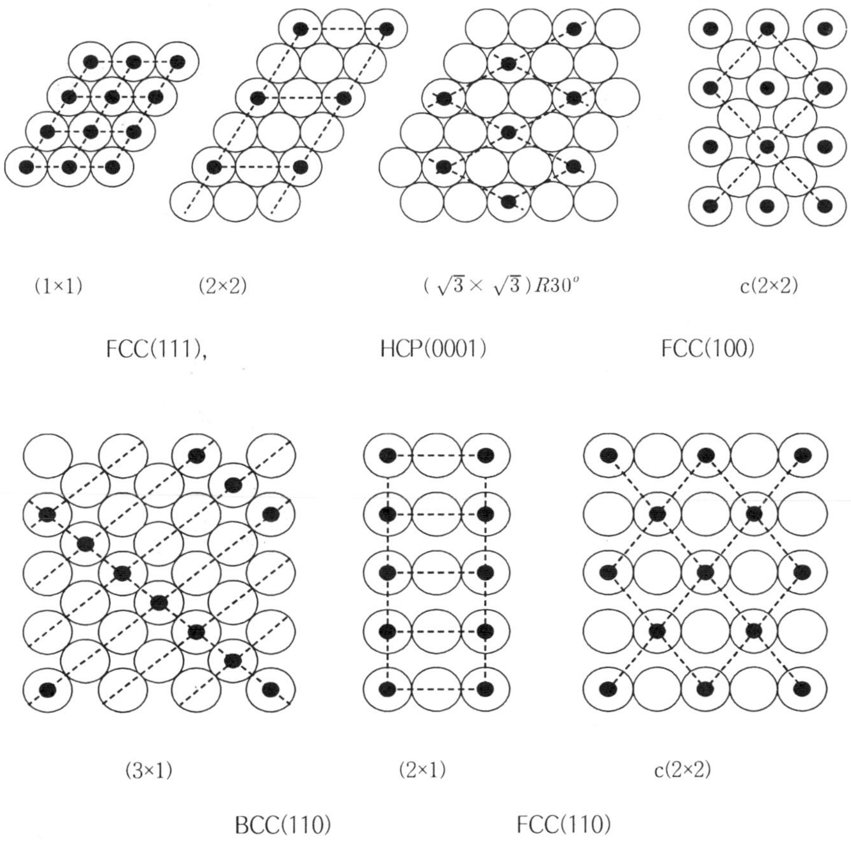

(1×1)   (2×2)   ($\sqrt{3} \times \sqrt{3}$)$R30^o$ c(2×2)

FCC(111),   HCP(0001)   FCC(100)

(3×1)   (2×1)   c(2×2)

BCC(110)   FCC(110)

그림 1.5 단결정표면의 대표적인 흡착구조(격자)

여기서, a, b 및 a_s, b_s는 각각 하지표면 및 흡착격자의 기본벡터이다. 그림 1.5의 FCC(111) 또는 HCP(0001)의 $(\sqrt{3} \times \sqrt{3})R30°$가 그 예이다. 또, 하지에 대한 격자의 크기 비를 정수로 나타낸 것도 있다. 그림 1.5의 FCC(100)의 c(2×2)의 구조가 그 예로 본래의 표현은 $(\sqrt{2} \times \sqrt{2})R45°$이다. c는 centered의 약자로 그 격자의 중앙에도 흡착원자가 존재한다는 의미이다. 그림 1.5에는 하지 원자의 On top site에 흡착한 경우에 대해 나타낸 것이지만, 다른 각종 흡착 site가 존재하여 얻어진다. 흡착구조가 흡착량(표면 피복율)에 따라 변화하는 예를 다음에 기술한다.

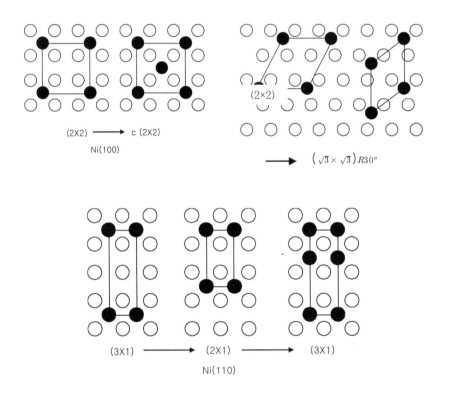

그림 1.6 Ni단결정표면에 해리흡착한 산소의 격자구조(화살표는 흡착증가의 방향)

그림 1.6은 Ni표면에 해리 흡착한 산소의 표면격자구조이다. (100)면에서는 산소원자가 4회 대칭의 중심에 놓여 있는 Hollow site에 흡착하고, 흡착량이

1/4원자층이 되면, (2×2)구조가 형성된다. 더욱, 흡착량이 증가하면, (2×2)의 격자 중심에서도 흡착이 시작하고, 1/2원자층의 흡착에 의해 c(2×2)구조가 포화에 도달한다. (111)면에서는 3회 대칭의 중심에 놓여 있는 Hollow site에 흡착이 일어나고, 1/4원자층의 흡착으로 (2×2)구조가 완성된다. 흡착량을 증가하도록 고온으로 가열하면 ($\sqrt{3} \times \sqrt{3}$)$R30^o$ 구조가 형성된다. (110)면에서는 흡착은 2회 대칭의 중심 결국, 표면 제2층의 Ni원자의 On-top site의 center site에서 일어난다. 흡착량이 1/3, 1/2, 2/3원자층의 순으로 증가하면, (3×1), (2×1), (3×1) 구조가 만들어진다. 이렇게 산소는 Ni표면과의 사이에 상호작용이 최대가 되는 위치에 우선적으로 흡착하여 화학결합을 형성한다. 일반적으로는 흡착이 더욱 증가하면, 흡착에너지에 의해 Ni원자가 이동하여 표면의 재구성이 일어난다. 이것은 표면산화물의 형성에 이르기 전의 상태에 해당한다.

1-2 금속표면의 물리적 성질

　금속표면의 물리적 성질은 광범위하지만, 본 절에서는 전자적 성질에 중점을 두고 기술한다. 금속의 결정내부에서는 원자에 강하게 구속된 전자와 자유롭게 이동하는 전자(가전자)가 있는데 후자는 전도대의 일부를 형성함과 동시에 금속의 결합에 관여한다. 표면의 전자적 성질을 지배하는 것은 대부분 자유전자이고, 그 상태밀도에 관한 지식은 각종 전자방출현상을 설명할 때 유용하다. 금속표면의 전자상태를 알기 위한 실험방법으로서 유용하게 이용하기 위해서는 전자분광법과 일 계수의 측정이 전자의 방출현상과 깊은 관련이 있다. 또, 금속표면에서 빛의 반사는 주로 결정 내부의 가전자의 상호작용으로 설명된다. 여기서는 금속표면의 기본적인 성질이 전자의 운동에 따라 어떻게 설명되는가를 기술한다.

1-2-1 자유전자의 운동에너지

　금속을 특징짓고 있는 것은 결정내 전자의 에너지대 구조로 표면의 물리적 성질의 대부분을 반영하고 있다. 독립원자의 전자는 각각 양자수에 따라 결정되는 불연속 에너지 값을 갖지만, 원자가 결합하여 결정을 만들면 에너지준위가 상호 근접하여 몇 개의 에너지대가 형성된다. 그림 1.7에 나타냈듯이 에너지대의 특성이 제일 강하게 나타난 것은 양자수가 큰 가전자에 의한 것이므로 폭이 넓은 에너지대를 만든다.

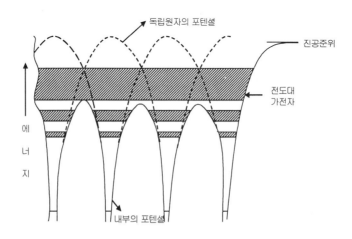

그림 1.7 독립금속원자의 결합에 따른 에너지대의 형성

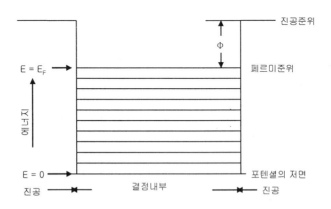

그림 1.8 자유전자의 에너지준위(Sommerfeld모형)

한편, 양자수가 비교적 작은 내곽전자의 에너지대는 폭이 좁고, 원자로 강하게 속박된 양자수가 작은 전자는 에너지대를 만들지 않는다. 그림 1.7의 점선은 독립원자에 대한 포텐셜곡선을 나타낸 것으로 결정으로 이동하여 내부 포텐셜에너지는 낮게 되므로 이것보다도 높은 준위에 있는 전자는 결정내부를 자유롭게 이동한다. 이렇게 금속에서는 최고 에너지대가 가전자에 의해 일부분만 만족한다. 이 에너지대를 전도대라 부른다.

상술과 같이 전도대에 있는 전자는 자유전자적인 성질을 갖고 있으므로 전자가 얻은 에너지준위는 그림 1.8의 Sommerfeld의 모형으로 나타낼 수 있다. 즉, 에너지의 기준으로서 포텐셜의 저면이 $E = 0$가 되면, 이것에 의해 페르미준위까지 전자에 의해 만족되고, 이 위에서는 공 준위가 존재한다. Φ(준위 ; eV (1eV≒1.6022×10^{-19}J=0.16022aJ))는 일 계수를 나타내고, 페르미준위에 있는 전자를 외부(진공준위)로 빠져나오게 하는데 필요한 에너지와 같다. 파울리의 원리에 의해 그림 1.8의 각 에너지 준위에서는 상호 반평행의 스핀을 갖는 2개의 전자만이 수용되는데 Fermi- Dirac의 통계에 의하여 온도 T에 대한 전자가 에너지 E의 상태를 점하는 확률은

$$f(E, T) = \frac{1}{\exp\left(\dfrac{E - E_F}{kT}\right) + 1} \tag{1.3}$$

으로 주어질 수 있다. k는 볼츠만정수, E_F는 페르미에너지이다. $T = 0$에 대해서 E_F를 E_{F0}로 표시하면, 식 (1.3)에 의해 $E < E_{F0}$일 때 $f(E) = 1$, $E > E_{F0}$일 때 $f(E) = 0$이 된다. $T = 0$일 때의 Fermi-Dirac분포를 그림 1.9의 (a)에 나타냈다. E_{F0}는 전자밀도 N, 플랭크상수 h, 전자의 질량 m에 의해 다음과 같이 주어질 수 있다.

$$E_{F0} = \frac{h^2}{2m}\left(\frac{3N}{8\pi}\right)^{\frac{2}{3}} \tag{1.4}$$

또, $T = 0$에 있는 전자 1개 당 평균운동 에너지$< E_o >$은 $\frac{3}{5}E_{F0}$이고, 금속의 E_{F0}는 수 eV정도이다. 한편, $T = 300$에서 kT값은 0.025eV에 상당하므로 $kT \ll E_F$의 근사는 금속의 온도가 융점부근에서도 충분히 성립한다. $T > 0$에서 $f(E)$의 형태를 그림 1.9(b)에 나타냈다. $E - E_F \gg kT$의 경우에는 $f(E) \simeq 0$,

$E_F - E \gg kT$에서는 $f(E) \simeq 1$이 된다. 또, 페르미준위를 전자가 점하는 확률은 식 (1.3)의 1/2이 된다. $kT \ll E_F$일 때의 페르미에너지 및 전자의 평균운동에너지는 근사적으로

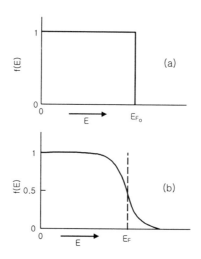

그림 1.9 Fermi-Dirac분포계수 (a) T=0, (b) 충분히 저온에서 kT≪EF의 경우

$$E_F \simeq E_{F0}[1 - \frac{\pi^2}{12}(\frac{kT}{E_{F0}})^2] \tag{1.5}$$

$$<E> \simeq <E_0>[1 + \frac{5\pi^2}{12}(\frac{kT}{E_{F0}})^2] \tag{1.6}$$

으로 나타낼 수 있다. 고온에서 E_F는 감소하고, $<E>$는 크게 되지만, 이런 변화는 매우 적다는 것을 알았다.

1-2-2 전자의 방출현상

전술과 같이 금속의 자유전자는 절대영도에서도 상당히 큰 운동에너지를 갖고 있지만, 금속표면에서는 에너지의 장벽이 있어 외부로 전자가 방출되는 것을 막는다. 그러나, 외부에서 에너지를 주면 전자의 운동에너지가 증가하여 $E > E_F + \Phi$

의 조건이 만족되었을 때 전자의 방출이 가능하게 된다. 열전자방출은 열에 의해 여기된 전자의 방출이다. 열전자방출에 수반되는 전류의 절대값은 다음의 Richardson-Dushman식으로 주어진다.

$$I(T) = A_o T^2 \exp\left(-\frac{\Phi}{kT}\right) \tag{1.7}$$

여기서, $A_o = \dfrac{4\pi m e k^2}{h^3}$ 은 Richardson정수라 부르고, 물질에 관계없이 1.20×10^6 A/㎡·K²과 같다. 또, Φ 는 온도에 관계없는 것으로 가정한다. 열전자전류는 2극관의 포화전류에서 구할 수 있고, 그 온도의존성을 알면 A_o와 Φ를 구할 수 있다. 실제로는 표면상태의 영향에 따라 A_o는 일정한 값을 나타내지 않는다.

금속표면에 빛을 조사하면, 그 파장에 의해서 표면부근의 전자가 빛에너지를 흡수하여 외부로 방출된다. 이것을 광전자방출(외부광전효과)라고 부른다. 진동수 ν 를 갖는 빛의 에너지는 $h\nu$이고, $h\nu > \Phi$일 때만 전자가 방출된다. $h\nu = \Phi$가 되면, ν를 한계진동수라고 부른다. 광전자의 운동에너지는 광전자의 속도를 v로 하면, $\frac{1}{2}mv^2$로 나타낼 수 있으므로 다음의 Einstein의 관계가 성립한다.

$$\frac{1}{2}mv^2 = h\nu - \Phi \tag{1.8}$$

따라서, 광전자의 운동에너지의 최대값을 입사광의 진동수에 대해 프로트하여 한계진동수 즉, 일 계수를 얻을 수 있다.

2차 전자방출은 전자의 입사에 의해 내부의 전자가 밖으로 튀어나오는 현상이다. 1개의 1차 전자의 입사에 대해 방출되는 2차 전자의 평균수를 이득이라고 하면, 금속의 종류와 1차 전자의 가속전압에 의존한다. 최대 이득을 얻을 수 있는 가속전압은 수 백V이고, 1이상의 이득이 얻어지는 경우도 적지 않다.

실제의 금속표면에 있어서 포텐셜장벽은 그림 1.8과 같이 수직이 되면 그림 1.10의 (a)에 나타냈듯이 완만하게 변화하고 있다. 이 이유는 표면에 경상(鏡像) 포텐셜이 존재하기 때문이다. 지금 1개의 전자를 표면에서 x 거리까지 빼내도록 하면 금속 안에 정의 전하(전자공공)을 남기므로 이들 사이에 정전적인 인력이 작용한다. 이것에 의해 외부의 전자는 다시 금속측으로 이끌린다. 이 힘을 경상력(鏡像力)이라고 부른다. 전자가 원자간 거리에 비해 표면에서 충분히 분리되어 있다고 하면, 금속표면은 균일하다고 생각할 수 있으므로 경상력은 $\dfrac{e^2}{(4x^2)}$으로 나타낼 수 있다. 다시 말해, 전자는 금속에 대해 $V(x) = -\dfrac{e^2}{(4x)}$의 경상포텐셜을 갖게 된다. e는 소전하이다.

금속의 전위가 음이 되도록 외부에서 전계 F가 작용하면, $-eF_x$의 포텐셜 에너지가 더해지므로 금속의 일 계수가 겉보기상 감소하여 전자는 외부로 빠져나오기 쉽게 된다. 이것을 Schottky효과라고 부른다. Schottky효과에 의해 포텐셜장벽이 낮아지는 형태를 그림 1.10의 (b)에 나타냈다. 더욱 강한 전계를 걸면, 포텐셜장벽이 더욱 낮게 됨과 동시에 장벽이 얇아진다. 이 결과 전자는 양자역학적인 터널효과에 의해 장벽을 통과하여 외부로 방출된다. 이것이 전계방출이고, 이때 흐르는 전류의 크기는 F와 Φ에 의존한다.

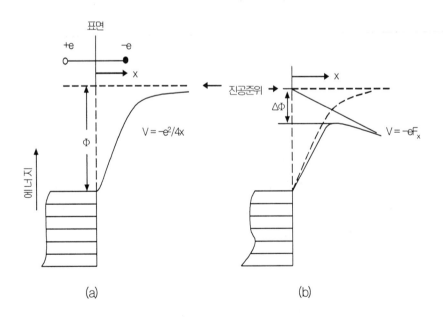

그림 1.10 금속표면의 포텐셜장벽
(a) 경상포텐셜(V), (b) Schottky효과에 의한 포텐셜장벽의 변화

1-2-3 터널효과

고전역학에 의하면, 고체내부의 전자는 그 운동에너지가 표면의 포텐셜장벽보다도 조금만 작아도 외부로 나가는 것은 허용되지 않는다. 그러나, 양자역학에서는 포텐셜장벽이 얇은 때에 한해서 전자가 벽을 뚫고 나갈 수 있다. 이것이 터널효과이다.

그림 1.11에 나타냈듯이 높이 V, 두께 l의 포텐셜장벽이 존재하여 1차원의 전자의 운동을 파동계수를 이용하여 나타내보자. 그림의 영역 Ⅰ 및 Ⅲ에 있어서 전자의 파동방정식은 x방향의 전자의 운동에너지를 E_x로 하여 다음과 같이 쓸 수 있다.

$$\frac{d^2\phi}{dx^2} + \frac{2m}{h^2}E_x\phi = 0\,(x < 0,\, x > l) \tag{1.9}$$

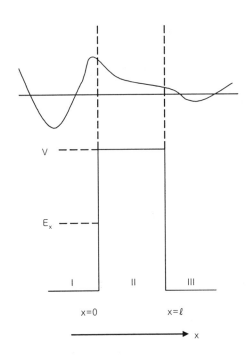

그림 1.11 포텐셜장벽에 의한 진동계수의 변화 : 터널효과(V>Ex)

같은 방법으로 영역 II에서는

$$\frac{d^2\phi}{dx^2} + \frac{2m}{h^2}(E_x - V)\phi = 0 \,(0 < x < l) \tag{1.10}$$

이 된다. 여기서, $\frac{2mE_x}{h^2} = \alpha^2$, $\frac{2m(V - E_x)}{h^2} = \beta^2$으로 치환하면 식 (1.9) 및 (1.10)은 다음과 같이 된다.

$$\frac{d^2\phi}{dx^2} + \alpha^2\phi = 0 \,(x < 0, \, x > l) \tag{1.11}$$

$$\frac{d^2\phi}{dx^2} - \beta^2\phi = 0 \,(0 < x < l) \tag{1.12}$$

영역 I에 있어서 파동계수의 일반 해를 지수계수로 이용하여

$$\phi_I = A'e^{i\alpha x} + Ae^{-i\alpha x} \;\; (x < 0) \tag{1.13}$$

으로 나타낸다. A' 및 A는 각각 입사파와 반사파의 진폭이다. 입사파의 진폭을 1로 하면, 식 (1.13)은

$$\phi_I = e^{i\alpha x} + Ae^{-i\alpha x} \;\; (x < 0) \tag{1.14}$$

로 쓸 수 있다. 영역 II에서 일반해를

$$\phi_{II} = Be^{\beta x} + Ce^{-\beta x} \;\; (0 < x < l) \tag{1.15}$$

로 한다.

여기서, $x = 0$에서 파동계수의 경계조건 : $\phi_I = \phi_{II}, \frac{d\phi_I}{dx} = \frac{d\phi_{II}}{dx}$를 식 (1.14) 및 (1.15)에 도입하여 다음의 관계를 얻었다.

$$1 + A = B + C \tag{1.16}$$

$$i\alpha(1 - A) = \beta(B - C) \tag{1.17}$$

영역 III을 x의 방향으로 진행하는 전자에 대해 파동계수를

$$\phi_{III} = De^{i\alpha x} \tag{1.18}$$

으로 표시하면 $x = l$에서 파동계수의 경계조건 : $\phi_{II} = \phi_{III}$, $\dfrac{d\phi_{II}}{dx} = \dfrac{d\phi_{III}}{dx}$ 로 다음과 같은 식이 얻어진다.

$$Be^{\beta l} + Ce^{-\beta l} = De^{i\alpha l} \tag{1.19}$$

$$\beta(Be^{\beta l} - Ce^{-\beta l}) = i\alpha De^{i\alpha l} \tag{1.20}$$

식 (1.16), (1.17), (1.19), (1.20)에서 계수 A, B, C, D를 구할 수 있다.

D는 영역 II를 통과하는 파의 진폭이므로 이것을 구하면

$$D = \cfrac{2}{2\cosh\beta l + i(\dfrac{\beta}{\alpha} - \dfrac{\alpha}{\beta})\sinh\beta l} \tag{1.21}$$

이 된다. 영역 II에 입사하는 파의 진폭을 1로 했기 때문에 장벽으로의 전자 투과율은 다음과 같이 구할 수 있다.

$$T = DD^* = \cfrac{4}{4cosh^2\beta l + (\dfrac{\beta}{\alpha} - \dfrac{\alpha}{\beta})^2 sinh^2\beta l} \tag{1.22}$$

D^*는 D의 복소공역이다. 식 (1.22)에서 βl가 작아지면 투과율은 1에 가까워진다는 것을 알았다. βl이 비교적 큰($\gg$ 1) 경우에는 $\cosh\beta l \simeq \sinh\beta l \simeq \dfrac{1}{2}e^{\beta l}$로 근사할 수 있으므로 투과율은

$$T = \cfrac{4e^{-2\beta l}}{1 + \cfrac{(\dfrac{\beta}{\alpha} - \dfrac{\alpha}{\beta})^2}{4}} \tag{1.23}$$

으로 표시할 수 있다. 이렇게 V나 l이 비교적 큰 경우에도 그림 1.11에 나타냈

듯이 파는 포텐셜의 벽의 내부를 지수 계수적으로 감쇠하면서 통과하는 것을 이해할 수 있다.

터널효과를 확안하는 제일 간단한 방법은 금속-절연층-금속(반도체)가 되는 접합(MIM, MIS접합)을 만들어 여기에 바이어스전압을 걸어 생기는 전류(터널전류)를 관측하는 것이다. 이 전류-전압특성에서 금속이나 반도체의 전자대구조 및 전자와 절연층과의 상호작용을 이해할 수 있다.

1-2-4 금속표면의 전자상태와 일 계수

1-2-2에서 기술했듯이 금속의 일 계수는 표면에서의 전자방출이나 접촉 전위차에 관계하는 기본적인 물리량이다. 금속의 일 계수는 원리적으로 벌크와 표면의 양쪽의 성질에 의존한다. 전자는 금속의 결합에너지에 관련이 있고, 후자는 표면의 자유에너지와 관계가 있다. 금속 내부의 전자분포를 기술하는 제일 간단한 것이 Jellium모델이다. 즉, 결합에 관여하는 전자가 정의 전하를 갖는 이온심(芯)의 주변에 분포하여 전체적으로는 전기적 중성을 유지하고 있는 것으로 생각된다. 그러나, 표면의 전자밀도는 내부의 평균 전하밀도와 다르게 된다. 이 이유는 표면근방의 전자간에 이동하는 쿨롱 척력을 감소하도록 전자가 표면에서 진공측으로 빠져나와 그림 1.12에 나타냈듯이 전기이중층이 형성되기 때문이다.

Jellium모델에 의해 내부의 전자밀도분포를 그대로 표면에 적용할 때의 일 계수를 Φ_o로 하고, 전기이중층의 기여를 Φ_d로 하면, 금속의 일 계수는

$$\Phi = \Phi_o + \Phi_d \qquad (1.24)$$

로 나타낼 수 있다. 여기서, Φ_o는 전자밀도에만 의존한다. 전자밀도가 비교적 작은 금속에서는 Φ_d의 기여는 작다. Jellium모델에 대해서는 표면의 전자분포는 표면에 평행한 방향에 있고, 표면원자의 기하학적 배열의 효과는 평균화되어 있다. 이에 비해 실제 표면에서는 원자배열에 의해 횡방향에 요철이 있는 전자분포를 만들게 된다. 이 효과는 전기이중층의 구조를 변화시키기 때문에 Φ_d에 영향을 준다.

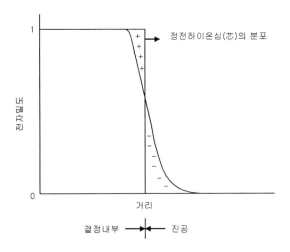

그림 1.12 금속표면의 전기이중층

일반적으로 금속표면은 복수의 결정면으로 구성되어 있는 것이 많으므로 실측의 일 계수는 몇 개의 결정면의 일 계수를 평균화한 것이라고 생각할 수 있다. 표면의 오염이나 기하학적인 원자배열의 부정합도 일 계수에 크게 영향을 준다. 따라서, 잘 규정된 청정한 단결정의 표면에 대하여 얻어진 것이 제일 신뢰할 수 있는 일 계수이다.

일 계수와 밀접하게 관련하고 있는 것이 전기음성도(Electronegativity)이다. 전기음성도는 일반적으로 원자가 전자를 끌어당기는 능력을 나타낸 것으로 정의가 된다. Mulliken은 원자의 이온화에너지와 전자친화력(Elector affinity)의 평균값을 전기음성도로 정의했다. 또, Pauling는 결합에너지를 이용하여 전기음성도를 측정하였으나, 양자의 전기음성도의 사이에는 근사적인 비례관계가 있다. 또, 경험적으로 알려진 일 계수와 Pauling의 전기음성도(x)의 사이에는 근사적으로 다음 직선관계가 성립한다.

$$\Phi = (2.27x + 0.34)\,\text{eV} \tag{1.25}$$

일 계수는 표면의 결정학적 방위에 따라 다른 것은 오래 전부터 알려졌다. 표 1.1에 예를 나타냈다[2]. 표에서 표면의 원자밀도가 큰 쪽이 일 계수가 크게 된다는 것을 알았다. 표면의 원자밀도가 큰 경우에는 진공측으로의 전자가 빠져나오는 것이 많은데, 이는 전기이중층의 영향이 강하게 나타내기 때문이라고 생각된다.

표 1.1 금속의 일 계수(eV*[(2)](aJ))

금속	결정격자	결정면		
		(110)	(100)	(111)
Cu	FCC	4.48[0.72]	4.59[0.73]	4.94[0.79]
Ag	FCC	4.52[0.72]	4.64[0.74]	4.74[0.76]
W	BCC	5.25[0.84]	4.63[0.74]	4.47[0.72]
Mo	BCC	4.95[0.79]	4.53[0.72]	4.36[0.71]
K	BCC	2.55[0.41]	2.40[0.38]	2.15[0.34]

* 1eV ≒ 1.6022×10^{-19}J = 0.16022aJ

표면에 분자나 이온 등이 흡착하면 표면과 흡착종과의 사이에 전하의 교환이 생겨 전기이중층의 상태가 변화한다. 이것에 의해 일 계수도 변화한다. 예를 들어, 흡착에 의해 표면의 진공측이 부가 되도록 분극이 일어나면, 하지의 일 계수가 증가한다. 흡착량이 작아 흡착종 사이의 상호작용이 충분히 무시할 수 있을 때에는 일 계수의 변화는 흡착량에 비례한다. 그 때문에 표면 피복률에 대해 간접적인 지식을 얻을 수 있다.

1-2-5 접촉 전위차

일 계수가 다른 금속을 서로 접촉시키면, 금속의 전도전자는 한쪽에서 다른 쪽으로 흐른다. Φ_a 및 $\Phi_b(\Phi_a < \Phi_b)$의 일 계수를 갖는 금속 a 및 b를 접촉시키면, b의 페르미준위가 a의 페르미준위와 같을 때까지 전자가 a에서 b로 흐른다. 이것으로 a는 정의 전하, b는 음의 전하를 갖는다. 접촉전후의 형태를 그림 1.13에 나타냈다. 그림과 같이 접촉전의 a와 b의 표면전위(진공준위)는 같다고 가정하면, 접촉에 의해 생기는 양자의 전위차(접촉 전위차)는 $V_c = \Phi_b - \Phi_a$로 주어진다. 이때 금속 a와 b는 일종의 콘덴서를 구성하게 되고, 이 정전용량을 c로 표현하면 접촉에 의해 유기된 전기량은

$$Q = C(\Phi_b - \Phi_a) \tag{1.26}$$

가 된다. 여기서, 외부에서 a, b 사이에 V'의 전위를 가하면 전기량은

$$Q = C(\Phi_b - \Phi_a + V') \tag{1.27}$$

로 나타낼 수 있다. 그러니까, $Q = 0$가 되는 V'를 구하면 접촉 전위차는

$$V_c = \Phi_b - \Phi_a = -V' \tag{1.28}$$

가 됨을 알 수 있다. 이렇게 V_c를 알거나 일 계수를 이미 아는 경우에는 다른 일 계수를 구할 수 있다. 이 방법을 Kelvin법이라고 부르고, 상대적인 일 계수를 아는 방법으로 이용된다.

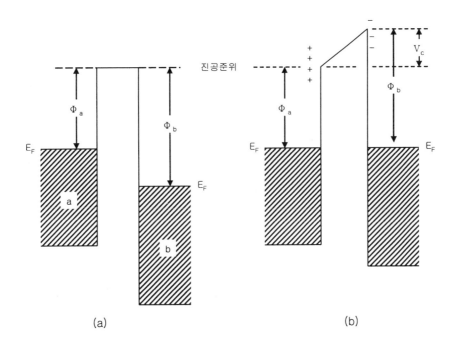

그림 1.13 금속의 접촉에 의한 전자의 이동
(a) 접촉 전 (b) 접촉 후, Vc는 접촉전위차

1-2-6 금속표면의 광학적 성질

금속표면의 광학적 성질은 기본적으로 빛과 금속내 전자의 상호작용으로 되돌아올 수 있다. 금속과 빛의 상호작용으로서 가전자에 의한 빛 흡수가 있고, 이것은 후술의 금속표면에 대하여 빛의 반사율 특성으로 표현되는 것 이외에 표면 플라즈마진동의 여기과정 등에 영향을 준다. 빛 흡수에서는 빛의 파장에 의해 두 가지 다른 기구가 존재한다. 즉, 자유전자에 의한 빛 흡수(전도흡수)와 1차의 양자천이흡수(전자대 사이의 천이흡수)이다. 빛 흡수는 금속의 전자대 구조를 반영하므로 빛 흡수가 생기는 파장은 금속의 종류에 따라 다르다. 그러나, 일반적으로 전도흡수는 가시광보다 파장이 긴 빛이 관여하고, 전자대 사이의 천이흡수는 가시광보다 파장이 짧은 빛에 의해 생긴다. 가시영역에서 전자대 사이의 천이흡수를 만드는 금속으로 Cu와 Au가 있다. 이들의 특유한 색은 각각 1.8eV(3d→4s), 2.35eV(5d→6s)의 흡수에 기인한다. 금속에 한하지 않고, 일반적으로 물질의 광학적 성질은 광학정수를 이용하여 기술되지만, 그 기초가 되는 것은 맥스웰의 전자(電磁)방정식이다. 여기서는 주로 광학정수의 정의와 그 물리적 의미를 이해할 때 성립하는 몇 가지 기초적인 관계식에 대해 기술한다.

진공중에서 놓인 균질 등방적인 금속의 표면에 빛이 수직으로 입사하는 경우에 대해서 생각해보자. 여기서 금속의 복소유전율을 $\epsilon_1 = \epsilon'_1 + \epsilon''_1$, 금속의 복소도전율의 실부를 σ로 한다. 또, 금속의 투자율은 여기서 문제가 되는 광학적 진동수영역에서는 1과 동등하다고 가정한다. 금속내부를 z축 방향으로 진행하는 빛에 대해 맥스웰의 방정식을 적용하면 다음의 전계방정식이 얻어진다.

$$\frac{\partial^2 E}{\partial z^2} = \frac{\epsilon'_1}{c^2}\frac{\partial^2 E}{\partial t^2} + \frac{4\pi\sigma}{c^2}\frac{\partial E}{\partial t} \tag{1.29}$$

여기서, E는 전기벡터, c는 광속이다. 식 (1.29)의 관계를 만족하는 빛의 전기벡터를 다음과 같이 나타낸다.

$$E(z) = E_o \exp i\,(Kz - \omega t) \tag{1.30}$$

K는 파수벡터의 크기, ω는 각진동수이다.

$$K^2 = \frac{\omega^2}{c^2}\left(\varepsilon'_1 + \frac{4\pi i\sigma}{\omega}\right) \tag{1.31}$$

굴절율은 일반적으로 복소수이므로 이것을 다음 식과 같이 정의할 수 있다.

$$= n + ik = \frac{cK}{\omega} \tag{1.32}$$

k 는 감쇠계수(Extinction coefficient)라고 부르는 수이고, n 은 $k = 0$ 일 때의 굴절율과 같다. n 과 k 를 광학정수라고 한다. 복소굴절율과 복소유전율의 관계는

$$(n + ik)^2 = {}_1 \tag{1.33}$$

으로 주어지므로

$${}_1 = n^2 - k^2 \tag{1.34}$$

$$\varepsilon''_1 = 2nk = \frac{4\pi\sigma}{\omega} \tag{1.35}$$

의 관계가 얻어진다. 이들 식을 이용하면 식 (1.30)에 의해 전기벡터는

$$E(z) = E_o\exp\left(-\frac{\omega kz}{c}\right)\exp\left[i\omega\left(\frac{nz}{c} - t\right)\right] \tag{1.36}$$

로 표시할 수 있다. 이 관계를 이용하여 금속에 의한 광흡수의 정도를 흡수하는 식이 얻어진다. 즉, 빛의 강도는 일반적으로 $|E|^2$ 으로 주어지므로 금속에 입사하기 전의 빛의 강도를 I_o, 표면에서 금속 안으로 z 의 거리만큼 진행하는 강도를 I_z 라고 하면

$$I_z = I_o\exp\left(-\frac{2\omega kz}{c}\right) \tag{1.37}$$

의 관계가 얻어진다. 식 (1.37)에 있어서 흡수계수 α 를

$$\frac{I_z}{I_o} = \exp(-\alpha z) \tag{1.38}$$

로 정의하면 흡수계수는

$$\alpha = \frac{4\pi k}{\lambda} \tag{1.39}$$

으로 주어진다. λ 는 진공중의 빛의 파장이다.

광학정수는 빛의 파장의 계수이므로 실험적으로 광학정수를 구하기 위해서 단색광을 이용하는 에너지반사율 R 과 에너지투과율 T 를 측정하면 된다. 이 경우 에너지흡수율을 A 라고 하면, 에너지보존법칙에 의해 $R + T + A = 1$ 이 성립한다. 수직 입사한 금속의 에너지반사율은 식 (6.15)의 Fresnel의 반사계수에 의해

$$R = \mid \frac{-1}{+1} \mid^2 = \frac{(n-1)^2 + k^2}{(n+1)^2 + k^2} \tag{1.40}$$

이 된다. 그래서, 이 식이 성립하기 위해서는 두께를 고려할 필요가 없이 충분히 두꺼운 금속 이외에 두께를 d 로 하면, $\frac{d}{\lambda/k}$ 의 조건이 만족되는 경우에 한한다. 전자의 경우에는 $T = 0$ 이 되므로 에너지투과율은 $A = 1 - R$ 이 되고, 후자에서 T 는 $\exp(-\alpha d)$ 에 비례한다.

Drude의 자유전자이온에 의하면 금속의 광학정수를 근사적으로 계산할 수 있다. 즉, 감쇠를 고려한 전자의 운동방정식에서 도입된 복소유전율은

$$\epsilon_i(\omega) = 1 - \frac{\omega_p^2}{\omega(\omega + \frac{i}{\tau})} \tag{1.41}$$

이다. ω_p 는 감쇠를 무시한 경우의 자유전자의 플라즈마 각진동수이고, 단위체적 중의 가전자수를 N 으로 하면

$$\omega_p = \sqrt{4\pi N e^2/m} \tag{1.42}$$

이다. τ 는 완화시간이라고 부르는 가전자가 자유전자로서 운동하여 측정할 수 있는 시간(수명)을 의미한다. 한편, 맥스웰의 방정식으로 플라즈마진동이 일어나는 조건은 $\epsilon_1 = 0$ 이다. 감쇠가 무시될 때 즉, $\omega\tau \gg 1$ 일 때, $\epsilon_1(\omega)$ 는 식 (1.41)에서 $1 - \frac{\omega_p^2}{\omega^2}$ 과 같게 된다.

금속의 광학적 성질은 빛에 대해 가전자의 응답과 관련하고 있다. 빛의 진동수 ν 가 $\frac{1}{\tau}$ 보다 충분히 클 때 전자는 빛의 자계에 따르지 않으므로 전자는 빛

을 흡수하지 않는다. 완화시간에 대응하는 진동수(완화진동수)를 ν_τ로서 다음과 같이 정의한다.

$$\frac{1}{\tau} = 2\pi\nu_\tau \tag{1.43}$$

$\nu_p(=\frac{\omega_p}{2\pi})$ 및 ν_τ를 이용하여 복소도전율을 나타내면 $\varepsilon'_1 = 1 - \frac{\nu_p^2}{(\nu^2 + \nu_\tau^2)}$, $\varepsilon''_1 = \frac{\nu_p^2 \nu_\tau}{(\nu^3 + \nu\nu_\tau^2)}$ 이다. 대표적인 1가 금속에서는 $\nu_p = \sim 10^{15}$/s인 자외선의 진동수에 대응한다. 또, $\nu_p = 10^{12} \sim 10^{13}$/s인 원적외선에 적합하다. $\nu \ll \nu_\tau$일 때에는 자유전자는 빛의 전계에 따르므로 빛의 에너지를 흡수한다. 그러므로, 이 진동수영역에서는 전도흡수가 일어난다. 한편, $\nu \gg \nu_\tau$일 때는 전자가 빛을 흡수하지 않는다. 결국, 빛을 반사하거나 투과하거나 한다. 이 경우 근사적으로 $\nu_\tau = 0$이 되므로 $\varepsilon'_1 = n^2 - k^2 = 1 - \frac{\nu_p^2}{\nu^2}$, $\varepsilon''_1 = 2nk = 0$의 관계가 도입될 수 있다. 따라서, $\nu < \nu_p$일 때는 $n^2 - k^2 < 0$이 되어 $n = 0$으로 귀착한다. 즉, 빛은 완전 반사한다. 한편, $\nu > \nu_p$일 때는 $n^2 - k^2 > 0$이 되므로 $k = 0$이 된다. 그러므로, 빛은 투과한다. 이상과 같이 ν_p는 빛의 투과와 반사를 구별하는 진동수이다. 플라즈마진동은 전도전자의 밀도의 진동이고, 그 파는 광학적으로 균질 등방인 벌크 금속 중에서는 순수한 종파이다. 그러나, 금속표면에서는 ω_p와 다른 진동수를 갖는 표면 플라즈마진동이 있는데 적당한 에너지와 운동량을 갖는 빛과 상호작용을 하는 것으로 알려졌다.

1-3 금속표면에서 화학결합력

고체표면과의 사이에 결합력이 작용하여 일어나는 것이 흡착이다. 흡착의 구조는 일반적으로 매우 복잡하지만, 기본적으로는 물리흡착과 화학흡착으로 구분된다. 물리흡착은 Van der Waals힘에 의한 약한 흡착이고, 화학흡착은 화학결합의 형성을 수반하는 강한 흡착이다. 여기서는 금속표면에서 기체분자의 흡착과 결합력에 대해서 기초적인 설명을 하고, 고체표면과 액체와의 상호작용으로서 젖음현상을 다루겠다.

1-3-1 물리흡착과 화학흡착

처음에 물리흡착과 화학흡착에서 볼 수 있는 일반적인 특징을 살펴보자. 물리흡착은 무극성 분자를 포함한 모든 흡착계(흡착질과 흡착매)에 대해서 가역적으로 일어나 단시간에 흡착평형에 도달한다. 물리흡착에 관여하는 것은 주로 Van der Waals힘으로 그 주된 힘을 만드는 것은 분산력이다. 분산력은 비교적 원거리에 미치므로 후술의 화학결합력과는 다른 포화성을 나타내지 않는다. 그러므로, 고압의 기상중에서는 다층흡착이 가능하다. 화학흡착한 분자 위에 물리흡착이 일어나는 것도 이 이유이다. 물리흡착의 결합에너지(흡착열)은 작고, 중성분자의 고체의 응집에너지(8.4~21kJ/mol)와 같은 정도이므로 흡착량은 표면온도의 상승과 함께 급속하게 감소한다.

화학흡착은 고체표면과의 사이에 작용하는 화학결합력에 의해 일어나므로 표면에서 가능한 한 제1층에 상당하는 수의 분자만이 관여한다. 흡착열은 일반적으로 흡착량에 따라 변화하지만, 물리흡착에 비하여 상당히 크고(40~400kJ/mol), 탈리온도도 높다. 1-1에 기술했듯이 금속표면에서는 전자상태가 다른 흡착site가 존재하므로 흡착량에 의해 탈리온도가 다른 흡착분자가 공존하게 된다. 활성화에너지를 필요로 하는 경우에는 저온에서의 화학흡착은 늦게 진행하고, 표면의 온도상승과 함께 흡착량은 급속히 증가한다.

He나 Ne은 희박가스분자 중에서도 이온화 포텐셜이 높고, 금속과의 상호작용은 매우 약하다. 예를 들어, He의 금속표면에 대하여 흡착에너지의 크기는 약 0.8kJ/mol에 지나지 않으므로 금속표면과의 사이에는 분산력과 근거리의 교환척력만이 작용한다고 생각하는 것이 좋다. 교환척력이란, 이 경우 He폐각전자(閉殼전자)와 금속표면의 전자와의 사이에 작용하는 반발력이다. 따라서, 전 포텐셜에너지를 일반적으로 나타내면

$$V(r) = -\frac{a}{r^m} + \frac{b}{r^n} \quad ((n > m)) \tag{1.44}$$

이다. r은 표면과 흡착원자간의 거리이고, a, b, m, n은 정수(희박가스 분자강의 포텐셜계수로서 알려진 Lennard-Jones6-12포텐셜은 $m=6, n=12$이다. 여기서, He과 같이 단원자 분자가 금속표면에 접근할 때의 포텐셜에너지는 그림 1.14와 같이 변화한다. 여기서, 포텐셜에너지가 극소가 되는 거리는 금속원자와 흡착원자의 van der Waals반경의 합과 같다. 또, E_p는 물리흡착의 흡착에너지를 나타내고, 이것은 탈리에너지와 같다. 흡착원자가 표면에 존재하는 시간은 $\exp(\frac{E_p}{kT})$에 비례하므로 E_p에 대해 표면의 온도가 충분히 낮지 않으면 물리흡착은 일어나지 않는다.

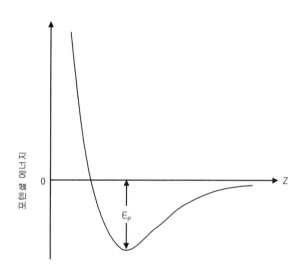

그림 1.14 물리흡착에서 포텐셜에너지의 변화
Z : 표면에서의 거리, EP : 흡착에너지

화학흡착에서는 해리를 수반하는 경우와 수반하지 않는 경우가 있다. 그림 1.15는 해리가 없이 화학흡착하는 분자에 대한 포텐셜에너지 변화의 모식도이다. 여기서, E_p 및 E_c는 각각 물리 및 화학흡착에너지이다. 물리흡착과 화학흡착과의 사이에는 조그만 에너지장벽(E')이 있으므로 활성화에너지($E'+E_p$)를 상회하는 에너지를 갖는 분자만이 화학흡착할 수 있다. 물리흡착과는 달리 화학흡착한 분자의 탈리에너지(E_d)는 흡착에너지보다도 크다는 것을 알았다. 해리를 수반하는 흡착분자에 대한 포텐셜에너지의 변화는 상당히 복잡하지만, 기본적으로는 그림 1.15와 유사한 것이다.

1-3-2 표면의 화학결합력

고체표면과 흡착종과의 사이에 형성되는 화학결합의 성질을 알기 위한 제일 빠른 방법은 흡착에 수반하는 분자 및 표면의 전자구조의 변화를 측정하는 것이다(6.2참조). 또, 흡착열의 측정이나 일 계수의 변화에서 흡착종의 결합양식에 대해 어느 정도 추론할 수 있다. 예를 들어, 흡착종과 고체 표면(원자)간의 결합이 화합물에 있어서 일반의 화학결합과 동일하다고 생각되는 흡착열을 이론적으로 구하여 실험값과 비교한다. 이 방법은 여러 가지 단점이 있지만, 흡착을 원리적 이해하기에는 충분하다. 그 예를 아래에 설명한다.

화학흡착의 극단적인 예는 순수한 이온결합(Ionic bond)과 공유결합(Covalent bond)에 의한 흡착이다. 제일 간단한 예는 금속표면에 원자가 화학흡착하여 이온결합을 형성하는 경우이다. 금속의 일 계수가 흡착하는 원자의 이온화포텐셜보다 클 때에는 흡착원자에서 금속 표면으로 전자가 이동하여 흡착원자는 정으로 전하한다. 한편, 금속 표면은 부로 전하하므로 이 흡착은 이온결합에 기초한다고 생각해도 좋다. 이 경우 표면에서 흡착원자까지의 거리를 r_o, 금속의 일 계수를 Φ, 흡착원자의 이온화포텐셜을 I_p로 쓰면, 흡착열은 다음과 같이 표현할 수 있다.

$$Q_i = (\Phi - I_p) + \frac{e^2}{4r_o} \tag{1.45}$$

제1항은 전자의 이동에 의해 얻어지는 에너지, 제2항은 경상력 $\frac{e^2}{(4r_o^2)}$ 에 기초한 에너지이다(1.2.2참조). 표 1.2에 나타낸 것은 W에 대한 알칼리금속원자의 흡착열의 실험값과 흡착이 순수한 이온결합이라고 가정하여 이론적으로 도입된 흡착열이다. 표에서 나타냈듯이 실측값과 이론값은 비교적 잘 일치하고 있으므로 상기의 흡착은 대부분 이온결합에 의한 것이라고 생각해도 좋다. 역시 금속의 일 계수가 흡착원자의 전자친화력(A)보다도 큰 경우에는 전자는 표면에서 흡착원

자로 이행한다. 이때의 흡착열은 식 (1.45)에서 $\Phi \to A$, $I_p \to \Phi$ 로 치환하여 주어진다. 금속의 일 계수가 흡착원자의 이온화포텐셜보다도 작고, 전자친화력보다도 클 때에는($A < \Phi < I_p$) 상술했듯이 전자의 이동(분극)은 일어나지 않으므로 이온결합은 형성되지 않는다. 이 경우에는 전기적

표 1.2 W위에 알칼리금속의 화학흡착[3]

계	Φ (kJ/mol)	I_p (kJ/mol)	$\dfrac{e^2}{4r_o}$ (kJ/mol)	Q_i (계산값) (kJ/mol)	Q_i (실측값) (kJ/mol)
Na/W	435	494	186	128	134
K/W	435	417	150	169	–
Cs/W	435	374	130	191	258

으로 중성인 결합 즉, 공유결합적 흡착이 일어난다고 생각된다. 그 하나의 예는 금속표면에 있어서 수소의 해리 흡착이다. 2원자분자 $A - B$의 순수한 공유결합의 에너지는 $A - A$와 $B - B$의 결합에너지의 값에서 구할 수 있으므로 수소의 해리흡착과정은 표면원자를 M으로 표현하면

$$2M + H_2 \to 2M - H \tag{1.46}$$

로 쓸 수 있다. 그러나, 흡착에 의한 $M - M$결합은 절단되는 것이 없으므로 흡착열은

$$Q_c = 2E_{M-H} - E_{H-H} \tag{1.47}$$

로 주어질 수 있다. 여기서, E_{M-H} 및 E_{H-H}는 각각 흡착의 결합에너지, 수소의 결합에너지이다. 식 (1.47)에서 E_{M-H}는 실험적으로 구할 수 없지만, 근사적으로는 Pauling의 방법으로 추정할 수 있다. 즉,

$$E_{M-H} = \frac{1}{2}\left(E_{M-M} + E_{H-H}\right) + 96.48(x_M - x_H)^2 \tag{1.48}$$

이다. 제 1항은 순수한 공유결합에너지이다. 또,$(x_M - x_H)^2$은 공유결합과 이온결합 사이의 공조에 의한 안정화에너지를 나타내고, x_M 및 x_H는 금속원자 및 수소의 전기음성도이다. 제 2항의 96.48은 eV를 kJ/mol단위로 환산한 계수이다. 식 (1.48)을 이용하면 흡착열은 식 (1.47)에 의해

$$Q_c = E_{M-M} + 192.96(x_M - x_H)^2 \qquad (1.49)$$

로 나타낼 수 있다. 제 1항은 금속의 승화잠열q_c의 측정하여 구할 수 있다. 예를 들어, FCC금속에서는 최인접 원자가 12개이므로 승화에 6개의 최인접 원자 대의 결합이 절단되므로 $E_{M-M} = (1/6)q_c$로 쓸 수 있다. 다시 말해, M과 H의 전기음성도를 알면, Q_c를 계산할 수 있다. Eley[4]는 표면포텐셜의 측정으로 추정하여 구한 $M-H$의 쌍극자모멘트의 크기가 $(x_M - x_H)$와 동등하다고 가정하여 식 (1.49)으로 흡착열을 계산했다. 이 결과를 실험값과 비교한 것이 표 1.3이다. 이 표에서는 $x_M = 0.355\varPhi$라 가정하여 Stevenson[5]의 계산결과도 나타내고 있다. 위에서 기술한 흡착열의 이론계산은 순수한 원자적 흡착모델에 기초한 것으로 금속표면의 전자상태의 특징은 고려하지 않았다. 국소적인 결합을 보다 자세히 식별하기 위해서는 양자역학적인 취급이 필요하다. 이것에 대해서는 1.4.2에 조금 다루겠다.

표 1.3 금속표면에서 수소의 초기 화학흡착열

계	실측값(kJ/mol)	계산값(kJ/mol)	
		Eley[4]	Stevenson[5]
H_2/Ta	188	140	209
H_2/W	188	154	192
H_2/Cr	188	68	100
H_2/Ni	75 ~ 175	78	121
H_2/Fe	134	80	134

1-3-3 젖음

고체 표면과 액체사이의 물리화학적 상호작용으로써 젖음(wetting)의 현상이 있다. 액체에는 일반적으로 그 표면적을 최소로 하려는 힘 : 표면장력이 작용하므로 외력의 영향이 무시되는 경우에는 액적은 구형이 된다. 액체의 표면장력에 관여하는 것으로 분자간의 분산력, 수소결합, 전기쌍극자간의 정전인력 등이 있고, 액체의 두께가 수십 분자층 정도 이상이 되면, 표면장력은 두께에 무관하게 된다.

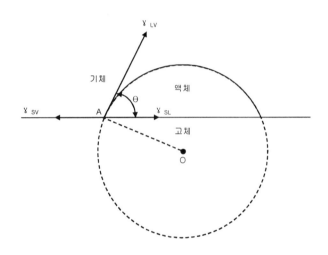

그림 1.16 고체표면에 대한 액체의 접촉각(θ)

고체 표면에 액체를 떨어뜨리면, 젖음의 대소에 따라 액체가 표면 전체로 퍼질 때와 구나 렌즈상으로 되는 경우가 있다. 젖음의 상태를 정량적으로 나타내기 위해서 이용되는 것이 접촉각이다. 접촉각은 그림 1.16에 나타냈듯이 고액 계면이 원 o의 점 A에 대해 접선과 만나는 각 θ로 정의된다. 액체가 젖은 상태로 측정된 전진 접촉각 θ_A은 고체표면이 나타난 상태에서 측정되는 후퇴 접촉각 θ_R과는 다르고, 일반적으로 $\theta_A > \theta_R$이 된다. 이 이유는 표면에 존재하는 오염과 액체가 접촉하는 전과 후에서는 표면의 상태가 변화하기 때문이다. 그러므로, 고체표면의 올바른 접촉각을 구하기 위해서는 오염이 없는 표면의 전진 접촉각을 측정해야 한다. 평활한 고체표면에서의 젖음에 대해서는 다음 식 Young과 Dupré의 관계가 알려져 있다.

$$\gamma_{LV}\cos\theta = \gamma_{SV} - \gamma_{SL} \tag{1.50}$$

여기서, γ_{LV}, γ_{SV}는 각각 액체, 고체의 표면장력, γ_{SL}은 고-액계면장력을 나타낸 것이다. $\gamma_{LV}\cos\theta$은 습윤장력(濕潤張力)이라 부르고, 젖음의 척도로서도 이용된다. 이 식은 γ_{LV}와 θ의 측정으로 구할 수 있다. $\theta = 0^o$이 될 때는 젖음이 진행되므로 확장 젖음이라 부른다. 젖음은 접착, 윤활, 도장 등의 표면처리에 일반적인 문제가 된다. 대기중의 금속 표면은 일반적으로 산화물 등으로 피복되지만, 표면에 수산기가 존재하면 극성기를 갖는 액체분자와의 사이에 수소결합을 형성하여 잘 젖게 된다. 표면 커플링제를 이용하면, 표면의 수산기와의 사이에 반응이 일어나 표면에 친수기 또는 소수기(疎水基)를 갖는 분자층이 형성된다. 이것으로 표면의 젖음성을 제어할 수 있다. 젖음을 잘 하기 위해서 자주 계면활성제를 이용하고 있다. 계면활성제는 친수기와 소수기의 양쪽을 갖고 있기 때문에 고-액 및 기-액 계면의 양쪽에 배향 흡착하여 이들의 계면장력을 저하시키게 된다. 또, 고체와 액체분자간의 반응에 의해 젖음의 성질은 변화한다.

1-4 금속표면의 화학반용성

금속표면이 관여하는 화학반응에는 촉매반응, 부식, 전극반응, 메카노케미컬 반응 등이 있다. 촉매는 반응물질과의 상호작용으로 반응의 활성화에너지를 저하시키고, 반응계를 빠르게 하여 평형에 도달시키는 역할을 한다. 부식은 표면의 환경에 의해 크게 영향을 받는다. 대기중에는 산소나 물의 흡착으로 금속표면에 이온결합성 또는 공유결합성이 혼입된 화합물의 막이 생긴다. 양이온이나 음이온이 막을 통하여 확산하면, 부식이 일어나 재료의 피로나 소모를 일으킨다. 전극반응은 전극표면/전해질계면을 전자이온이 이동하여 일어나는 반응으로 이

속도는 전위와 전극표면의 전자상태에 따라 현저하게 변화한다. 또, 메카노케미컬반응은 고체표면의 동적 접촉으로 유기되는 화학반응으로 금속에서 현저한 효과가 있고, 윤활제의 작용기구에도 관련이 있다. 여기서는 금속의 접촉반응과 메카노케미컬반응만을 설명한다.

1-4-1 불균일계 촉매반응

일반적으로 고체촉매를 이용하는 반응(불균일계 촉매반응 : 이하 촉매반응이라고 함)은

(1) 기상 또는 액상중의 반응분자의 촉매표면으로의 확산
(2) 반응분자의 표면으로의 흡착
(3) 표면에서의 반응
(4) 반응생성물의 탈리
(5) 반응생성물의 기상 또는 액상으로의 확산

의 각 단계를 통해 진행한다. 그림 1.17은 촉매반응의 경로와 포텐셜에너지곡선을 균일계 반응의 경우와 비교한 것이다. 반응속도는 상기의 과정 등, 활성화에너지가 최대가 되는 과정(율속단계)에 의해 지배된다. 촉매는 일반적으로 다공질의 고체에 담지한 상태에서 이용되는 것으로 상기의 (1)과 (5)가 반응의 율속이 되는 경우가 있고, 그림 1.17에서는 (3)이 율속단계이다. (2)의 과정은 빨라 반응속도에는 영향이 없다.

고체표면이 촉매역할을 하기 위해서는 반응분자가 표면에 적당한 강도로 흡착할 필요가 있다. 흡착력이 약하면 흡착반응분자의 표면농도가 낮고, 활성화에너지도 약간 저하하게 된다. 따라서, 충분한 반응속도를 얻을 수 없다. 역으로 흡착력이 강하면, 흡착분자의 결합상태(중간체)로의 이동이 제어된다. 또 생성물이 강하게 흡착한 그대로는 반응분자의 흡착을 막아 정상적인 반응이 곤란하게 된다. 이렇게 촉매반응은 흡착열이 적당하고, 활성화에너지가 크지 않는 상태에서 진행한다. 촉매에 있어서 표면반응의 제일 기본적인 기구로Langmuir-Hinshelwood(LH)와 Eley-Rideal(ER)에 의한 것이 있다. 전자는 화학흡착한 것에 대한 반응, 후자는 화학흡착종과 물리흡착종 또는 흡착하지 않는 분자와의 사이의 반응에 기초

한 기구이다. 많은 반응은 LH기구에 의하지만, ER기구에서 일어나지 않는 이유
는 파라이올루트수소전환반응, 경수소-중수소간의 교환반응 등이 알려져 있다.

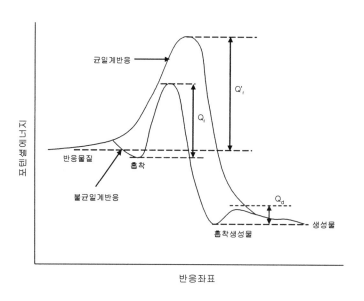

그림 1.17 균일 및 불균일계반응의 포텐셜에너지변화
Qr, Q'r : 반응의 활성화에너지, Qd : 흡착생성물 탈리활성화에너지

반응속도식[6]은 율속단계에 따라 다르지만, $A + B \rightarrow C$ 의 반응에서 화학흡
착한 A 및 B의 표면에서의 반응이 율속인 경우 역반응을 무시할 수 있다 고
가정하면, 반응속도 r_s 는 다음과 같다.

$$r_s = \frac{k_s K_A K_B P_A P_B}{(1 + K_A P_A + K_B P_B)^2} \tag{1.51}$$

k_s는 속도정수, P_A, P_B 및 K_A, K_B은 각각 A, B의 분압 및 그들의 흡착
평형정수이다. 또, A의 화학흡착종과 기상의 B와의 반응이 율속일 때에는

$$r'_s = \frac{k'_s K_A P_A P_B}{1 + K_A P_A + K_C P_C} \tag{1.52}$$

가 된다. K_C 및 P_C는 각각 C의 흡착평형정수 및 분압을 나타낸다. A와 B가 다른 site에서 화학흡착하여 반응하는 경우는

$$r''_s = \frac{k''_s K_A K_B P_A P_B}{(1+K_A P_A)(1+K_B P_B)} \qquad (1.53)$$

가 된다. 식 (1.51)~(1.53)의 표면반응의 율속정수 k_s, k'_s, k''_s는 Arrhenius식에 의한 활성화에너지와 관련하고 있다. 예를 들어

$$k_s = k_o \exp\left(-\frac{E_s}{RT}\right) \qquad (1.54)$$

이다. 여기서, k_s는 촉매표면의 흡착site의 수와 엔트로피변화를 포함한 정수이고, 활성화에너지 E_s와 함께 촉매의 활성도에 기여한다. R은 기체정수이다.

　　고체의 촉매작용에는 반응속도가 간단히 촉매의 표면적의 증가에 비례하여 증가하는 "Facile"형과 표면의 활성site의 성질이나 표면의 금속원자간 거리 등의 표면기구에 민감한 "Demanding"형이 있다. 실리카겔에 담지한 직경 2㎚ 이상의 Pt입자 위의 경-중수소교환반응이 전자이고, Ni(110)면의 촉매활성이 다결정Ni표면에 비해 큰 Pd의 아세틸렌의 수소화반응에 의해 에틸렌과 에탄의 생성량비가 Pd의 열처리에 의해 현저히 변화하는 것이 후자의 예이다.

1-4-2 금속의 촉매작용

　　촉매로서 제일 현저한 활성을 나타내는 것은 천이금속이다. 동일한 천이금속에서도 VIII족과 IB족에서 촉매작용이 크게 차이가 보인다. 예를 들어, VIII족 금속에서는 경-중수소교환반응이 70K에서도 쉽게 진행하지만, IB족 금속에서는 370K이상에서 반응이 일어난다. 또, CO와 H_2에서 CH_3OH, CH_4, 그 외의 탄화수소를 합성하는 반응에 있어서 현저한 활성을 나타내는 촉매는 VIII족에 속한다. 금속의 촉매작용을 지배하는 요인으로서 전자의 에너지대 구조와 반응분자의 초기흡착상태가 있다.

　　불완전 충진 d각을 갖는 천이금속의 d전자대는 s전자대와 비하여 폭이 매

우 좁은 것이 특징이다. 여기서, d궤도는 근사적으로 독립하고 있다고 가정하고 금속과 흡착종과의 사이의 상호작용을 분자궤도법을 이용하여 계산할 수 있다. FCC금속에서는 12개의 최인접원자와 6개의 제2인접원자가 있고, 결정을 (100) 면에서 절단할 때 표면에 존재하고 있는 d궤도는 그림 1.18과 같이 나타낼 수 있다. 군론(群論)의 기호를 이용하면 d궤도는 O_h의 점군에 속하고, e_g와 t_{2g}의 궤도로 나뉜다. e_g는 제2인접원자의 방향으로, t_{2g}는 최인접원자의 쪽으로 향하고 있다. 따라서, 금속원자의 결합에는 t_{2g}가, 흡착종과의 결합에는 e_g의 궤도가 주로 관여할 것으로 예상된다. 실제로 Shopov[7]는 Ni의 (100), (110), (111)면에서 수소의 해리흡착을 분자궤도법으로 고찰하였다.

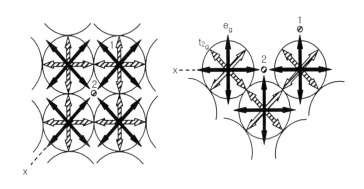

그림 1.18 Ni(100)면에서 수소원자의 흡착site

이에 따르면, 그림 1.18에 나타냈듯이 e_g에 속하는 4가지의 $d_{x^2-y^2}$궤도와 1개의 d_{x^2}의 궤도와의 중첩이 가능한 사이트 2에 흡착할 때에 흡착열이 최대가 된다. 상기 Ni(100)면의 4회 대칭의 움푹 파인 곳에 수소가 해리흡착하는 것은 HREELS에 의한 진동스펙트럼의 측정에 의해 확인되었다[8]. 흡착의 강도가 결정면 및 흡착site에 의해 다른 것은 각종의 금속 클러스터의 모형에 기초한 분자궤도의 계산에서도 도입되었고, 많은 실례가 있다.

이상과 같이 수소는 많은 천이금속표면에 해리흡착하지만, 일산화탄소는 조금 다른 흡착거동을 나타낸다. 즉, CO의 실온흡착은 표 1.4에 나타냈듯이 금속의 종류에 따라 해리흡착과 비해리흡착으로 구별된다.

표 1.4 금속에 대한 일산화탄소의 흡착[*9]

IIIB	IVB	VB	VIB	VIIB	VIII	VIII	VIII	IB
Sc	Ti	V	Cr	Mn	Fe D 3.5	Co	Ni M 3.08	Cu
Y	Zr	Nb	Mo D 3.5	Tc	Ru M 3.15	Rh	Pd M 2.90	Ag
La	Hf	Ta	W D, M 3.2	Re	Os	Ir M 2.75	Pt M 2.6	Au

★ D : 해리흡착, M : 분자상 흡착

　수치는 일산화탄소 1π와 4σ궤도의 에너지차(eV)를 나타냄

　　표의 굵은 선은 해리와 비해리의 경계를 나타냈는데 흡착온도가 높으면 우측으로 이동한다. 이 금속에 의해 CO의 해리 및 비해리의 선택성은 앞에 기술한 CO와 H_2의 반응에서 생성하는 화합물을 결정하는 중요한 인자이다. 예를 들어, 425K 이하에서도 CO를 해리하는 Mo, W, Fe, Ni, Co, Ru는 탄화수소의 합성에 유효한 촉매가 된다. 한편, 575K 이상에서도 CO를 해리하지 않는 Pt, Pd, Ir에서는 선택적으로 메탄올이 생성된다. 또, Rh는 CO의 해리와 비해리의 양면에서 높은 활성을 갖고 에탄올, 아세트알데히드 등의 C_2함산소화합물을 만든다.

　　천이금속상의 CO는 그림 1.19와 같이 탄소를 금속측으로 향하여 수직하게 흡착하는 것으로 알려졌고, 표면과의 결합에는 5σ궤도에서 금속 쪽으로의 전자이동과 금속의 d전자대에서 $2\pi^*$(반결합성궤도)로의 전자의 역공여가 수반한다. C-O간의 결합은 $2\pi^*$로의 전자의 역공여의 기여가 큰 쪽이 약하게 된다. CO의 분자궤도들, 금속과의 결합에 직접 관계없는 1π와 4σ의 에너지차 Δ가 UPS의 측정에서 얻어지고, 그 값(단위 eV)가 표 1.4에 나타냈다[9]. Δ는 CO의 해리가 용이할 때 잘 대응한다. CO는 금속의 종류 및 흡착 site에 의해 다른 흡착형태를 갖고, 금속-탄소간 결합 및 탄소-산소간의 결합력도 갖가지 변화하는 것이 HREELS, 적외선 흡수에 의해 확인되었다.

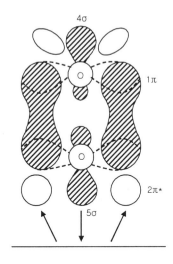

그림1.19 금속에 대한 CO흡착모식도

1-4-3 반응의 활성점

실용 촉매의 표면에는 다수의 결정면이 노출되어 있지만, 스텝이나 Kink 등의 결함도 다수 존재하고 있다. 거기에서 실제의 촉매반응의 활성점이 어디에 있는가가 문제가 된다. 이 논의에 관해서는 어느 특정의 격자면의 전체가 활성인 격자면 활성설과 표면의 일부에 활성이 큰 site가 있다는 활성 중심설이 있다. 반응분자가 그 원자간거리나 결합각에 적합한 표면격자에 선택적으로 배향흡착하는 것으로 활성화가 일어나는 경우를 격자면 활성이라 부른다. 예를 들어, 금속의 경로에 따라 반응의 활성이나 선택성이 다르다는 것을 알고 있지만, 이것은 입자직경에 의해 표면에 노출한 결정면이 다르기 때문이 아닌가 라고 추론되고 있다. 이외에 Ni판을 압연하거나 아르곤이온으로 충돌을 일으켜 Ni 위에서 에틸렌의 수소첨가속도가 현저히 증가하는 한편, 연소로 활성이 저하하는 사실은 표면의 격자결함이 반응의 활성중심이라는 것을 나타낸다.

앞에서 설명했듯이 실용촉매의 표면구조가 복잡하므로 잘 규정된 단결정 표면을 모델로 하여 반응의 활성에 미치는 격자면이나 결함의 영향이 연구되고 있

다. 벤젠은 그 대칭성 때문에 육대칭의 FCC(111)이나 HCP(0001)면에 흡착하기
쉬울 것으로 예상된다. 그러나, 동일한 대칭성을 갖는 표면격자에서도 금속에
의한 원자간거리가 다르므로 그 흡착기구는 여러 가지로 변화한다. 예를 들어,
Ni(111)면에서 그림 1.20의 LEED상이 나타내듯이 육방대칭의 중심에 정확히 중
첩되어 흡착해 $(2\sqrt{3}\times2\sqrt{3})$R30°의 흡착기구를 형성한다[10].

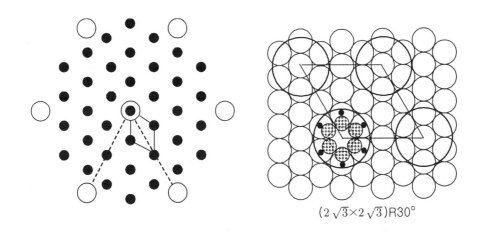

$(2\sqrt{3}\times2\sqrt{3})$R30°

그림 1.20 Ni(111)면 위의 벤젠의 LEED상과 흡착구조[10]

　　한편, Rh(111)면에서는 육방대칭의 중심에는 중첩하지 않고, $(2\sqrt{3}\times3)$의
구조를 형성한다. 청정한 Pt(111)면에서는 벤젠은 순서가 있는 흡착구조를 만들
지 않지만, CO와 공흡착하여 규칙구조가 형성된다. 벤젠의 흡착에는 π전자가 관
여하는 것이 UPS에 의해 나타내고 있으므로 하지금속의 d전자와의 상호작용이
표면의 원자간거리에 의해 변화한다.

　　표면의 원자척도의 결함이 촉매작용에 관여한다는 것을 나타내는 실험이
LEED에 의해 규정된 표면을 이용하여 이루어졌다. 그 대표적인 표면은 계단이
존재하는 고지수면(高指數面)이다. 그림 1.4에 나타낸 Pt(s)-[6(111)×(100)]의
계단면에서는 평탄한 테라스에서는 흡착하지 않는 수소, 산소가 강하게 흡착하
거나 암모니아의 분해반응속도가 10배 이상 크게 된다는 것을 알게 되었다[11].
또, H_2와 D_2로 된 분자선을 Pt(s)-[6(111)×(100)]의 계단면에 수직하게 입사할

때에 HD의 수율이 최대가 되는 사실도 수소의 해리가 계단면에서 제일 일어나기 쉽다는 것을 나타냈다[12].

1-4-4 메카노케미컬반응

고체 표면은 서로 마찰로 인해 표면상태가 변화하여 화학반응이 현저히 진행한다. 이렇게 기계적 작용에 의해 고체에 접한 기상, 액상 또는 고상과의 사이에서 일어나는 화학반응을 일반적으로 메카노케미컬반응이라고 한다. 메카노케미컬반응은 금속의 소성가공, 연마절삭 등 마찰과 마모의 과정에서 제일 쉽게 일어난다. 마찰을 적게 하기 위해서는 윤활제가 이용되지만, 그 기구에서도 메카노케미컬반응이 중요한 역할을 담당하고 있다.

마찰은 고체표면의 형상, 경도 및 하중에 의해 지배된다. 마찰저항은 하중에 비례하지만, 실용 표면에서는 다수의 돌기가 존재하므로 실제로 하중을 받고 있는 것은 돌기이다. 그러므로 금속간에 강한 마찰이 일어나면 돌기부에 국부적으로 응력이 집중하여 소성변형과 소성유동이 생긴다. 이 결과 금속면과 내부에 전위나 결함이 생긴다. 메카노케미컬반응에서는 이 표면결함의 증가 외에 마찰열이 계수이다.

금속의 미끄럼마찰은 접촉면간의 접촉을 전단하여 일어나므로 표면상태에 따라 현저히 변화한다. 일반적으로 청정한 금속표면의 밑부분의 마찰은 매우 크고, 표면에 산소가 흡착하거나 산화물이 존재하면, 마찰이 현저히 감소한다.

윤활작용에서는 유체 윤활과 경계 윤활이 있고, 표면상태에 따라 강하게 영향을 주는 것은 후자이다. 예를 들어, 무극성의 광산유나 탄화수소에 미량의 장쇄지방산(長鎖脂肪酸)을 첨가하면, 마찰과 마모가 현저히 감소한다. 이것은 지방산과 금속의 반응에 의해 표면에 단분자층 정도의 지방산이온이 형성되기 때문이다. 이 경우 산화막의 존재가 필요하여 불활성금속에서는 지방산첨가로 윤활효과를 기대할 수 없다. 위의 장쇄지방산이온이 유효한 것은 표면에 수직방향으로 배향하기 때문이라고 생각되는데 온도가 상승하여 배향을 잃어버리면, 윤활효과는 얻을 수 없다. 고온고하중의 마찰조건에서는 극압제(極壓劑)로서 유황, 염소, 인등을 포함한 화합물이 이용된다. 이들의 첨가제는 어떤 임계온도이상으로 금속과 반응하여 윤활성을 갖는 화합물을 만든다.

금속의 소성변형에서는 전위가 강하게 영향을 준다. Rehbider는 장쇄지방산 등의 극성분자를 포함한 용액중에서는 금속의 가공경화속도 및 항복응력이 감소하고, 변형이 촉진되는데 이것은 극성분자의 흡착에 의해 금속의 표면에너지가 감소하기 때문이라고 생각된다. 이런 소성적 성질에 미치는 분자의 흡착효과를 Rehbider효과라고 부르고 있다.

메카노케미컬반응에 관련한 다른 하나의 현상으로 하는 액소전자방출(exoelectron emission)이다. 이것은 고체의 파단에 의해 새로운 면이 노출될 때 표면에서 전자가 방출되는 현상이다. 엑소전자는 기계적 자격(刺激) 이외에 고체표면에서 흡착, 탈리, 화학반응의 과정에서도 관찰된다.

【인용문헌】

1) T.N.Rhodin and G.Brodén : Surface., 69, pp.466(1976).

2) 塚田 健 : 仕事係數, 共立出版, pp.115(1983).

3) G.Weder : Chemisorption : An experimental Approach, Butterworths, London, pp.43(1976).

4) D.D.Eley : Disc. Faraday Soc., 8, pp.203(1950).

5) D.P.Stevenson : J.Chem.Phys., 23, pp.203(1955).

6) 慶伊富長 : 觸媒化學, 東京化學同人, (1981).

7) D.Shopov, A.Andreev and D.Petkov : J.Catal., 13, pp.123(1969).

8) S.Andersson : Chem. Phys. Lett., 55, pp.185(1978).

9) G.Brodén, T.N.Rhodin, C.F.Brucker, R.Benbow and Z.Hurych : Surface Sci., 59, pp.593(1976).

10) H.C.Bertolini, G.Kalmai-Imelik and H.Rousseau : Surface Sci., 67, pp.478(1977).

11) W.L.Guthrie, H.D.Sokol and G.A.Somorjai : Surface Sci., 109, pp.390(1981).

12) S.L.Bernasek and G.A.Somarjai : Phys. Rev. Lett., 38, pp.1027(1977).

13) H.H.Burke, N.L.Reed and V.Weiss : Surfaces and Interfaces II, Syracus Univ. Press, pp.49(1964).

14) 中島耕一 : 表面科學, 4, pp.72(1983).

참고문헌

1) T.N.Rhodin and G.Ertl, Eds : The Nature of the Surface Chemical Bond, North-Holland, Amsterdam, (1979).

2) E.G.Derouane and A.A.Lucas, Eds : Electronic Structure and Reactivity of Metal Surfaces, Prenum Press, New York, (1976).

3) G.Wedler : Chemisorption : An Experimental Approach, Butterworths, London, (1976).

4) G.A.Somorjai : Principles of Surface Chemistry, Prentice-Hall, New Jersey, (1972)

5) P.F.Kane and G.B.Larabee, Eds : Characterization of Solid Surface, Plenum Press, New York, (1974).

6) M.Prutton, 川路紳治譯 : 表面の物理, オックスフォ-ド物理シリ-ズ(II), 丸善(1977).

7) M.Cardona and L.Ley : Photoemission in Solid I, Springer-Verlag, Berlin(1978).

8) 日本化學會編 : 實驗化學講座 18, 界面とコロイド, 丸善, (1977).

9) 安達健五 : 金屬電子論 I. アグネ, (1972).

10) 日本化學會編 : 金屬物性基礎講座10, 界面物性, 丸善, (1976).

11) 中村勝五 : 表面の物理, 共立出版, (1982).

2. 금속의 전기화학

2-1 서론

전기화학이란, 전기분해반응 및 그에 따른 과정에 관해 연구하는 분야이다. 전기화학반응의 장(場)은 일반적으로 두 가지의 전극 및 전해질로 된 전기화학 셀이다. 전기화학셀은 외부전원에서 전류를 공급하여 전해반응을 일으키는 경우 에는 전해셀이라고 부르고, 자발적 전해반응에 의해 셀에서 외부 부하로 전류를 공급하는 것을 전지라 부른다. 전기화학셀에 전류가 흐를 때 전극 및 외부회로 에서는 전자가 전하를 운반하지만, 전해질 중에서는 이온이 전하운반체이다. 전 극/전해질계면에서는 필연적으로 전하이동반응(방전반응)이 일어난다. 전하이동 반응의 양 N (mol)과 통과전기량 Q (C)의 사이에서는 식 (2.1)에 나타낸 패러 데이의 법칙이 성립한다.

$$Q = zFN \tag{2.1}$$

여기서, z 는 반응물질 1분자당의 이동 전하수, F 는 패러데이정수(96500C/ 당량)이다. 식 (2.1)을 시간(s)으로 미분하면

$$i = \frac{dQ}{dt} = zF(\frac{dN}{dt}) \tag{2.2}$$

여기서, i 는 전류(A), $\frac{dN}{dt}$ 는 반응속도(mol·s^{-1})이다. 즉, 전류는 전기화학 반응속도에 직접 대응하고 있다.

전기화학셀에 전류가 흐를 때 한쪽의 전극에서는 전자를 잃는 반응이 또 다 른 쪽의 극에서는 전자를 받는 반응이 일어난다. 전자의 반응을 이노드반응, 후

자를 캐소드반응이라고 부르고 각각의 전극을 아노드, 캐소드라고 부른다. 예를 들어, 하나의 백금전극을 이용한 희유산 용액을 전해하면, 외부전원의 정극, 부극에 연결한 전극이 각각 아노드, 캐소드로 되어 아노드반응, 캐소드반응이 각각 일어난다.

$$\text{아노드반응} \quad H_2O \rightarrow 1/2O_2 + 2H^+ + 2e^- \qquad (2.3)$$

$$\text{캐소드반응} \quad 2H^+ + 2e^- \rightarrow H_2 \qquad (2.4)$$

그러나, 산소 및 수소를 활물질로 하는 연료전지에서는 식 (2.3), (2.4)의 반응은 역으로 진행하므로 전지의 정극은 캐소드 또는 부극은 아노드이고, 각각 캐소드반응 및 아노드반응이 일어나게 된다. 주로 전해질수용액을 대상으로 기술하는데 이런 생각의 대부분은 고체전해질 또는 용융염에 대해서도 성립한다.

2-2 금속/전해질계면

2-2-1 전기이중층

금속과 전해질의 계면은 상의 연속성을 잃어버리는 장소로 각각의 상의 계면근방에서 전하의 분리와 축적이 일어난다. 반도체 전극내부에서는 이 전하의 분리에 따른 공간전하층은 매우 두껍지만, 금속에서는 매우 얇아 금속내부에서는 공간 전하층은 없다고 생각해도 좋다. 그러나, 금속표면의 전하가 전해질중의 반대부호의 전하를 갖는 이온을 계면으로 끌어당기므로 표면에서 전해질충합(沖合)하여 전하밀도 즉, 전위가 변화한다. 이 금속/전해질 계면이 분리한 전하의 층을 전기이중층이라고 부른다.

수용액중에서는 양이온을 강하게 수화(물분자와 결합)하고, 계면에 가까운 거리에 한계가 있으므로 전극·이온간의 상호작용은 정전력에 의한 것만이 있다. 이것에 대해 F^-이외의 음이온은 결국 수화하지 않으므로 전극과 직접 공유결합에 가까운 상호작용을 갖는 거리까지 가깝게 할 수 있다. 이렇게 하여 음이온이 정전력 이상으로 다량으로 전극표면에 의존하는 상태를 특이흡착이라고 부른다. 또, 그림 1.1에 나타냈듯이 특이(特異)흡착한 음이온의 전하의 중심과 특이흡착 하지 않는 이온(주로 양이온)의 전하의 중심은 수화수에 의해 분리되고, 각각 내부 헬름홀쯔층 및 외부 헬름홀쯔층이라 부른다. 이 두 가지 층을 총칭하여 헬름홀쯔층 또는 고정이중층이라 부른다. 그러나, 헬름홀쯔층의 전하가 금속표면의 전하와 완전히 적합한 것만은 아니다. 헬름홀쯔층의 외측에서는 양이온 또는 음이온이 여분으로 존재하고, 충합이 일어남에 따라 다음에 전기적 중성조건에 도달한다. 이 영역을 확산이중층이라고 한다.

2-2-2 전기모세관현상(電氣毛細管現象)

전기모세관현상이란, 전극의 표면장력이 표면전하 또는 전위에 의존하여 변화하는 현상으로 전기이중층에 관한 정량적 내용의 대부분은 수은전극을 이용한 전기모세관현상의 연구로부터 알려지게 되었다. 알칼리염의 수용액중에 유리제 모세관에 수은을 적하하면, 그 적하시간은 표면장력에 비례한다. 적당한 참조전극에 대해 전압을 인가하여 수은전극의 전위를 변화시켜 측정하면 그림 2.2에 나타냈듯이 포물선의 형상의 표면장력-전위곡선(전기모세관곡선)이 얻어질 수 있다. 알칼리수용액중의 수은전극에서는 비교적 넓은 전위범위에 걸쳐 전해에 의한 정상전류는 거의 흐르지 않으므로 전기모세관현상의 연구에 적용하고 있다. 이렇게 넓은 전위범위에 걸쳐 정상전류가 흐르지 않는 전극을 이상분극전극이라고 부르고, 이상분극특성을 나타내는 전극은 수소발생속도가 늦은 귀한 금속인 수은과 전해액으로서는 환원전위가 매우 귀한 알칼리염을 사용한다. 이에 비해 전류를 흘러도 전위가 흐르지 않는 전극을 이상비분극전극이라고 부른다. 다음에 기술할 참조전극이 이런 성질을 갖는 전극이다.

전위를 변화시키면 전극의 표면전하밀도 즉, 헬름홀쯔층 내의 이온밀도를 확장하도록 하는 힘이 이동하여 표면장력은 감소한다. 표면장력 극대의 점은 금속표면의 전 전하가 제로의 상태에 대응한다. 이 때의 전위를 전기모세관극대(e.c.m.) 또는 제로전하전위(p.z.c.)라고 부른다. 전기모세관곡선의 형상은 염의 종류에 의존하고, 음이온의 특이흡착의 강도의 증가와 함께 p.z.c는 부의 전위로 이동하고, p.z.c.에 대해 표면장력은 감소한다. p.z.c.보다 부의 전위에서는 특이

흡착은 일어나지 않으므로 곡선의 형상은 염의 종류에 그다지 의존하지 않는다.

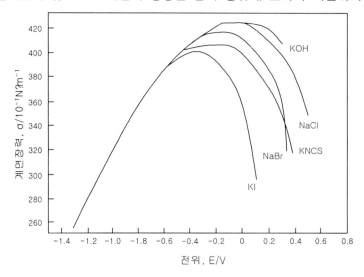

그림 2.2 전기모세관곡선(불활성전해질의 p.z.c.기준)

2-2-3 금속/전해질계면의 열역학

금속/전해질표면에 있어서 표면장력 γ, 전하밀도 σ 및 표면근방에 있어서 화학종의 과잉축적량 Γ (금속표면에 직접 결합하지 않는 화학종도 포함하는 흡착량이라고도 해도 무방하다)의 관계는 다음의 Gibbs의 정압·정온흡착식으로 나타낼 수 있다.

$$(d\gamma)_{T.P} = -\sigma dE - \sum \Gamma_i d\mu \tag{2.5}$$

여기서, 첨자 i 는 화학종, E 는 전극전위, Γ 는 단위면적당의 과잉량, μ 는 상 내부에서의 화학포텐셜이다. 또,

$$\mu_i = \mu_i^o + RT\ln a_i \tag{2.6}$$

여기서, μ_i^o는 표준화학포텐셜, a_i는 화학종의 활량(희박용액에서는 농도)이다. μ_i는 Deum식으로 연결되어 모두 독립하지 않는다.

$$n_1 d\mu_1 + n_2 d\mu_2 + n_3 d\mu_3 \cdots = 0 \tag{2.7}$$

식 (2.7)을 미분하여 식(2.5)에 대입하면

$$(d\gamma)_{T,P} = -\sigma dE - d\mu_2 \left(\Gamma_2 - \left(\frac{n_2}{n_1}\right)\Gamma_1\right) - d\mu_3 \left(\Gamma_3 - \left(\frac{n_2}{n_1}\right)\Gamma_1\right) \cdots \tag{2.8}$$

따라서,

$$-\left(\frac{\partial\gamma}{\partial\mu_2}\right)_{T,P,\mu_3,\mu_4 \cdots} = \Gamma_2 - \left(\frac{n_2}{n_1}\right)\Gamma_1 = \Gamma_{2(1)} \tag{2.9}$$

즉, 화학종 3, 4……의 화학포텐셜(농도)을 일정하게 하고 화학종 2의 화학포텐셜을 변화시켜 γ을 측정하여 화학종 1에 대하여 화학종 2의 상대적 표면과잉종 $\Gamma_{2(1)}$을 구할 수 있다. 화학종 1로서는 일반적으로 용매가 기준물질로서 선택되므로 $\Gamma_{2(1)}$은 Γ_2와 같다.

한편, 식 (2.5)를 전위 E로 미분하면

$$\left(\frac{\partial\gamma}{\partial E}\right)_{T,P,\mu_i} = -\sigma \tag{2.10}$$

이 식(리프만의 식)에 의하면, 임의의 점에 있어서 전기모세관곡선의 접선구배는 이 전위에서의 표면전하밀도 σ를 나타낸다. 이 식에서도 전기모세관곡선의 극대점에서 $\sigma = 0$이 된다는 것을 알 수 있다. 또, 식(2.10)을 E로 미분하여 전기이중층의 미분(정전)용량 C를 정의할 수 있다.

$$C = \frac{\partial\sigma}{\partial E} = -\frac{\partial^2\gamma}{\partial E^2} \tag{2.11}$$

미분용량 C가 전위에 의존하지 않는 경우에는 $\sigma = CE$를 식(2.10)에 대입하여 적분하면

$$-\gamma = \frac{CE^2}{2} + A \, (A \; : \; \text{적분정수}) \tag{2.12}$$

즉, $\gamma - E$ 곡선이 그림 2.2에 나타냈듯이 p.z.c.에 정점을 갖는 포물선이 된다는 것을 설명할 수 있다.

전기이중층의 미분용량은 전기적 측정(예를 들어, 교류임피던스, 정전류스텝 응답등)에 의해 직접 측정할 수 있다. 고체전극에서는 계면장력의 측정이 곤란하므로 그 전기이중층에 관한 내용은 주로 미분용량의 측정에 의해 얻어지고 있다. 그러나, 귀한 금속에서는 아노드산화, 아노드용해가 일어나므로 측정가능한 전위역이 좁아져 p.z.c.의 측정이 곤란하다. p.z.c.은 전극/전해질계면에 전장이 의존하지 않는 전위에서 금속에 따라 다르지만, 절대전위의 기준으로서 매우 흥미가 있다. 그러나, 기준으로는 널리 이용하지는 않는다.

2-2-4 확산이중층

전기이중층은 헬름홀쯔층과 확산이중층으로 되어 있고, 전자의 구조의 이론적으로 취급할 수 없다. 한편, 후자는 전극과 화학종의 단거리상호작용이 무시되므로, 그 구조를 정전기이론을 이용하여 다룰 수 있다.

확산이중층내에서는 전위와 전하분포의 관계가 보통의 정전장에 있어서 같고, 다음과 같은 포아송의 식으로 나타낼 수 있다고 가정한다.

$$\frac{d^2\psi}{dx^2} = -\frac{\rho}{\epsilon_o \epsilon} \tag{2.13}$$

여기서, ψ 는 전위, x 는 계면에서의 거리, ρ 는 전하밀도, ϵ 는 매체의 상대유전율, ϵ_o 는 진공의 유전율이다. 또, 이온의 에너지분포는 다음 볼츠만식에 따라 다음과 같이 가정한다.

$$n_i^d = n_i^o \exp\left(\frac{-z_i e \psi}{kT}\right) \tag{2.14}$$

n_i^d 및 n_i^o 는 확산이중층 내 및 중합에 대한 단위체적당의 이온수, k 는 볼츠

만정수, e 는 전자의 전하절대값, z 는 이온의 전하수이다. 또, 식 (2.14)의 지수 항의분자는 중합에서 1개의 이온을 이중층 안으로 운반하는데 필요한 일이다. 식 (2.13), (2.14)에서 이온-물분자간 상호작용을 무시하는 등의 단순화에 의한 확산이중층의 전하밀도 σ_d 가 구해진다.

$$\sigma_d = \left[2\epsilon_o\epsilon kT\sum n_i\left(\exp\left[-\frac{z_ie\psi^o}{kT}\right]-1\right)\right]^{1/2} \tag{2.15}$$

여기서, ψ^o 는 외부 헬름홀쯔면과 용액중합 사이의 전위차이다. 특히 Anion, Cation가 함께 z 가의 염에서는

$$\sigma_d = (8n^o\epsilon\epsilon_o kT)^{1/2}\sinh\left(\frac{ze\psi^o}{2kT}\right) \tag{2.16}$$

한편, 전극과 중합사이의 전위차 ψ_m 은 헬름홀쯔층에 걸리는 전위차 $\psi_m-\psi^o$ 와 확산이중층에 걸리는 전위차 ψ^o 로부터 이루어진다.

$$\psi_m = (\psi_m-\psi^o) + \psi^o \tag{2.17}$$

여기서, 식 (2.17)을 전극표면전하 σ_m (특이흡착이 되면 $\psi_m = -\sigma_d$)로 미분하면

$$\frac{\partial\psi_m}{\partial\sigma_m} = \frac{\partial(\psi_m-\psi^o)}{\partial\sigma_m} + \frac{\partial\psi^o}{\partial\sigma_m} \tag{2.18}$$

즉,

$$\frac{1}{C} = \frac{1}{C_H} + \frac{1}{C_d} \tag{2.19}$$

여기서, C, C_H 및 C_d 는 각각 이중층 전체, 헬름홀쯔층 및 확산이중층의 미분용량이다. 즉, 측정 가능한 C 는 C_H 및 C_d 의 직렬 합이 된다. 또, 식 (2.16)에서

$$C_d = \frac{\partial \sigma_d}{\partial \psi^o} = ze \left(\frac{2\epsilon\epsilon_{on^o}}{RT} \right)^{1/2} \cosh \left(\frac{ze\psi^o}{2kT} \right) \tag{2.20}$$

즉, 식 (1.20)에서 알 수 있듯이 C_d는 염농도 n^o의 증가와 함께 증가하므로 통상 비교적 고농도 조건에서는 $C = C_H$가 된다. 또, 염농도를 낮추면, C_d는 감소하고, $C = C_d$가 된다. 이렇게 극한상태에 이어서 헬름홀쯔층 및 확산이중층 각각에 관한 정보를 얻을 수 있다.

또, 식 (2.13), (2.16)에서 전극에서의 거리에 의한 전위의 변화가 얻어진다.

$$\psi = \left(\frac{4kT}{ze} \right) \tanh^{-1} [\exp(a - kx_1)] \tag{2.21}$$

$$a = \ln \left[\tanh \left(\frac{ze\psi^o}{4kT} \right) \right] \tag{2.22}$$

$$k = \left(\frac{2e^2 z^2 n^o}{\epsilon\epsilon_o kT} \right)^{1/2} \tag{2.23}$$

여기서, x_1은 외부헬름홀쯔면에서의 거리, kx_1이 충분히 크면 식 (2.21)은

$$\psi = \psi^o \exp(-kx_1) \tag{2.24}$$

즉, 전위는 전극에서의 거리의 지수관계로 감소한다. 확산이중층중에서 전위강하의 99.99%가 일어나는 두께는 1-1전해질에 있어서 농도 $10^{-3} \mathrm{mol \cdot m^{-3}}$에서 2800nm, $10^2 \mathrm{mol \cdot m^{-3}}$에서 8.8nm가 된다.

2-2-5 결론

금속/전해질계면은 전기적 중성조건이 미시적으로 잃어버리는 장소로 전하의 분리, 축적이 일어난다. 이 때문에 계면은 정적콘덴서적인 거동을 나타낸다. 전극에 전압을 인가하면 먼저 전기이중층의 충전이 시작된다. 이 충전전류는 전

기화학반응에서는 무관계하고, 비패러데이전류라고 부른다. 전기화학반응에 사용되는 것은 말하자면, 콘덴서의 누설전류로 패러데이전류라고 부른다. 통상 전기화학측정에서는 패러데이전류가 흐르는 상태에서도 전기이중층은 그대로 보존된다고 생각할 수 있다.

전극과 전해질중합사이의 전위차의 절대값은 직접 측정할 수는 없지만, 금속전극의 경우, 인가전압의 대부분은 전기이중층에 나타난다. 나중에 기술하듯이 전기화학반응의 구동력은 전극전위, 정확하게는 헬름홀쯔층에 걸리는 전위차이다. 확산이중층의 구조는 정전기이론에서 도입되지만, 이 취급은 반도체계면에 대한 공간전하층의 경우와 유사하고, 반도체에서는 전하운반체가 전자 또는 공공이라는 점이 다르지만, 수학적 결과도 매우 유사하다. 그 의미에서는 반도체에 대해 표면준위는 헬름홀쯔층과 유사의 고정층이라고 가정할 수 있다. 반도체 또는 산화물전극에서는 전극내 공간전하층은 두껍고, 전위강하도 크므로 전기화학반응의 구동력인 헬름홀쯔층에 걸리는 전위차는 감소하고 그 직접측정은 곤란하다.

2-3 부식의 열역학

2-3-1 부식의 전기화학적 고찰

부식현상을 단락한 전지의 모델로 유추할 수 있다. 지금 유산수용액에 아연판과 백금판을 침적한 전지(볼타전지)를 고려한다. 이 양극을 단락하면 양극은 동일 전위를 나타내고, 아연극에서는 양극용해가, 백금극에서는 수소발생이 일어난다. 다음에 백금이 미세한 입자로서 아연판상으로 분산한 상태를 생각한다. 이 아연판은 유산용액중에서 백금입자 위에 수소를 발생함과 동시에 부식하고, 수소발생속도와 아연용해속도는 당량관계가 된다. 이것이 부식의 전기화학설의 기초가 되는 국부전지설이다.

아연과 같이 수소발생속도가 늦은 금속에서는 불순물의 저하에 의해 부식속도가 감소하는 것을 알았고, 국부전지설을 뒷받침하고 있다. 그러나, 매우 순수한 금속에서도 부식한다. Wagner는 금속의 부식에는 반드시 물리적으로 분리된 양극과 음극은 필요하지 않고, 금속의 양극용해와 음극반응이 전기적 중성조건 하에서 시간적으로도 장소적으로도 무질서하게 일어나 국부전지설을 일반화했다. 이것이 혼성전위설이다.

전기화학적으로 고찰하면 부식현상을 금속의 특성이 있는 양극용해반응과 환경의 특성이 있는 산화성물질의 음극환원반응으로 나눌 수 있다. 일반적으로 환경에 대해 양 반응은 다음과 같다(여기서 M은 금속을 나타낸다.).

양극반응

$$M \rightarrow Mz^+ + ze^- \tag{2.25}$$

$$M + nH_2O \rightarrow MOn + 2nH^+ + 2ne^- \tag{2.26}$$

$$M + nH_2O \rightarrow M(OH)n + nH^+ + ne^- \tag{2.27}$$

음극반응

$$(\text{산성}) \ 2H^+ + 2e^- \rightarrow 2H_2O \tag{2.28}$$

$$(\text{산성}) \ O_2 + 4H^+ + 4e^- \rightarrow 2H_2O \tag{2.29}$$

$$(\text{알칼리성}) \ O_2 + 2H_2O + 4e^+ \rightarrow 4OH^- \tag{2.30}$$

또, 의도적으로 금속을 화학용해시킨 경우에는 강산화제가 첨가된다. 그 경우의 음극반응의 예를 다음에 나타냈다.

$$(\text{Fe}_3 + \text{용해}) \ Fe_3^+ + e^- \rightarrow Fe_2^+ \tag{2.31}$$

$$(\text{착산용액}) \ NO_3^- + 2H^+ + 2e^- \rightarrow NO_2^- + H_2O \tag{2.32}$$

2-3-2 전위-pH선도

금속의 양극용해 생성물은 간단한 경우에는 용액의 pH 및 전위로 결정된다

(음이온 또는 착형성제의 종류, 농도도 양극용해반응에 크게 영향을 주지만 이들은 각각의 조합으로 개별로 논의할 필요가 있다). 금속-H_2O계에 있어서 고려한 모든 반응에 대해 가역전위, 용해적등을 구하고, 종축에 전위, 횡축에 pH를 갖는 선도를 그리고 안정한 화학종을 쓴 1종의 상태도를 이용하면 편리하다. 이런 그림을 전위-pH선도 또는 Pourbaix선도라 부른다.

Fe-H_2O계를 예로서 전위-pH선도를 만드는 방법을 설명한다. 이 계에서 고려된 특히 중요한 반응 및 그 가역전위 E_r을 표 2.1에 나타냈다. 표의 반응 평형 또는 가역전위를 전위-pH선으로 그려 정리하면 그림 2.3이다. 그림은 3가지 영역 즉, 금속안정영역, 금속이온안정영역 및 금속수산화물(또는 산화물)안정영역으로 나뉘고 각각 불감역(Immunity), 부식역(Corrosion) 및 부동태역(Passivity)라 부른다. 또 ◎와 ⑪의 선으로 둘러싸인 영역은 물의 안정영역으로 그 외측에는 물의 전해로 산소 또는 수소의 발생이 일어난다.

표 2.1 철의 전위-pH선도를 위한 주요 반응

	반응	E_r/V
◎	$2H_2O = O_2 + 4H^+ + 4e^-$	$1.228 - 0.0591\ pH + 0.0148\ \log p_{O_2}$
⑪	$2H^+ + 2e^- = H_2$	$-0.0591\ pH - 0.0295\ \log p_{H_2}$
①	$Fe^{2+} + 2e^- = Fe$	$-0.441 + 0.0295\ \log[Fe^{2+}]$
②	$Fe^{3+} + e^- = Fe^{2+}$	$0.771 + 0.0591\ \log[Fe^{3+}]/[Fe^{2+}]$
③	$Fe_3O_4 + 8H^+ + e^- = 3Fe + 4H_2O$	$-0.085 - 0.0591\ pH$
④	$Fe(OH)_3 + 3H^+ + e^- = Fe^{2+} + 3H_2O$	$1.057 - 0.177\ pH - 0.0591\ \log[Fe^{2+}]$
⑤	$3Fe(OH)_3 + H^+ + e^- = Fe_3O_4 + 5H_2O$	$0.276 - 0.0591\ pH$
⑥	$Fe_3O_4 + 8H^+ + 2e^- = 3Fe^{3+} + 4H_2O$	$0.983 - 0.236\ pH - 0.0086\ \log[Fe^{2+}]$

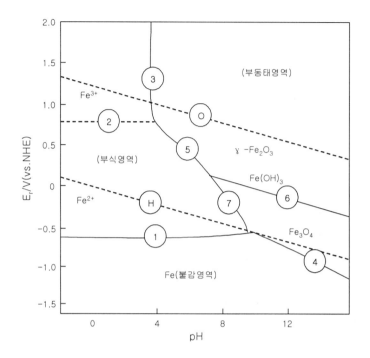

그림 2.3 철의 전위-pH선도

그림 2.3에 기초하여 철의 자발적 부식이 일어나는 영역을 고려해보자. 수소발생형의 철의 부식에는 반응 ①은 좌측으로, 반응 Ⓗ은 우측으로 진행하므로 부식은 Fe2+ 및 H2이 함께 안정한 영역에서 당연히 일어날 것이다. 그것은 그림에서 직선 Ⓗ 및 ①에서 둘러싼 삼각형의 영역이다. 이것에 대해 산소의 음극환원에 의한 부식은 직선 Ⓞ, ①, ⑤ 및 ⑦로 둘러싸여 매우 넓은 영역에서 일어난다. 전위-pH선도는 어떤 전위, pH에서 부식이 열역학적으로 가능한가 어떤가의 판정에 이용한 것이므로 부식속도에 관한 것을 주지는 않는다. 또, 부식의 진행중에서는 금속/용액계면의 pH 및 금속이온농도는 크게 변화한다. 전위-pH선도를 현실의 부식현상에 적용하기 위해서는 주의가 필요하다. 전위-pH선도는 Pourbaix에 의해 다수의 금속에 대해서 만들어졌다. 그 예를 그림 2.4에 나타냈다.

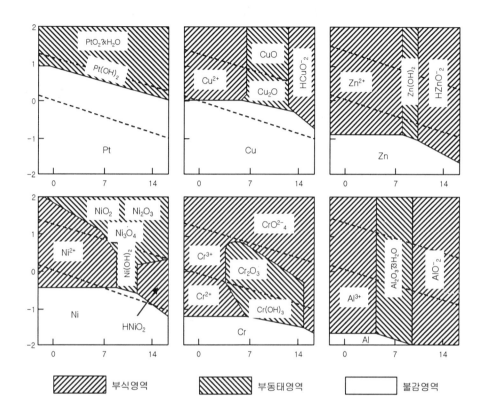

그림 2.4 몇 가지 금속의 전위-pH선도

2-4 부식의 속도

2-4-1 부식속도의 전기화학적 고찰

　산성용액중 철의 부식을 전극반응식으로 고려해보자. 이 경우 고려된 반응은 철의 양극용해i_+(Fe), 그 역반응의 양극석출i_-(Fe), 수소이온화반응i_+(H) 및 음극수소발생i_-(H)이다. 각각의 부분전류는

$$i \; = i_+ \; - \; \mid i_- \mid \; = i_o \left[\exp \left\{ \frac{\alpha z F \eta}{RT} \right\} - \exp \left\{ \frac{-(1-\alpha)z F \eta}{RT} \right\} \right]$$

으로 우변의 각 항에 대응하여 지수계수로 나타낸 것이다. 철의 가역전위 E_r(Fe)
는 수소의 가역전위 E_r(H)보다 천하다는 것을 고려하여 각각 부분반응의 전류전
위곡선(부분분극곡선이라 부름)을 그리면 그림 2.5가 얻어진다.

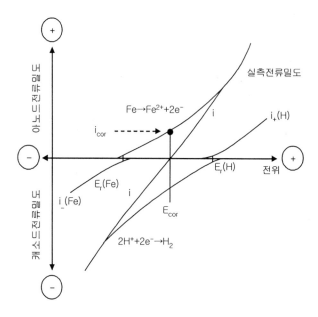

그림 2.5 부식계의 분극곡선

혼성전위설에 의하면 외부전류에 의한 분극이 없는 상태(자연침적조건)에서
는 이 전극은 각 부분전류밀도의 총합이 0이 되도록 한 전위 즉, 부식전위 E_{corr}
을 나타낸 것이다.

즉, E_{corr} 에서

$$i_+(\text{Fe}) \; - \mid i_-(\text{Fe}) \mid \; + i_+(\text{H}) \; - \mid i_-(\text{H}) \mid \; = 0 \tag{2.33}$$

E_r(Fe)과 E_r(H)의 전위차가 크고 또, 부식조건에서는 수용액중의 Fe^{2+} 및 H_2의 농도는 작으므로 식 (2.33)의 제2항과 제3항은 무시할 수 있다. 즉, E_{corr}에서

$$i_+(Fe) = \mid i_-(H) \mid = i_{corr} \qquad (2.34)$$

여기서, i_{corr}는 부식전류(밀도)이다. 즉, 부식전위에서는 가역전위와 같이 외부에서 전류는 관측되지 않지만, 철의 양극용해와 음극수소발생이 당량계수(전기적 중성조건)에서 결합하여 동시에 진행하게 된다. 이 전극을 적당한 대극에 대해 외부전원을 이용하여 분극하고, 측정전류를 전위에 대해서 그리면 그림 2.5에서 굵은 실선으로 나타내는 분극곡선이 얻어지고, 이것은 각 부분 분극곡선의 중첩으로 얻어진 것과 일치할 것이다. 이 굵은 실선의 곡선이 실측 가능한 분극곡선이므로 각각의 부분 분극곡선을 추정하는 것은 가능하지만, 직접 측정할 수는 없다. 부식속도의 전기화학적 측정법으로는 실측 가능한 $i \sim E$ 곡선에서 $i_+(Fe) \sim E$ 곡선 또는 $i_-(H) \sim E$ 곡선을 추정하여 i_{corr}을 구하는 방법이다. 그림 2.5의 각 부분분극곡선이 각각 지수계수(타펠식)으로 나타낼 수 있다고 가정하여 반대수도로 그려 그림 2.6로 나타냈다(이 그림에서는 전류는 절대값을 취해 그린 것이다). 이 그림에서는 각 부분분극곡선은 직선으로 나타낼 수 있다.

또, E_{corr}에서 충분히 분리된 전위역($\mid E - E_{corr} \mid > \dfrac{RT}{\alpha zF}$)에서 역반응이 무시되므로 측정된 분극곡선(외부분극이라고 부른다)은 각각 양극 및 음극부분 분극곡선과 일치한다. 타펠식이 성립하는 경우에는 실측된 양극 또는 음극분극곡선의 타펠직선부분을 E_{corr}에서 외삽하여 i_{corr}를 구할 수 있다. 이 방법을 타펠외삽법이라고 부른다. 그러나, 타펠외삽법은 타펠식이 성립하지 않는 경우에는 적용할 수 없고, 측정을 위해 비교적 대전류가 흐르므로 부식계의 상태를 흐트릴 위험이 있다. 이 부식전극에 대한 전류와 전위의 관계는 식 (2.35)으로 나타낼 수 있다.

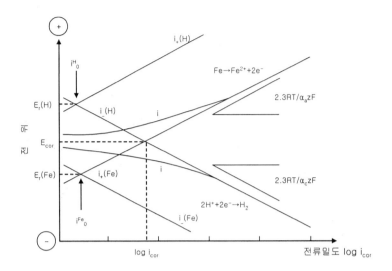

그림 2.6 타펠 외의 방법에 의한 부식속도의 추정

$$i \ = i_{corr}\left[\exp\left(\frac{\alpha_a z F(E-E_{corr})}{RT}\right) - \exp\left[\frac{-(1-\alpha_c)zF(E-E_{corr})}{RT}\right]\right] \quad (2.35)$$

여기서,α_a 및 α_c 는 각각 부식의 양극반응(금속의 용해) 및 음극반응(수소발생)의 이동계수이다. 식 (2.35)을 $|E-E_{corr}| = \Delta E < \dfrac{RT}{\alpha z F}$ 의 조건으로 전개하여 고차의 항을 무시하면

$$\left(\frac{\Delta E}{\Delta i}\right)_{E_{corr}} = R_p = \frac{K}{i_{corr}} \quad (2.36)$$

즉, 부식전위에서 대략 ±0.005V의 범위에서 측정전류와 전위사이에 직선관계가 성립하고, 그 구배 R_p(분극저항)은 i_{corr}에 반비례한다. 비례정수 K 는 부식계에 따라 다르지만 일반적으로 0.02~0.05V(298K)의 값을 갖는다. 이 방법에

의한 부식속도의 측정법을 분극저항법이라 부르고, 금속재료의 부식시험뿐만이 아니라 화학플랜트 등의 부식모니터링에 널리 이용되고 있다.

2-4-2 산성용액중의 금속의 거동

산성용액중의 금속거동은 금속전극의 가역전위 $E_r(M)$, 교환전류밀도 i_o^M 및 수소전극의 가역전위 $E_r(H)$ 및 교환전류밀도 i_o^H (이것은 금속의 종류에 따라 다름)에 의존한다. 그림 2.7에 수소가스로 포화한 산성용액에 침적한 각종 금속을 4군으로 분류하여 각각의 거동을 부분분극곡선(반대수표시)을 이용하여 모식적으로 나타냈다. 식 (2.128)에 의하면 자연침적전위는 각 부분전류의 합이 0이 되는 전위로 그 전위에 대해 각 부분전류값이 자발적으로 진행하는 각 속도를 나타냈다.

〔1군〕 Ag, Hg, Cu : 이 군의 금속의 $E_r(M)$ 는 $E_r(H)$ 보다 귀하고 i_o^M 는 i_o^H 에 비해 매우 크다. 이 부분분극곡선의 중첩으로 얻은 분극곡선의 침적전위는 $E_r(M)$ 에 매우 가깝다. 이런 금속은 자연부식은 일어나지 않고, 산성욕에서 도금이 가능하다. 안정한 $E_r(M)$ 을 나타내므로 참조전극에도 이용된다(그림 2.7(a)).

〔2군〕 Au, Pt, Rh, Pd : 이 군의 금속은 $E_r(M)$ 는 $E_r(H)$ 보다 귀하지만, i_o^M 는 i_o^H 에 비해 매우 작다. 용해, 석출반응은 혼성전위의 형성에 거의 기여하지 않는다. 침적전위는 거의 수소전극반응으로 결정되므로 표준수소전극으로 이용할 수 있다(그림 2.7(b)).

〔3군〕 Fe, Co, Ni : 이 군의 금속의 $E_r(M)$ 는 $E_r(H)$ 보다 천하고, i_o^M 는 i_o^H 은 함께 비교적 크다. 이 때문에 혼성전위는 양의 가역전위의 중간값을 갖고 i_{corr} 는 매우 크다. 도금시에는 수소발생을 수반하므로, pH의 조정, 제어가 요구된다(그림 2.7(c)).

〔4군〕 Cd, Pb, Sn, Zn : 이 군의 금속은 매우 천한 금속이지만, i_o^H 는 i_o^M 에 비해 매우 작다. 침적전위는 가역전위에 가까워 i_{corr} 은 작다. 천한 금속임에도 불구하고 산싱욕에서 도금이 가능하고 철강의 방청용 표면처리에 이용된다(그림 2.7(d)).

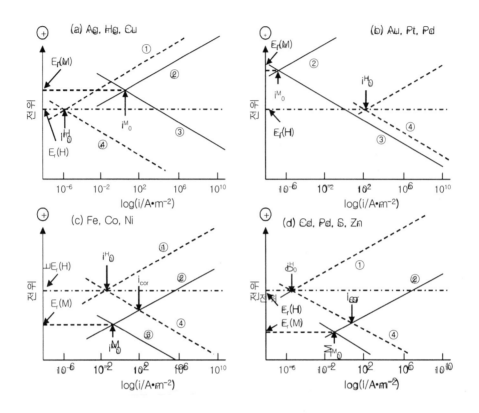

그림 2.7 산성용액중의 금속의 전기화학적 거동

2-5 금속의 부동태

2-5-1 금속의 양극거동

전해질 용액중에서 금속을 양극분극하면 비교적 천한 전위에서는 타펠식에 따르는 활성용해를 하지만 전위가 귀하도록 하면, 표면에 금속염, 수산화물 또는 산화물의 피막을 형성하고, 그 용해거동은 크게 변화한다. 그 양극거동은 금속종, 아니온종 및 금속이온의 용해적 등에 의존한다. 예를 들어, 은, 수은 등을 염화물 용액중에서 양극분극하면 염화물피막을 형성하고, 아연을 인산용액 중에서 처리하면 인산염 피막을 생기게 하는 등이 알려져 있다. 그러나, 특별히 금속-전해질의 조합이 되지 않는 경우에는 일반적으로 금속산화물피막을 형성한다.

양극산화피막의 성질은 기본 금속의 종류에 따라 크게 다르지만 많거나 적거나 반도체적 성질을 나타낸다. 따라서, 그 전도도는 산화물의 생성열의 증가와 함께 감속한다는 것을 경험적으로 알 수 있다.

(1) 밸브금속(Al, Zr, Hf, Nb, Ta, Ti)

이런 금속의 산화물 생성열은 매우 크고, 그 전자전도도는 작다. 이 때문에 양극분극시, 인가전압의 대부분은 산화피막에 걸려 피막내 이온의 유동을 가속하므로, 전압을 상승시켜 수 μm정도의 매우 두꺼운 유전성 피막을 생성할 수 있다. 이 때문에 방식피막 또는 전해콘덴서의 유전막으로 이용할 수 있다. 헬름홀쯔층에 전장이 걸리지 않으므로, 산소발생 등의 양극반응은 거의 일어나지 않는다. 피막 위에서 수소의 음극발생이 진행되어 일종의 정류작용을 나타나지만 조만피막(早晚皮膜)은 파괴된다.

(2) 귀금속(Au, Pt, Ir, Rh)

이런 금속의 산화물생성열은 작고, 전자전도도는 매우 크다. 이 때문에 인가전압의 대부분은 헬름홀쯔층에 나타나고, 피막에는 걸리지 않으므로 생성피막은 수 10^{-10}m정도로 매우 얇다. 헬름홀쯔층에 고전장이 걸리므로 산소발생 등의 전기화학반응은 피막 위에서 일어난다.

(3) 부동태금속(Fe, Ni, Co, Cr)

이런 금속의 산화물생성열은 위의 2군의 중간으로 수 nm두께의 반도체적 성질을 갖는 피막을 형성한다. 산화피막/전해액 계면의 전위분포는 알 수 없지만, 피막 위에서 산소발생 등의 전기화학반응이 진행된다. 철강의 내식성은 이 피막 즉, 부동태피막의 내식성에 의존하고 있다.

2-5-2 부동태

오래 전부터 다음과 같은 실험 결과가 알려져 왔다. "철은 희유산중에서는 부식하지만, 농초산중에서는 부식하지 않는다. 또, 일단 농초산처리한 철은 희유산중에서 부식하지 않지만, 표면에 흠을 만들면 다시 부식이 일어난다. 한편 유산용액중에서 철을 양극분극하면 천한 전위에서는 활성 용해하지만, 어떤 전위를 넘어서 귀한 전위영역에서 용해는 정지한다". 이런 "천한 금속이 마치 귀한 금속과 같이 거동을 나타내는 상태를 부동태라고 한다", 이 상태에서는 금속표면은 수 nm의 얇은 함수산화물피막으로 덮이게 된다.

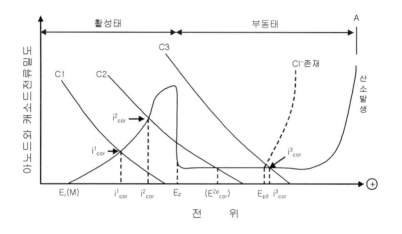

그림 2.8 철의 활성태와 부동태 일부분극곡선에 의한 모식도

금속의 자발적 부동태현상을 부분분극곡선을 이용하여 그림 2.8에 모식적으로 나타냈다. 그림에서 곡선 A는 철 등 부동태금속의 부분양극분극곡선이고, 탈산소한 유산수용액 등 비산화성용액 중에서 분극 측정하여 얻었다(이 그림은 모식도로 실제에는 부동태역의 전류값은 양극전류의 피크값의 $10^{-2} \sim 10^{-4}$배이다). 곡선 C1, C2, C3는 각각 산화성이 다른 환경에 대해 부분음극곡선이다. 비교적 약한 산화성 환경 C1에서는 부식전위 E^1_{corr}(곡선 A와 C1의 교점)은 활성부식영

역이고, 산화성의 증가에 따라 부식전위는 귀한 것으로 이동하고 부식속도 i_{corr} 은 증가한다. 그러나, 강한 산화성 환경 C3에서는 A와의 교점 E_{corr}^{3} 은 부동태영역이고, 부식속도는 매우 작다. 중간의 산화성 환경 C2에서는 곡선 A와 2점에서 교차하여 모든 부동태피막이 존재하고 있을 때는 E_{corr}^{2p} 의 부동태를, 피막이 없는 경우에는 E_{corr}^{2} 의 활성부식상태를 나타낸다. E_{corr}^{2p} 의 상태에서는 부동태피막이 기계적 힘으로 파괴되면 자발으로 회복되지 않으므로 E_{corr}^{2p} 의 상태로 이동하게 된다. 이에 대해 C3의 환경에서는 E_{corr}^{3} 이 유일한 안정상태이므로 부동태피막은 파괴되어도 자발적으로 회복된 부동태가 유지된다. 즉, 철강의 내식성을 갖기 위해서는 환경의 산화성을 크게 하여 감소할 것인가 또는 역으로 어느 정도의 산화성이 강한 환경에 놓고 부동태로 유지할 필요가 있다. 예를 들어, 유산 중에서 철을 부동태전위영역에서 정전위양극분극하면, 전류는 시간에 반비례하여 감소한다($i = k/t$). 이 시간법칙은 일정한 산화의 조건에서 산화피막성장에 대응하고, 위 식을 적분하여 알 수 있듯이 철의 부동태피막의 성장은 많은 경우 대수법칙에 따른다. 철의 부동태피막은 γ-Fe_2O_3를 외층, Fe_3O_4를 내층으로 하는 2층 피막이라고 생각할 수 있다.

2-5-3 합금의 내식성

위에서 기술한 부동태현상을 금속재료의 입장에서 보면 다음과 같이 된다. 일반적인 산화성 환경에서 철의 양극 및 음극분극곡선은 그림 2.9의 곡선 A1, C로 나타나는 상대관계를 나타내고, 철부동태는 불안정한 상태에 있다. 환경　(즉, 곡선 C)을 일정하여 합금화로 양극특성을 변화시켜 내식성이 좋은 부동태를 유지하기 위해서는 그 내식성합금은 곡선 A2와 같이 부분양극분극곡선을 나타나게 하지 않으면 안 된다. 즉, 전기화학적으로 보면, 스테인레스강등의 내식성합금의 부분양극곡선은 철에 비해 다음과 같은 특징이 있다. (1) 활성양극용해의 피크전류 i_p 가 작고, (2) 부동태화전위 E_F 가 천하고, (3) 부동태에 있어서 i_{pp} 가 작다. 또 합금첨가원소가 있는 것은 음극반응에 영향을 준다. 예를 들어 (4) 음극반응을 촉진한다(곡선 C2) 또는 (5) 양극반응을 저해한다(곡선 C1). 즉, 내식성합금은 이 5가지의 전기화학적 특징을 모두가 또는 몇 개를 갖추어야 한다.

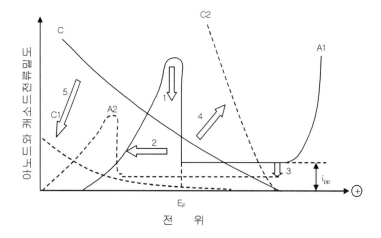

그림에서 화살표로 나타내는 효과	합금성분	그림에서 화살표로 나타내는 효과	합금성분
1. i_p의 감소	Cr, Ni, Mo, V, Ti, Nb	4. 캐소드반응촉진	Pt, Pd, Ni, Rh, Ir,
2. E_F →천한 전위	Cr, (Ni), (Mo)	5. 캐소드반응촉진	Hg, Cd, Mn, As, Sb
3. i_{pp}의 감소	Cr, Ni, Si, W		

그림 2.9 내식성합금과 합금성분의 효과

이것을 기초하여 비산화성용액중에서 양극분극곡선의 측정으로 합금의 내식성을 지속적으로 측정하여 새로운 내식성합금의 개발이 이루어지고 있다. 내식성합금의 5가지 특징에서 본 각 첨가원소의 역할을 그림 2.9에 화살표로 나타냈다. 모든 첨가효과에서 알 수 있듯이 Fe기 합금에서는 크롬이 부동태화에 의해 내식성향상에 제일 유효한 성분이라는 것을 알았다. 스테인레스강의 부동태피막중에서 크롬은 농축하여 그 내식성은 주로 $Cr_2O_3 \cdot xH_2O$피막에 의한 것이라고 생각된다.

2-5-4 Anion의 영향

지금까지 환경측인자로서 pH 및 산화성물질만을 고려한 것이지만 특정 이온의 존재로 양극특성 특히, 부동태특성이 크게 변화하는 경우가 있다. 유산물을 만드는 유산수소, 착체를 만드는 착형성형제 등이 그 예이지만, 할로겐화물(특히 염화물)이온은 많은 금속의 부동태피막을 파괴하는 성질이 있고, 부식의 진행과 함께 국소적으로 농축하는 성질이 있으므로 스테인레스강 등의 국부부식을 일으키는 환경의 요인이 된다. 염화물이온이 존재하는 환경에서는 철 또는 Fe기 합금의 양극분극곡선에서는 그림 2.8에 파선으로 나타냈듯이 산소발생으로 천한 전위에서 부동태피막의 파괴에 의해 전류의 급상승이 보이고, 그 전위는 염화물이온농도의 증가와 함께 천한 것으로 이동한다. 이 전위는 공식전위 E_{pit} 라고 부르고, 금속재료의 공식이 일어나기 쉬운 척도로서 이용된다.

2-6 전기화학측정법

2-6-1 전위의 측정

전극전위의 측정은 시료극을 참조전극(반전지)와 염교(塩橋)(전해액으로 충만시킨 유리관)에 의해 액락(液絡)하여 구성한 전지의 기전력을의 측정한다. 참조전극 또는 시료극의 전위는 측정전류에 의해 분극되어 변화하므로 측정전류는 가능한 한 작은 것이 좋다. 정확하고 동시에 기본적인 측정법은 전위차계를 이용하여 상각법(償却法)으로 전류=0인 조건에서 측정하는 방법이 있지만, 현재에는 주로 전자식 전압측정기가 이용되고 있다. 그 경우 측정기의 입력저항은 적어도 $10^8\Omega$ 이상이어야 한다.

(1) 액간 전위차

전위측정의 경우, 참조극과 시료극에서는 전해액의 종류 또는 농도가 일반적으로 다르다. 이런 경우, 액간 전위차가 나타나 전위측정에 영향을 준다. 이것은 이온의 이동속도가 이온의 종류, 농도에 따라 다른 것에 기인한다. 액간 전위차에 대해서 이론적으로 상세히 기술하지만, 액간 전위차를 이론적 또는 실험적으로 완전히 제거 또는 보정하는 방법은 존재하지 않는다. 따라서, 다른 전해액이 접촉하는 한 전극전위의 의미가 있는 정도의 모호함이 남아 있다.

액간 전위차는 무시할 수 있는 정도의 것도 있지만, 0.06V정도가 되는 것도 있다. 일반적으로 농도가 높은 쪽의 용액이 염화칼륨과 같이 Anion과 Cation의 수율이 거의 같은 전해질을 포함할 때에는 액간 전위차는 적게 된다.

2-6-2 전류-전위곡선의 측정

(1) 2전극셀

전해셀이 시료극과 대상극의 두 가지 극만으로 된 경우에는 전해반응속도를 특징으로 하는 것은 전류-셀전압곡선이다. 이 경우, 전류증가에 따른 아노드전위는 귀로, 캐소드전위는 천으로 이동하고, 아노드, 캐소드 반응 각각의 과전압은 얻어지지 않으므로 곡선에서 얻어진 지료는 한정적이다. 만일, 대극의 면적을 시료극에 비해 매우 크게 하면, 대극의 전류밀도는 상대적으로 저하하고, 그 전위변화를 무시할 수 있으므로 시료극에 대해서 전극반응을 대극의 반응과 무관계로 독립하여 논의할 수 있다. 그러나, 전류의 증가와 함께 2극간의 용액저항에 의한 iR전압강하가 증대하여 그 보정이 문제가 된다.

(2) 3전극셀

전류-전위곡선측정의 기본적 방법인 3전극셀의 구성을 그림 2.10에 나타냈다. 이 방법으로는 시료극과 대극간에 전해전류가 흐르지만, 시료극 전위를 루긴세관, 염고로 이은 참조전극에 대해 측정하고 전류밀도에 대해 만들어 전류-전위곡선을 얻는다. 루긴세관의 선단은 시료극에 근접하게 설치하고, iR강하의 영향도 극소화된다.

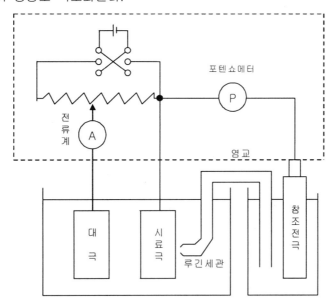

그림 2.10 분극측정장치

(3) 정전위 전해장치(포텐쇼스타트, Potentiostart)

전기화학측정에는 시료극의 전위를 일정하게 유지할 필요가 있는 경우가 있고, 일반적으로도 그 쪽이 편리하다. 이 장치가 포텐쇼스타트로 그림 2.10의 점선으로 둘러싸인 부분에 치환하여 이용하고 있다. 그 기존원리를 그림 2.11에 나타냈다. 그림의 3각형은 연산증폭기이고, 그 입력단자간의 전압을 증가하여 이것이 0이 되도록 네가티브 피드백으로 셀에 전류를 공급한다. 입력단자의 -단자는 참조극으로, +단자는 입력신호단자를 통하여 접지시킨다. 시료극은 접지하고 있으므로 입력신호 0(단자간 단락)의 경우, 시료극이 참조극과 동일한 전위가 되도록 전해전류가 흐른다. 적당한 입력전위신호를 더하여 시료극을 참조극에 대해 임의의 전위로 분극하는 것이 가능하다. 또, 입력신호로서 시간에 대해 직선적으로 증가하는 전압신호를 이용하면 X-Y기록계에 의해 자동적으로 전류-전위곡선을 그리게 된다. 이 방법을 전위주사법이라고 부른다.

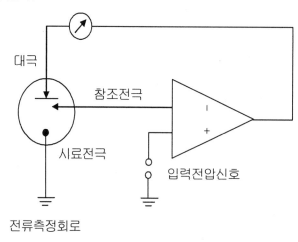

그림 2.11 포텐쇼스타트의 원리

2-6-3 비정상측정법

정상상태에서는 전위가 결정되면 전류는 일률적으로 정해진다. 그러나, 전류이중층, 흡착, 표면반응, 확산등 전하가 축적하는 요인을 포함하므로 분극초기에는 전류 또는 전위는 시간의 계수이다. 비정상측정법은 전류 또는 전위의시간 변화의 측정에 의해 전극반응 해석법(특히 빠른 전하이동과정의 측정법)이다. 이를 위해서는 전기이중층 및 소반응을 고려하여 전극반응식을 각각의 경계조건하에서 풀어야 한다. 실험적으로는 신호, 분극회로 및 기록장치의 동적특성이 문제가 된다.

(1) 정전류법

스텝상정전류분극하면 과전압은 시간과 함께 상승하여 정상에 도달한다. 전기이중층의 충전이 분극초기에 시작하므로 전위-시간곡선의 초기구배($\frac{d\eta}{dt} = \frac{1}{C}$)에서 전기이중층용적 C 를 구할 수 있다. 빠른 전하이동과정의 속도, 확산정수의 측정에 이용된다.

(2) 정전위법

정전위법은 포텐쇼스타트의 입력단자에 스텝상전위신호를 주어 전류의 시간변화를 측정하는 방법이다. 전극반응의 동특성의 수학적 해석은 일반적으로 정전위조건쪽이 해석하기 쉽다.

(3) 교류임피던스법

전극을 교류로 분극하면, 과정에 포함한 용량·저항성분 때문에 전극의 교류임피던스는 주파수에 따라 복잡하게 변화한다. 교류임피던스법은 전극임피던스의 주파수의존성에 기초한 해석법이다. 기본적인 임피던스의 측정법은 교류브릿지에 의한 방법이지만, 전기화학계에서는 넓은 주파수범위(100㎑-0.001㎐)의 측정이 좋으므로 현재에는 포텐쇼스타트의 입력단자에 교류전압신호를 주고, 전압·전류의 파고값 및 위상차에서 구하는 방법이다. 자동측정기가 시판되고 있다.

참고문헌

1) 喜多秀明, 魚峰浩平 : 電氣化學の基礎, 技報堂(1983).

2) 田道 榮 : 電氣化學通論, 公立出版(昭和61).

3) A.J.Bard and L.R.Faulkner : Electrochemical Methods, John Wiley & Sons(1980).

4) D.T.Sawyer and J.L.Roberts,Jr : Experimental Electronchemistry for Chemists, John Wiley & Sons(1980).

5) J.O'M.Bockris and A.K.N.Reddy : Modern Electrochemistry, Vol.1 and 2, Plenum(1970).

3. 고온산화

3-1 서론

고온에서 금속이 산화성 가스와 반응하여 산화물을 생성하는 현상을 고온산화라 부른다. 이 말은 엄밀하게는 고온에서의 산화반응을 의미하지만, 일반적으로는 산화반응에 의해 재료가 열화하는 고온부식현상을 의미하는 경우가 많고. 즉, 고온산화라는 말은 고온산화가 우세하게 일어나는 고온가스부식반응에 사용하는 경우가 많고, 수용액이 존재하는 환경에서의 부식(혼식)에 대해서는 건식이라고 부르기도 한다.

금속의 내산화성은 표면에 균일한 보호성 산화피막이 형성되는 것이지만, 실제로 사용되는 고온기구에 대해서는 금속과 산소와의 반응에 의한 단순한 고온산화가 일어나는 것은 매우 드물고, 대부분의 경우 연소가스 중의 유황화합물(SO_x 등)나 탄소화합물(CO 등)과의 반응에 의한 유화나 침탄 등이 부수적으로 일어난다. 더욱 고온장치의 기동, 정지에 따른 가열과 냉각의 반복에 의해 보호성의 산화피막이 벗겨져 산화가 가속되는 것도 있고, 실제의 고온산화거동은 열역학적으로 속도론적으로도 상당히 복잡한 현상이다.

따라서, 이하의 항에서 기술하는 단순화된 금속표면의 산화피막의 열역학적 고찰이나 그 성장원리는 실제의 고온기구의 복합한 부식현상에 직접 적용하여 이것을 정량적으로 해명하는 수단은 없지만, 실제 일어나는 현상을 정성적으로 해석하기로 한다. 즉, 열역학적 또는 속도론적으로 고찰하여 예측되는 고온산화현상과 실제 일어나는 부식현상이 무엇인지를 알고, 실제 일어나는 부식과정을 해석하여 내열금속재료를 설계할 때 기초를 제공한다.

3-2 고온산화반응의 열역학

3-2-1 금소의 고온산화반응의 열역학

고체금속 M 이 산화되어 고체산화물 MO 를 생성할 때의 반응은 식 (3.1)과 같고, 이에 수반되는 자유에너지변화 ΔG_T 는 식 (3.2)와 같이 나타낼 수 있다.

$$2M + O_2 = 2MO \qquad (3.1)$$

$$\Delta G_T = \Delta G_T^o + RT ln\left(\frac{a_{MO}^2}{a_M^2 \cdot p_{O_2}}\right) \qquad (3.2)$$

여기서, ΔG_T^o 는 반응에 관여하는 물질이 모두 표준상태에 있을 때의 자유에너지변화이고, 산화물의 표준생성자유에너지라 부른다. 반응 (3.1)이 평형일 때는 그 반응의 자유에너지변화 ΔG_T=0, 또 순수한 고체물질을 표준상태로 하면 a_M =1 및 a_{MO} =1이 되어 식 (3.2)는 다음과 같이 변형된다.

$$\Delta G_T^o = RT ln p_{O_2}$$

$$p_{O_2} = \exp\left(\frac{\Delta G_T^o}{RT}\right) \qquad (3.3)$$

이 식으로 결정되는 p_{O_2} 가 산화물의 평형해리압이고, 분위기의 산소분압이 이것보다 크면 금속은 산화되고 작으면 산화물은 해리한다. 이 ΔG_T^o 는 열역학 데이터에서 다음 식으로 계산될 수 있다.

$$\Delta G_T^o = \Delta H_{298}^o + \int_{298}^T \Delta C_p dT - T\Delta S_{298}^o - T\int_{298}^T \left(\frac{C_p}{T}\right)dT \qquad (3.4)$$

그러나, 상당히 양호하게 근사하므로 다음과 같이 생략할 수 있다.

$$\Delta G_T^o = \Delta H_{298}^o - T\Delta S_{298}^o \qquad (3.5)$$

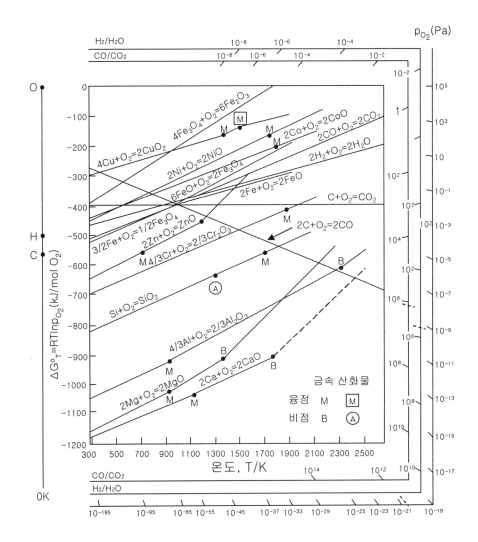

그림 3.1 산화물의 표준생성자유에너지

이 경우에는 자유에너지변화는 온도에 단순한 1차 계수가 되고, 그림 3.1에 나타냈듯이 거의 직선으로 나타낼 수 있다[1]. 이 그림에서 ΔG_T^o가 부로 큰 것 즉 그림의 하위에 있는 산화반응쪽이 낮은 산소압으로 진행한다. 이런 산화물의 생성자유 에너지를 온도의 계수로 나타낸 그림을 Ellingham diagram이라 부른다. 만일 금속 또는 산화물에 융해 또는 증발 등의 상변화가 있으면, 직선의 기울기가 변화한다. 이것을 만들기 위한 열역학적 데이터는 문헌[2)~4)]를 참조하기 바란다.

다음에 금속이 H_2/H_2O혼합 분위기 중에서 산화되는 경우를 고려해 보자. 이 분위기의 평형산소분압 p_{O_2}는 다음 식과 같이 H_2O의 해리에 의해 결정된다.

$$2H_2O = 2H_2 + O_2 \tag{3.6}$$

$$\Delta G_T^o = -RTln\left(\frac{p_{H_2}^o \cdot p_{O_2}}{p_{H_2O}^o}\right)$$

$$p_{O_2} = \left(\frac{p_{H_2O}}{p_{H_2}}\right)^2 \exp\left(\frac{-\Delta G_T^o}{RT}\right) \tag{3.7}$$

즉, 어떤 온도에서 이 분위기의 산소압은 $\dfrac{p_{H_2O}}{p_{H_2}}$의 비로 결정된다. 이 산소압이 산화물의 평형해리압보다 크면 그 금속은 그 분위기중에서 산화된다. 또, CO/CO_2혼합분위기의 경우에도 동일하게 다음 식에 의해 분위기의 평형산소압은 결정된다.

$$2CO_2 = 2CO + O_2 \tag{3.8}$$

$$\Delta G_T^o = -RTln\left(\frac{p_{CO}^2 \cdot p_{O_2}}{p_{CO_2}^2}\right)$$

$$p_{O_2} = \left(\frac{p_{CO_2}}{p_{CO}}\right)^2 \exp\left(\frac{-\Delta G_T^o}{RT}\right) \tag{3.9}$$

어떤 금속을 산화할 때의 평형 산소압과 이에 대응하는 $\dfrac{p_{H_2}}{p_{H_2O}}$ 및 $\dfrac{p_{CO}}{p_{CO_2}}$ 비는 Ellingham diagram에서 읽을 수 있다. 예를 들어, Si가 1300K에서 산화될 때의 평형산소압은 그림 3.1과 같이 점 O와 A를 연결하고, 그 연장과 우측의 P_{O_2}축과의 교점을 읽으면 된다. 또, 이때 이 평형산소압에 대한 $\dfrac{p_{H_2}}{p_{H_2O}}$ 비 및 $\dfrac{p_{CO}}{p_{CO_2}}$ 비는 각각 점 H와 A 및 C와 A를 연결한 직선의 연장 위에서 H_2/H_2O축 및 CO/CO_2축과의 교점을 읽으면 된다.

　산화물[5], 탄화물[6], 질화물[7] 등에 대해서도 동일하게 Ellingham diagram을 만들 수 있다.

3-2-2 합금의 고온산화반응의 열역학

　전항에 기술한 것은 순금속의 고온산화이지만, 합금의 고온산화의 경우에는 식 (3.2)에서 a_M 및 a_{MO}를 1로 놓는 것이 불가능하므로 매우 복잡하다. 여기서, 2원합금 A-B가 산화되는 경우를 고려해보자.

$$2A + O_2 = 2AO \tag{3.10}$$

$$\Delta G_T^o = -RTln(\frac{a_{AO}^2}{a_A^2 \cdot p_{O_2}}) \tag{3.11}$$

$$2B + O_2 = 2BO \tag{3.12}$$

$$\Delta G_T^o = -RTln(\frac{a_{BO}^2}{a_B^2 \cdot p_{O_2}}) \tag{3.13}$$

　만일, 합금의 성분 A, B 및 이들의 산화물 AO, BO가 상호 완전히 고용하지 않으면, 합금의 조성에 의해 a_A, a_B=1, a_{AO}, a_{BO}=1이 되고, 열역학적으로는 순금속 A, B를 산화하는 것과 동일하게 된다. 이 때에는 식 (3.11), (3.13)에서 결정한 산소압 이상으로 각각의 금속이 산화된다.

　만일, 금속 A, B가 고용체를 만들면 a_A, a_B<1로 되므로, 식 (3.11), (3.13)에서 알 수 있듯이 평형산소압은 크게 된다. 즉, A, B가 고용체를 만들어 안정화하면, 그들을 산화하기 위해서는 높은 산소압이 필요하게 된다. 또, 역으로 산화물 AO와 BO가 고용체를 만들어 안정화하면, a_{AO}, a_{BO}<1가 되어 식 (3.11), (3.13)의 p_{O_2}는 작게 된다. 즉, AO와 BO의 고용체는 보다 낮은 산소압까지 안정하게 존재하게 된다. 또, 산화물이 복산화물 ABO_2를 형성하여 안정화하는 경우에도 ABO_2는 낮은 산소압까지 안정하게 존재하게 된다. 이들 관계를 Fe-Cr 2원계에 대해 정성적으로 정리하면 그림 3.2와 같이 된다[8]. 그림 3.2에 나타냈듯이 합금 중의 Cr농도가 작게 되면, a_{Cr}이 작게 되므로 Cr이 산화되기 시작하

는 산소압은 높게 된다. 또, FeO는 FeCr$_2$O$_4$를 생성하여 안정화되므로 Fe-Cr합금 중의 Fe 는 순 Fe가 산화되기 시작하는 산소압 이하에서도 다음 식과 같이 산화된다.

$$Cr_2O_3 + Fe + \tfrac{1}{2}O_2 = FeCr_2O_4 \tag{3.14}$$

또, Fe$_3$O$_4$와 FeCr$_2$O$_4$는 모두 결정구조가 스피넬형이고, 더욱 Fe$_2$O$_3$와 Cr$_2$O$_3$는 양쪽이 Corundum형이므로 각각의 산화물은 고용체를 만든다. 이들을 고려하여 그림 3.2를 만들었다.

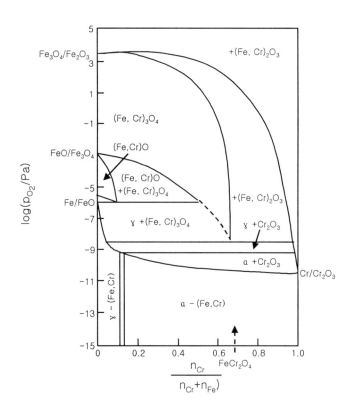

그림 3.2 Fe-Cr계합금의 산화평형상태도(1570K)

이런 열역학적 고찰로부터 실제로 일어나는 고온산화과정을 추정하는 것이 가능하다. 예를 들어, 그림 3.2에서 Fe-20wt%Cr합금에 접촉하여 안정하게 존재하는 산화물은 Cr_2O_3층 만이다. 만일, 이 합금의 산화피막의 내층에 Fe를 포함한 산화물이 존재하게 되면, 이것은 내층에서의 산소압이 높게 되는 즉, Cr_2O_3층의 형성이 불충분하고, 산소가 내부까지 침입한다는 것을 나타낸다. 이런 열역학적 예측과 실제의 산화거동과의 차이는 산화과정을 해명하기 위해 매우 필요한 수단이다.

3-2-3 금속의 혼합분위기(2성분계)중에서의 고온부식

금속이 2성분계의 가스와 반응하는 경우에는 열역학적인 수 종의 화합물이 생성한다는 것을 예측할 수 있다. 이 때의 각종 화합물의 안정영역(온도일정)은 그림 3.3과 같이 나타낼 수 있다[9]. 이 그림은 Ni을 산소포텐셜과 유황포텐셜을 만드는 분위기 중에서 가열할 때 형성되는 화합물의 안정영역을 p_{O_2}, p_{S_2}의 계수로서 나타낸 것이다. Ni/NiO, Ni/NiS의 경계는 각각 다음 식의 반응으로 결정된다.

$$2Ni + O_2 = 2NiO \tag{3.15}$$

$$\log p_{O_2} = \frac{\Delta G_T^o}{2.303RT} \tag{3.16}$$

$$2Ni + y\,S_2 = 2NiSy \tag{3.17}$$

$$\log p_{S_2} = \frac{\Delta G_T^o}{2.303yRT} \tag{3.16}$$

또, NiO/NiSO$_4$의 경계는 다음 식으로 주어질 수 있다.

$$2NiO + S_2 + 3O_2 = 2NiSO_4 \tag{3.19}$$

$$\log p_{S_2} + 3\log p_{O_2} = \frac{\Delta G_T^o}{2.303RT} \tag{3.20}$$

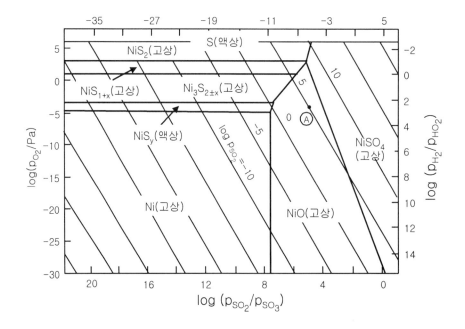

그림 3.3 1000K에서 Ni-O-S계평형상태도[9]

더욱 그림 중에서는 p_{SO_2}=일정할 때의 p_{O_2}와 p_{S_2}의 관계를 실선으로 나타냈다. 이것은 다음 식으로 계산된다.

$$S_2 + 2O_2 = 2SO_2 \tag{3.21}$$

$$\log p_{S_2} + 2\log p_{O_2} - 2\log p_{SO_2} = \frac{\Delta G_T^o}{2.303RT} \tag{3.22}$$

A점은 0.1MPa(1기압)의 SO_2가 1000K에서 해리할 때의 p_{O_2}와 p_{S_2}이다. 그림에서 알 수 있듯이 Ni을 0.1MPa의 SO_2중에서 가열하면 열역학적으로 안정하게 생성하는 화합물은 산화물이지만, 실제로는 산화물과 유화물의 혼합물을 생성하고, 열역학적 고찰만으로는 불충분하다는 것을 나타낸다. 이 경우에는 산화반응에 의해 해리한 유황의 Ni금속으로의 흡착, 유화반응등 속도론적 고찰이 필요하게 된다. 더욱, 2원계 합금의 2성분계 분위기 중에서의 고온부식은 현실에

서는 매우 중요한 문제이다. 그 생성물의 안정영역의 도식 표시는 기본적이므로 작도가 곤란하고, 거의 만들지 않는다. 또, 만들어진 계도 없다.

3-2-4 금속 및 산화물의 증기압

금속의 내산화성은 표면에 균일하게 보호성의 산화피막이 생성하는 것에 의해 부여되지만, 만일 금속이나 산화물의 증기압이 높으면, 이들의 증발에 의해 보호성 산화피막이 파괴되므로 금속의 내산화성은 열화한다. Gulbransen은 이 증기압이 1×10^{-4}Pa이상이 되면 산화속도에 영향을 미친다고 기술하였다. 금속 및 산화물의 증기압은 다음과 같이 계산된다[10]. 예를 들어, Cr-O계를 고려하면 이 계의 고상으로서는 Cr 과 Cr_2O_3, 증기상으로는 Cr, CrO, CrO_2가 고려된다. 고상 Cr, Cr_2O_3와 공존하는 증가상과의 사이에는 표 3.1과 같이 평형이 성립하고 그 증기압은 표의 아래에 나타낸 각 식에 의해 계산될 수 있다. 결과를 그림 3.4에 나타냈다. p_{O_2}가 높게 되면 CrO_3의 증기압이 상당히 크게 된다는 것을 알았다. 이 결과 Cr_2O_3는 p_{O_2}가 높은 분위기 중에서 1300K이상, 특히 유속이 큰 환경중에서는 보호성 피막으로서 적당하지 않다는 것을 알았다. 합금 원소 중, 증기압이 높고, 제일 내산화성을 열화시키는 원소는 Mo이다. Mo은 금속으로서의 증기압이 낮지만, 산화물 MoO_3의 증기압이 매우 높으므로 금속면에 건전한 보호산화피막을 형성할 수 없고, 내산화성을 열화시키는 경우가 많다.

표 3.1 Cr-O계에 대한 고상/증기상의 평형

Cr(s)와 평형			Cr_2O_3(s)와 평형		
Cr(s) = Cr(g)	(1)		2Cr(g) + 3/2O$_2$ = Cr$_2$O$_3$(s)	(5)	
Cr(s) + 1/2O$_2$ = CrO(g)	(2)		2CrO(g) + 1/2O$_2$ = Cr$_2$O$_3$(s)	(6)	
Cr(s) + O$_2$ = CrO$_2$(g)	(3)		2CrO$_3$(g) = Cr$_2$O$_3$(s) + 1/2O$_2$	(7)	
Cr(s) + 3/2O$_2$ = CrO$_3$	(4)		2CrO$_3$(g) = Cr$_2$O$_3$(s) + 3/2O$_2$	(8)	

$$\Delta G_T^o(1) = -RT ln p_{Cr} \qquad\qquad \Delta G_T^o(5) = -RT ln\,(p_{Cr}^2 \cdot p_{O_2}^{3/2})$$

$$\Delta G^o_T(2) = -RTln\left(\frac{p_{CrO}}{p_{O_2}^{1/2}}\right) \qquad \Delta G^o_T(6) = -RTln\left(p_{CrO}^2 \cdot p_{O_2}^{1/2}\right)$$

$$\Delta G^o_T(3) = -RTln\left(\frac{p_{CrO_2}}{p_{O_2}}\right) \qquad \Delta G^o_T(7) = -RTln\left(p_{CrO_2}^2 \cdot p_{O_2}^{1/2}\right)$$

$$\Delta G^o_T(4) = -RTln\left(\frac{p_{CrO_3}}{p_{O_2}^{3/2}}\right) \qquad \Delta G^o_T(8) = -RTln\left(p_{CrO}^3 \cdot p_{O_2}^{3/2}\right)$$

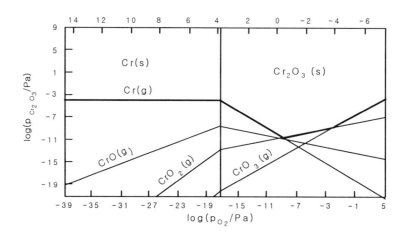

그림 3.4 Cr-O계의 주된 증기 분자종과 그 증기압(1300K)

3-3 산화피막 내의 수송현상[11), 12)]

3-3-1 산화물 중의 결함 형태

금속표면에 치밀한 산화피막이 형성되면, 금속과 산소와의 직접 접촉은 방지되고, 이후의 산화반응은 그 피막을 통과한 금속 또는 산소의 확산에 의해 진행한다. 여기서 확산은 산화물 중의 결함을 통하여 일어나므로 금속의 산화기구 및 그 속도론을 이해하기 위해서는 산화물중의 결함구조와 확산에 대한 지식이 필요하다.

고체 중의 결함은 주로 두 가지 그룹으로 나뉜다. 하나는 격자의 공공이나 격자간 이온 등의 점결함이고, 다른 하나는 전위나 입계 등의 선결함 및 면결함이다. 후자는 열역학적으로 불안정하고, 고체중에서는 존재하지 않는 것이 안정하지만, 전자의 점결함은 열역학적으로 안정하고 어떤 온도에서 반드시 그 평형 농도만 존재한다.

금속산화물은 이온결합성이 강하므로 산화물 중의 물질수송은 중성원자가 아니라 이온을 포함하여 일어난다. 따라서 이온결정 중의 결함 및 확산은 화학 양론 조성의 결정중에서의 기구나 비화학적 양론조성의 결정중에서의 기구로 구별된다. 화학양론조성의 결정에는 KCl과 같이 알칼리금속의 할로겐화물이 있고, 이들의 결정 중의 주된 점결함은 Schottky defect와 Frenkel defect가 있다. 그러나, 이들은 금속의 고온산화기구와 그다지 관계가 없으므로 여기서는 이 이상 다루지 않는다.

표 3.2 산화물 및 유화물의 결함 형태에 의한 분류[13]

금속과잉형 반도체(n형)

BeO, MgO, CaO, SrO, BaO, BaS, ScN, CeO_2, ThO_2, UO_3, U_3O_8, TiO_2, TiS_2, (Ti_2S_3), TiN, ZrO_2, V_2O_5, (V_2S_3), VN, Nb_2O_5, Ta_2O_5, (Cr_2S_3), MoO_3, WO_3, WS_2, MnO_2, Fe_2O_3, $MgFe_2O_4$, $NiFe_2O_4$, $ZnFe_2O_4$, $ZnCo_2O_4$, $(CuFeS_2)$, ZnO, CdO, CdS, $HgS(red)$, Al_2O_3, $MgAl_2O_4$, Tl_2O_3, (In_2O_3), SiO_2, SnO_2, PbO_2

금속부족형 반도체(p형)

UO_2, (VS), (CrS), $Cr_2O_3(<1523K)$, $MgCr_2O_4$, $FeCr_2O_4$, $CoCr_2O_4$, $ZnCr_2O_4$, (WO_2), MoS_2, MnO, Mn_3O_4, Mn_2O_3, ReS_2, FeO, FeS, NiO, NiS, CoO, (Co_3O_4), PdO, Cu_2O, Ag_2O, $CoAl_2O_4$, $NiAl_2O_4$, (Tl_2O) Tl_2S, (GeO), SnS, (PbO), (Sb_2S_3), (Bi_2S_3)

양성도체($*$: 금속전도체)

TiO^*, $Ti_2O_3^*$, VO^*, $Cr_2O_3(>1523K)$, MoO_2, FeS_2, (OsS_2), (IrO_2), RuO_2, PbS

천이금속은 대충 두 개 이상의 이온가상태를 하고 있으므로 그 산화물은 화학양론조성을 따르지 않는 것이 많고, 이들 모두는 금속이온 또는 산소이온의 부족 또는 과잉에 의해 일어난다. 이들의 결함의 형태는 산화물에 의해 결정되

고, 주로 금속이온의 공공을 포함한 것으로는 FeO, NiO 등이 있다. 이들은 금속이온부족형(P형 : 음전하를 갖는 전자공공 $h^{\cdot}$가 전도에 관여)으로 엄밀하게는 $Fe_{1-\delta}O$, $Ni_{1-\delta}O$로 쓸 수 있다. 한편, ZnO는 금속이온과잉형(n형 : 음전하를 갖는 전자 e'가 전도에 관여)으로 격자간 이온을 포함하고 $Zn_{1+\delta}O$로 쓸 수 있다. 이에 대해 산소이온의 결함을 포함한 금속이온부족형으로서는 $UO_{2+\delta}$가 있고, 금속이온과잉형으로 $TiO_{2-\delta}$등이 있다. 고온부식에서 생성되는 화합물의 결함의 형태를 표 3.2에 나타냈다[13].

3-3-2 금속이온부족형(P형)산화물

금속이온부족형의 산화물은 $M_{1-\delta}O$로 쓸 수 있는데 이 δ의 값은 FeO의 경우에는 0.05정도, NiO의 경우에는 약 0.001, Cr_2O_3나 Al_2O_3의 경우에는 더욱 작다. 금속이온부족형에서 아무래도 전기적 중성을 유지하기 위해서는 금속이온은 2종 이상의 이온가를 갖지 않으면 안 된다. 다른 이온가상태에 있는 이온의 에너지준위가 근접해 있는 금속이온공공은 쉽게 도입된다.

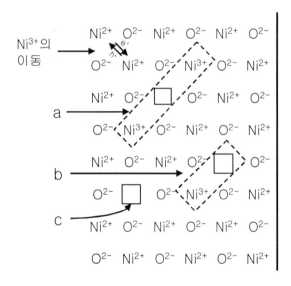

그림 3.5 NiO의 결함구조

전형적인 예로서 NiO를 고려하면, 그 결함기구는 그림 3.5에 나타냈듯이 (Ni^{3+}는 Ni^{2+}에서 전자가 1개 튀어나온 것이므로 Ni^{2+}와 전자공공 h^*의 결합한 것으로 생각할 수 있다). 또, Ni^{2+}에서 Ni^{3+}로의 전자 이동에 의해 Ni^{3+}는 쉽게 금속이온격자 안을 이동할 수 있지만, 이것은 Ni^{2+}의 격자 중을 전자공공 h^*가 움직인 것으로 생각할 수 있다. 또, Ni이온의 공공은 본래 +2가인 곳이 공공으로 되므로, 여기서는 -2가라고 생각한다. 그러나, +1가를 갖는 전자공공 h^*(Ni^{3+})가 여기서 2개 트랩되어 있으면(그림 3.5(a)), 이 공공은 중성이고(V_{Ni}) 또, 1개 구속된 상태(b)는 -1가로 해리(V'_{Ni})된 것으로 생각된다.

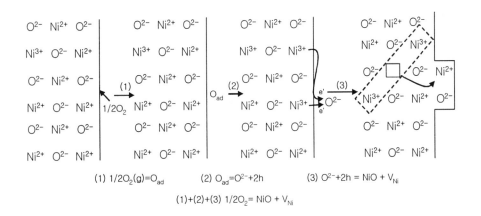

(1) $1/2O_2(g) = O_{ad}$ (2) $O_{ad} = O^{2-} + 2h$ (3) $O^{2-} + 2h = NiO + V_{Ni}$

(1)+(2)+(3) $1/2O_2 = NiO + V_{Ni}$

그림 3.6 NiO(P형산화물)중으로 금속이온공공의 도입

이들의 결함농도는 다음과 같이 구할 수 있다. 금속이온공공은 그림 3.6과 같은 정도로 도입되는 이 반응은 다음과 같이 쓸 수 있다. 여기서, K_1, K_2, K_3는 각 반응의 평형정수이다.

$$\tfrac{1}{2}O_2 = NiO + V_{Ni} \qquad K_1 \tag{3.23}$$

$$V_{Ni} = V'_{Ni} + h^* \qquad K_2 \tag{3.24}$$

$$V'_{Ni} = V''_{Ni} + h^* \qquad K_3 \tag{3.25}$$

산소분자가 가스에서 산화물 표면에 흡착하여 해리하고, 1개의 산소원자가 2개의 Ni^{2+}에서 전자를 1개를 바로 잡아 O^{2-}가 되고, 이에 대응하여 2개의 Ni^{3+}를 만든다. 이것과 동시에 Ni^{2+}가 1개 표면에 확산하여 NiO 1분자를 생성하고, Ni이온공공 1개를 남긴다. 이 때 전자공공 $h^{\cdot}$는 Ni이온공공의 주위에 구속되어 있다(식 3.23). 고온에서는 $h^{\cdot}$가 공공에서 떨어져 자유롭게 이동하게 되고, 공공은 식 (3.24)에 의해 각각 1가 및 2가로 해리한다.

식 (3.23)에 질량작용의 법칙을 적용하면

$$K_1 = \frac{a_{NiO}[V_{Ni}]}{p_{O_2}^{1/2}} = \frac{[V_{Ni}]}{p_{O_2}^{1/2}} \qquad (3.26)$$

$$[V_{Ni}] = K_1 p_{O_2}^{1/2} \qquad (3.27)$$

Ni이온공공이 완전히 1가로 해리할 때에는 식 (3.23), (3.24)에 의해

$$K_2 = [V'Ni] \cdot [h\star] / K_1 p_{O_2}^{1/2} \qquad (3.28)$$

또, 전기적 중성조건에 의해

$$[V'_{Ni}] = [h\star] \qquad (3.29)$$

$$[V'_{Ni}] = (K_1 K_2)1/2 \, p_{O_2}^{1/4} \qquad (3.30)$$

동일하게 Ni이온공공이 완전히 2가로 해리할 때에는 식 (3.28), (3.25)에 의해

$$K_3 = [V'_{Ni}][h^{\cdot}] / [V'_{Ni}] = [V'_{Ni}][h^{\cdot}]^2 / K_1 K_2 p_{O_2}^{1/2} \qquad (3.31)$$

전기적 중성조건에 의해

$$2[V''_{Ni}] = [h^{\cdot}] \qquad (3.32)$$

따라서,

$$2[V'_{Ni}] = (K_1 K_2 K_3 / 4)^{1/3} p_{O_2}^{1/6} \qquad (3.33)$$

또, 이온공공이 완전히 해리하지 않고, V_{Ni}, V'_{Ni}, V'_{Ni}가 공존하는 경우에는

식 (3.23), (3.24), (3.25) 및 전기적 중성조건

$$[V'_{Ni}] + 2[V''_{Ni}] = [h^\bullet] \tag{3.34}$$

의 4식에 의해 $[V_{Ni}]$, $[V'_{Ni}]$, $[V''_{Ni}]$, $[h^\bullet]$를 구할 수 있다. 모든 경우에는 Ni이온 공공의 농도는 그 해리 정도에 따라 산소압의 1/2승에서 1/6승에 비례한다.

이런 P형 산화물에 저이온가의 이온, 예를 들어, Li_2O를 고용시킨 경우를 고려한다. 간단히 하기 위해 Ni이온공공은 2가로 해리한다고 하면, 전기적 중성조건은 식 (3.29)의 대신에 다음 식으로 쓸 수 있다.

$$[Li'_{Ni}] + [V'_{Ni}] = [h^\bullet] \tag{3.35}$$

Li'_{Ni}은 +2가의 Ni^{2+}의 격자위치에 +1가의 Li^+가 들어간 것이므로 −1가의 전가(電價)를 갖는 것으로 볼 수 있다. 식 (3.28)을 변형하여

$$[V'_{Ni}][h^\bullet] = K_1 K_2 p_{O_2}^{1/2} \tag{3.28'}$$

여기여 첨가한 Li^+의 농도가 V'_{Ni}에 의해 매우 큰 경우($[Li'_{Ni}] \gg [V'_{Ni}]$)에는 식 (3.35)는

$$[Li'_{Ni}] \fallingdotseq [h^\bullet] = 일정 \tag{3.36}$$

따라서, 식 (3.28')는

$$[V'_{Ni}][Li'_{Ni}] = K_1 K_2 p_{O_2}^{1/2} \tag{3.37}$$

이들과 식 (3.30)을 비교하면, Li이온첨가에 의해 전자공공농도$[h^\bullet]$는 $[Li'_{Ni}]$과 거의 같은 일정 값이 되고, 또 $[V'_{Ni}]$는 $[Li'_{Ni}]$가 크게 되는 쪽이 감소하고, p_{O_2}의 1/4승이 아닌 1/2승에 비례하게 된다는 것을 알았다. 이 관계를 도시하면 그림 3.7과 같이 된다.

한편, 만일 고이온가를 갖는 이온 예를 들어, Cr_2O_3가 고용한 경우에는 전기적 중성조건은

$$[V'_{Ni}] = [Cr^\bullet_{Ni}] + [h^\bullet] \tag{3.38}$$

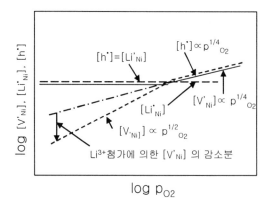

그림 3.7 P형산화물로 저이온가 불순물의 첨가에 의한 금속이온공공농도의 변화

$Cr^{\cdot}_{Ni}$은 Ni^{2+}의 격자위치에 Cr^{3+}가 들어간 것으로 +1가의 전하를 갖는 것으로 볼 수 있다. 여기서, $[Cr^{\cdot}_{Ni}] \gg [h^{\cdot}]$로 하면

$$[V'_{Ni}] \fallingdotseq [Cr^{\cdot}_{Ni}] = 일정 \tag{3.39}$$

즉, Ni이온공공은 첨가된 Cr이온농도에 의해 결정되고, 이것이 크면, Ni이온공공농도도 크다. 이 관계를 그림 3.8에 나타냈다.

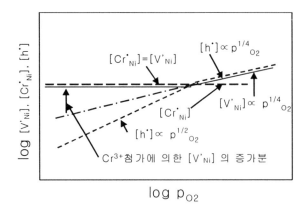

그림 3.8 P형산화물로 고이온가 불순물의 첨가에 의한 금속이온공공농도의 변화

3-3-3 금속이온과잉형(n형)산화물

금속이온과잉형의 산화물은 $M_{1+\delta}O_v$로 쓸 수 있고, 그 예로 제일 잘 알려진 것이 ZnO이다. 이것에 격자간 이온을 도입하는 반응은 다음과 같고, 모식적으로는 그림 3.9와 같이 나타낼 수 있다.

$$ZnO = Zn_i + \tfrac{1}{2}O_2 \qquad K_4 \qquad\qquad (3.40)$$

$$Zn_i = Zn{\cdot}_i + e' \qquad K_5 \qquad\qquad (3.41)$$

$$Zn{\cdot}_i = Zn{\cdot}{\cdot}_i + e' \qquad K_6 \qquad\qquad (3.42)$$

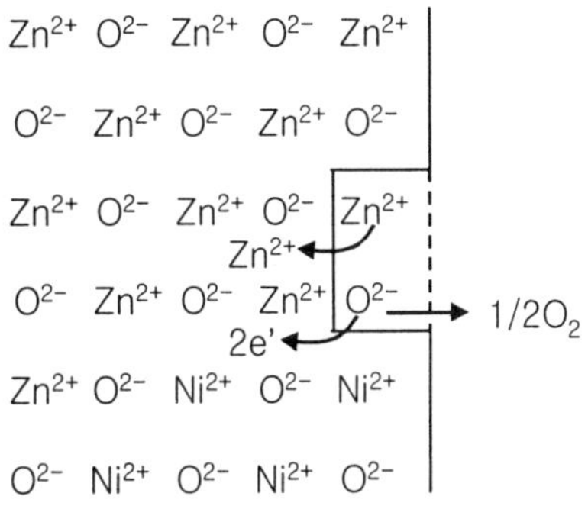

Zn²⁺ O²⁻ Zn²⁺ O²⁻ Zn²⁺
O²⁻ Zn²⁺ O²⁻ Zn²⁺ O²⁻
Zn²⁺ O²⁻ Zn²⁺ O²⁻ Zn²⁺
Zn²⁺
O²⁻ Zn²⁺ O²⁻ Zn²⁺ O²⁻ → 1/2O₂
2e'
Zn²⁺ O²⁻ Ni²⁺ O²⁻ Ni²⁺
O²⁻ Ni²⁺ O²⁻ Ni²⁺ O²⁻

그림 3.9 ZnO(n형산화물)으로 격자간 이온의 도입

여기서, Zn_i는 해리하지 않는 격자간 원자, $Zn{\cdot}_i$는 +1가, $Zn{\cdot}{\cdot}_i$는 +2가로 해리한 격자간 원자이다. 이들의 결함농도의 산소압의존성은 금속이온부족형의 경우와 동일하게 구할 수 있다.

$$[Zn_i] = K_4\, p_{O_2}^{-1/2} \qquad\qquad (3.43)$$

$$[Zn{\cdot}_i] = (K_4 K_5)1/2\, p_{O_2}^{-1/4} \qquad\qquad (3.44)$$

$$[Zn{\cdot}{\cdot}_i] = (K_4 K_5 K_6/4)1/3\, p_{O_2}^{-1/6} \qquad\qquad (3.45)$$

이 경우의 산소압 의존성은 −1/2에서 −1/6승사이로 변화한다. 또, NiO의 경우와 역으로 저이온가의 이온을 첨가하면 결함농도는 증대하고, 고이온가의 이온을 첨가하면 감소한다.

산소이온격자의 결함에 의해 P형, n형 산화물도 있지만, 이들은 고온산화의 입장에서 보아 그다지 중요하지 않으므로 여기서는 다루지 않았다. 취급은 전의 설명과 동일하다.

3-3-4 산화물의 확산

확산은 각종 결함을 통하여 일어난다. 이온공공이나 격자간 이온 등의 점결함을 통하여 일어나는 확산을 격자확산 또는 체확산이라 부르고, 전위나 입계 등에 따라 일어나는 확산을 단회로확산이라 부른다. 산화물중에서 어떤 확산과정이 우세한가는 산화물의 순도, 온도 등에 따라 다르지만, 고온산화에서는 체확산이 큰 역할을 담당하고 있다.

확산에 의한 물질의 흐름은 Fick의 제 1법칙으로 나타낼 수 있다.

$$j = -D\left(\frac{\partial c}{\partial x}\right) \tag{3.46}$$

여기서, j는 단위 면적 당, 단위시간에 흐르는 물질의 양, $\frac{\partial c}{\partial x}$는 농도의 구배, D는 확산계수이다. 확산계수 D는 일반적으로 다음과 같이 나타낼 수 있다.

$$D = D_o \exp\left(\frac{-Q}{RT}\right) \tag{3.47}$$

공공확산기구와 격자간 확산기구를 그림 3.10에 모식적으로 나타냈다. 공공확산기구의 경우에는 이온이 인접한 격자위치로 점프하기 위해서는 인접 위치에 공공이 있을 필요가 있고, 그 확률은 공공농도에 비례한다. 따라서, 이 기구에 의해 이온이 확산하는 경우에는 확산계수는 공공의 확산계수 D_v와 그 농도 N_v의 곱이 된다.

$$D = D_v N_v \tag{3.48}$$

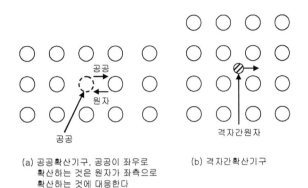

(a) 공공확산기구, 공공이 좌우로   (b) 격자간확산기구
　　확산하는 것은 원자가 좌측으로
　　확산하는 것에 대응한다

그림 3.10 확산기구의 모식적 표시

이 때의 활성화에너지 Q 는 공공의 생성엔탈피 ΔH_f 와 이동을 위한 엔탈피의 ΔH_m 합이 된다. 또, 공공농도 N_v 는 식 (3.27), (3.30), (3.33)에서 보듯이 산소분압의 1/2 ~ 1/6승에 비례하므로 이온의 확산계수 D 도 동일 산소압 의존성을 갖게 된다. 한편 격자간 확산기구에 의해 이온이 확산하는 경우에는 그 확산계수는 격자간 이온의 확산계수 D_i 와 그 농도 N_i 의 곱으로 나타낼 수 있다.

$$D = D_i N_i \tag{3.49}$$

입계나 표면에 따른 확산은 실험적인 측정이 곤란하므로 격자확산은 측정할 수 없다. 그러나, 다결정과 단결정에 대한 측정결과의 비교 등으로 입계확산계수 D_{gb} 나 표면확산계수 D_s 는 격자확산계수 D_l 보다 크다는 것을 알았다. 일반적으로 확산계수는 $D_l < D_{gb} < D_s$ 의 순으로 크고, 또 활성화에너지는 $Q_l > Q_{gb} > Q_s$ 의 순으로 작게 된다는 것을 알았다. 따라서, 저온에서 입계확산이나 표면확산의 기여가 크게 된다.

3-4 산화반응의 속도론

지금까지 많은 고온산화의 속도식이 실험적으로 제안되었고, 이것을 설명하기 위한 이론도 많이 제안되었다. 각종 금속에 대해서 지금까지 제안된 대표적인 속도법칙으로는 대수법칙, 역대수법칙, 포물선법칙, 직선법칙 등이 있다.

3-4-1 저온산화(박막영역에서의 산화)의 속도론[14]

금속을 저온(통상 실온에서 500K정도 까지)으로 산화하면 그 산화속도는 초기에는 크게 급속히 감소하고, 최종적으로는 거의 반응이 정지한 상태로 끝난다. 이런 산화거동은 대수법칙 또는 역대수법칙으로 나타내는 경우가 많다. 이 영역의 산화는 막두께로서 약 100㎚정도까지이고, 고온산화의 문제로는 표면의 윤활, 접착, 전기적 접촉 등이 중요하다. 이 형태의 산화거동을 설명하기 위해 많은 이론이나 모델이 제안되었지만, 그 모델의 정당성이나 도입된 이론식 중의 파라메터의 정당성은 지금까지도 아직 실험적으로 증명되지 않았다.

저온에 대한 화학포텐셜만으로는 산화피막을 통한 물질수송을 일으키기 충분하지 않으므로 전장이 확산에 큰 구동력이 된다. 먼저, 산소가 산화물 표면에 흡착하여 여기에 전자가 금속에서 산화피막을 통과하는 터널효과에 의해 이동하고, 이 결과 정전하를 갖는 금속과 음전하를 갖는 흡착산소의 사이에서 평형이 성립한다. 이것으로 전장이 생기지만, 산화피막이 얇고, 전장이 강하므로 산화피막을 통과하는 이온의 이동은 쉽게 된다. 이 때의 피막의 성장속도로서 역대수법칙을 쓸 수 있다.

$$\frac{1}{x} = A - k_{ilg} ln t \tag{3.50}$$

한편, 피막의 성장에 대한 피막중의 용이확산경로 예를 들어, 입계나 전위 등이 재결정이나 입성장(粒成長)에 의해 감소하는 경우에는 대수법칙이 도입된다.

$$x = k_{lg} \ln(t + t_o) + B \tag{3.51}$$

실험결과는 대수법칙으로 정리된 것이 많지만, 자료는 어떤 식에서도 정리할 수 있는 정도가 있고, 이들만으로는 저온산화의 기구를 논의할 수 없다. 이 영역의 산화거동이 금속산화 중에서 제일 이해가 불충분한 영역이다.

3-4-2 고온산화(후막영역에서의 산화)의 속도론

(1) 포물선법칙

1920년대에 Tammann과 Pilling, Bedworth는 금속표면에서의 산화피막의 성장은 포물선의 법칙에 의한다는 것을 발견했다. 이 속도법칙은 산화피막을 통하여 금속 또는 산소의 이동이 율속이라는 가정에서 도입될 수 있다. 더욱 1933년 Wagner는 포물선법칙을 설명하는 현상론적 이론을 제안했다. 이 식은 산화속도와 당시 발전하고 있었던 점결함의 이론을 결합한 것으로 금속산화의 분야에서 제일 기본적인 속도법칙이다.

금속표면에 치밀한 산화피막이 균일하게 생성하면 금속과 산소의 직접 접촉은 방지되고, 이후의 반응은 이 산화피막을 통하여 금속 또는 산소의 확산으로 진행한다. 이때, 금속/산화피막경계 및 산화피막/가스계면에서의 반응은 충분히 빠르므로 계면반응이 율속이 아니라 산화피막 중의 확산이 율속이다. 금속이온이 외부로 확산하여 산화피막/가스계면에서 산화물을 형성하는 경우(그림 3.11), 금속이온의 외부로 유속j_M (역방향의 공공의 유속 j_{V_M} 과 동일)은 다음 식으로 나타낼 수 있다.

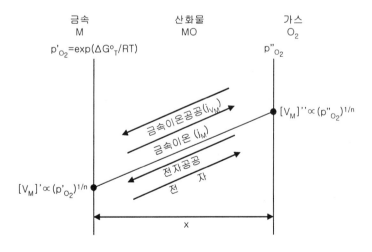

그림 3.11 금속이온의 외방확산에 의해 피막이 성장할 때의 물질 흐름

$$j_M = -j_{V_M} = D_{V_M}\{([VM]'' - [VM]')/x\} \tag{3.52}$$

여기서, x는 산화피막의 두께, D_{V_M}는 금속이온공공의 확산계수, $[V_M]''$, $[V_M]'$는 각각 산화피막/가스, 금속/산화피막계면의 공공농도이다. 이들 계면에서는 평형이 성립한다고 가정하므로 여기서의 공공농도는 정해진 값이다. 따라서,

$$|j_{V_M}| = \text{Constant}.(\frac{dx}{dt}) = D_{V_M}\{([V_M]'' - [V_M]')/x\} \tag{3.53}$$

즉,

$$\frac{dx}{dt} = \frac{k'}{x} \tag{3.54}$$

$$k' = D_{V_M}([VM]'' - [VM]')/\text{Constant}$$

이것을 적분하여 $t=0$에서 $x=0$으로 놓으면

$$x^2 = 2k't = k_p t \tag{3.55}$$

즉, 포물선법칙이 도입된다.

(2) Wagner이론[15]

산화속도가 이런 포물선법칙에 따르는 것은 이미 관찰되었고, 비례정수 k_p는 포물선속도정수라 부르고, ㎡/s(피막두께의 증가) 또는 kg²·m⁴/s(질량증가) 등으로 나타낼 수 있다. 이렇게 (1) 금속표면에 치밀하고 균일하게 산화피막이 생성하고, (2) 각 계면반응은 충분히 빠르므로 이들은 평형에 도달하고, 따라서, (3) 산화피막 중의 확산이 율속이란 산화피막의 성장조건의 경우에 그 k_p의 내용을 Wagner가 밝혔다.

2가 금속 M이 산화되어, MO를 생성하는 경우를 고려해보자. 생성한 산화물이 금속이온부족형(p형)인 경우에는 산화피막의 양 계면에서는 그림 3.12(a)에 나타냈듯이 반응이 일어나고 있다.

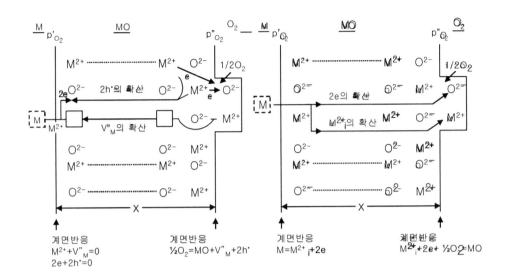

그림 3.12 금속이온의 외방확산에 의한 산화피막의 성장기구

산화피막/가스계면

$$\tfrac{1}{2}O_2 = MO + V''_M + 2h^\cdot \tag{3.56}$$

금속/산화피막계면

$$M^{2+} + V''_M = 0 \tag{3.57}$$

$$2e' + 2h^\cdot = 0 \tag{3.58}$$

즉, 산화피막/가스계면에서는 금속이온공공V''_M(-2가로 해리하는 것으로 한다)와 전자공공 $2h^\cdot$이 형성되고, 이것이 안으로 확산하여(물질의 이동은 금속이온과 전자의 밖으로 확산), 금속/산화피막계면에서는 금속이온과 전자가 금속에서 산화피막으로 공급되어 이온공공과 전자공공은 감소한다. 최종적으로는 이들 반응에 의해 산화피막/가스계면에서 MO가 1분자 생성하고, 금속 중에 공공이 1가 도입되게 된다. 이 경우, 양 계면에서의 반응은 평형에 도달하고 있다고 생각되므로 산화피막/가스계면의 산소압 p''_{O_2}는 분위기의 산소압을, 금속/산화피막계면의 산소압 p'_{O_2}은 식 (3.3)에 의해 평형해리압을 구할 수 있다. 양 계면에서

의 금속이온공공농도 $[V''_M]$은 이 산소압에서 식 (3.33)을 이용하여 계산할 수 있다. $p''_{O_2} \gg p'_{O_2}$이므로 산화피막/가스계면의 이온공공농도는 금속/산화피막계면에서의 이온공공농도에 의해 매우 크고, 이 이온공공농도구배에 의해 이온공공은 내측으로 확산(이온은 외측으로 확산)한다. 이런 금속이온의 확산과 균형있게 전자도 이동한다.

한편, 생성한 산화물이 금속이온과잉형(n형)인 경우에는 격자간 이온 M^{2+}_i(2가로 해리하고 있다고 가정)과 2e'의 외측확산에 의해 산화가 진행한다(그림 3.12(b)). 이 경우에도, 전과 동일하게 격자간 이온농도구배를 계산할 수 있다. 또, 전체의 반응으로는 산화물표면에 1분자의 MO가 생성하고, 금속중에 공공이 1개 도입된다.

이들의 산화피막의 성장속도는 결함농도의 구배와 확산속도에 의해 결정되는데 이것은 다음 식으로 도입할 수 있다.

z_i의 전하를 갖는 i 입자가 1개, 화학포텐셜 μ_i (J/mol)의 구배($\frac{\partial \mu_i}{\partial x}$) 및 전위 구배($\frac{\partial \psi}{\partial x}$) 중에 놓일 때, 이 입자에 작용하는 힘은 다음 식으로 나타낼 수 있다.

$$\left(\frac{1}{N_A}\right)\left(\frac{\partial \mu_i}{\partial x}\right) + z_i e\left(\frac{\partial \psi}{\partial x}\right) =$$

$$\left(\frac{1}{N_A}\right)\left\{\left(\frac{\partial \mu_i}{\partial x}\right) + z_i F\left(\frac{\partial \psi}{\partial x}\right)\right\} \text{ (J/particles·m)} \qquad (3.59)$$

여기서, N_A는 아보가드로수, F는 패러데이정수(coulomb/mol)이다.

단위의 힘이 작용할 때에 입자가 움직여 정상속도를 이동도 B_i라 부르고, 식 (3.5)가 작용할 때의 i 입자의 속도는 다음과 같이 쓸 수 있다.

$$\nu_i = \left(\frac{-B_i}{N_A}\right)\left\{\left(\frac{\partial \mu_i}{\partial x}\right) + z_i F\left(\frac{\partial \psi}{\partial x}\right)\right\} \text{ (m/s)} \qquad (3.60)$$

여기에서 i 입자의 유속(단위 면적 당 단위시간에 통과한 양)은 다음 식으로 나타낼 수 있다.

$$J_i = \left(\frac{-c_i B_i}{N_A}\right)\left\{\left(\frac{\partial \mu_i}{\partial x}\right) + z_i F\left(\frac{\partial \psi}{\partial x}\right)\right\} \text{ (particles/m}^2\text{·s)} \qquad (3.61)$$

여기서, c_i 는 i 입자의 농도(particles/m³)이다. 식 (3.61)을 mol로 놓으면

$$J_i = (\frac{-c_i B_i}{N_A^2})\{(\frac{\partial \mu_i}{\partial x}) + z_i F(\frac{\partial \psi}{\partial x})\} \ (mol/m2{\cdot}s) \tag{3.62}$$

c_i 의 단위를 몰수(mol/m³)로 하거나 이온갯수(particles/m³)로 하여 정수가 변화하므로 주의할 필요가 있다.

여기서, 실험적으로 측정한 양으로 식을 기술하기 위해 B_i, $(\frac{\partial \psi}{\partial x})$ 를 제거한다. i 입자의 이동도 B_i 와 i 입자에 의한 전기전도도 σ_i 사이에는 다음과 같은 관계가 있다.

$$c_i B_i = \frac{\sigma_i}{z_i^2 e^2} \tag{3.63}$$

따라서,

$$j_i = (\frac{-\sigma_i}{z_i^2 F^2})\{(\frac{\partial \mu_i}{\partial x}) + z_i F(\frac{\partial \psi}{\partial x})\} \tag{3.64}$$

여기서, 정확히 i 입자로서 금속이온, 산소이온, 전자의 3종을 고려하지 않으면 안 되고, 실제의 고온산화에 있어서는 금속이온의 이동에 의해 진행하는 경우가 많으므로, 간단히 하기 위해 산소이온의 유속 j_o 를 무시한다(j_o 를 포함하여 고려하여도 식의 취급이 복잡한 만큼 순서는 동일하다).

$$j_c = (\frac{-\sigma_c}{z_c^2 F^2})\{(\frac{\partial \mu_c}{\partial x}) + z_c F(\frac{\partial \psi}{\partial x})\} \tag{3.65}$$

$$j_e = (\frac{-\sigma_e}{z_e^2 F^2})\{(\frac{\partial \mu_i}{\partial x}) + z_e F(\frac{\partial \psi}{\partial x})\} \tag{3.66}$$

여기서, 첨자 c, e 는 각각 금속이온, 전자를 나타낸다.
전기적 중성조건에 의해

$$z_c j_c + z_e j_e = 0 \tag{3.67}$$

이 3식에 의해 $(\frac{\partial \psi}{\partial x})$, j_e 를 제거하면 금속이온의 유속은 다음과 같이 쓸 수 있다.

$$j_c = [\frac{-\sigma_c \sigma_e}{z_c^2 F^2 (\sigma_c + \sigma_e)}]\{(\frac{\partial \mu_c}{\partial x}) - (\frac{z_c}{z_e})(\frac{\partial \mu_e}{\partial x})\} \qquad (3.68)$$

금속 M 이 산화되고, 이온으로 될 때의 식은 다음과 같이 나타낼 수 있다.

$$M = M^{z_c} + z_c e \qquad (3.69)$$

평형에서는

$$\mu_M = \mu_c + z_c \mu_e \qquad (3.70)$$

또, 전자의 전하 $z_e = -1$, 식 (3.48), (3.70)에서 μ_e 를 제거하면

$$j_c = [\frac{-\sigma_c \sigma_e}{z_c^2 F^2 (\sigma_c + \sigma_e)}]\{(\frac{\partial \mu_M}{\partial x})\} \qquad (3.71)$$

여기서, 양변의 ∂x 를 x 에 대해 0에서 피막두께 x 까지, μ_M 는 금속/산화피막계면의 값, μ_M' 로 산화피막/가스계면의 값 μ_M'' 까지 적분한다. j_c 는 연속성의 조건에서 일정하고, σ_c, σ_e, $(\frac{\partial \mu_M}{\partial x})$ 등은 피막 안의 위치에 의해 변화할 가능성이 있다. 따라서,

$$j_c = (\frac{1}{z_c^2 F^2 x}) \int_{\mu_M'}^{\mu_M''} [\frac{\sigma_c \sigma_e}{(\sigma_c + \sigma_e)}] d\mu_M \quad (mol/m^2 \cdot s) \qquad (3.72)$$

시간 dt 사이에 이동하는 금속이온의 양($j_c dt$)에 의해 증가하는 피막의 두께 dx 는

$$j_c dt = C_M dx \qquad (3.73)$$

여기서, C_M 은 산화피막 중의 금속의 농도(mol/m^3)이다.

이것과 식 (3.54), (3.72)을 비교하여

$$k' = (\frac{1}{z_c^2 F^2 C_M}) \int_{\mu_M'}^{\mu_M''} [\frac{\sigma_c \sigma_e}{(\sigma_c + \sigma_e)}] d\mu_M \qquad (3.74)$$

만일, 산소이온의 이동에 의해 산화가 진행하는 경우에는 j_c를 무시할 수 있고, 이 후는 전부 같이 취급하여 k'를 구할 수 있다. 그래서 이 경우에는 식 (3.49), (3.70)의 대신 다음 식으로 쓸 수 있어

$$\tfrac{1}{2}O_2 = O_2- + z_O e \tag{3.75}$$

$$\tfrac{1}{2}\mu_{O_2} = \mu_O + z_O \mu_e \tag{3.76}$$

계수 $\tfrac{1}{2}$이라는 것에 주의할 필요가 있다.

일반적으로 고온산화에서 생성한 산화물 중에는 전자의 수율이 1에 가깝고, 금속이온이나 산소이온의 수율은 작다. 이 경우에는 식 (3.74)는 다음 식과 같이 된다.

$$k' = (\frac{1}{z_c^2 F^2 C_M}) \int_{\mu_M}^{\mu_M^{"}} \sigma_c \, d\mu_M \tag{3.77}$$

Nernst-Einstein의 식

$$D_i = B_i k T \tag{3.78}$$

및 식 (3.63)에 의해 i 입자에 의한 전도도 σ_i와 i 입자의 확산계수 D_i와의 사이에는 다음과 같은 관계가 있다.

$$D_i = \frac{kT\sigma_i}{z_i^2 e^2 c_i} \tag{3.79}$$

이 c_i (particles/m^3)을 C_i (mol/m^3)으로 변화시키면

$$D_i = \frac{RT\sigma_i}{z_i^2 F^2 C_i} \tag{3.80}$$

이것을 식 (3.77)에 대입하면

$$k' = (\frac{1}{RT}) \int_{\mu_M}^{\mu_M^{"}} D_M \, d\mu_M \quad (m^2/s) \tag{3.81}$$

여기서, D_M은 산화피막 중의 금속이온의 확산계수이다.

적분의 변수로서 금속의 화학포텐셜 μ_M 보다는 산소분압 p_{O_2} 를 다루는 쪽의 측정이 편리하므로, 식 (3.81) 중의 μ_M 를 p_{O_2} 로 변환한다. 금속이 다음 식에 따라 산화된다고 한다.

$$2M + (\frac{z_c}{2})O_2 = M_2O_{z_c} \qquad (3.82)$$

이 산화물의 화학양론 조성에서 모두가 작으면 $M_2O_{z_c}$ 의 화학포텐셜은 일정하게 놓을 수 있다.

$$2\mu_M + z_c\mu_o = \mu_{M_2O_{z_c}} = \text{constant} \qquad (3.83)$$

또,

$$\mu_o = \frac{\mu_{O_2}^o + RTlnp_{O_2}}{2} \qquad (3.84)$$

따라서,

$$d\mu_M = -(\frac{z_c}{4})RTdlnp_{O_2} \qquad (3.85)$$

이 식을 식 (3.81)에 대입하여

$$k' = (\frac{z_c}{4}) \int_{p'_{O_2}}^{p''_{O_2}} D_M dlnp_{O_2} \ (\text{m}^2/\text{s}) \qquad (3.86)$$

여기서, p''_{O_2} 는 가스상의 산소분압이고, 산화피막/가스계면에서 μ''_{O_2} 의 화학포텐셜을 갖는 금속과 평형하다. 또, p'_{O_2} 는 금속/산화피막계면의 산소압에서 μ'_M ($\simeq 1$)에 대응하는 값 즉, 산화물의 평형해리압에 가까운 값이다.

(3) 산화속도의 산소압 의존성

이 식에 의해 D_M 을 알 수 있으면 이것을 이용하여 금속산화의 포물선속도 정수를 계산할 수 있다. 그러나, 식 (3.86)에서 보듯이 산화물 중의 금속이온의 확산계수는 산소분압의 계수로 알려져 있고, 이런 실측값은 실제로는 적다. 더욱 실제의 고온산화에 대한 산화피막의 균열이나 박리가 생기고, 이상적인 성장조건에 따르지 않는 경우도 많다. 따라서, Wagner이론의 실제값은 산화속도의 정량적인 예측으로 고온산화가 이상적으로 진행하는 경우의 기구에 대해 완전한 해석을 할 수 있다. 그러나, 정성적으로는 산화속도의 예측이 가능하고, 산화물 중의 확산계수가 큰 금속이 포물선속도정수는 높게 된다(그림 3.13)16).

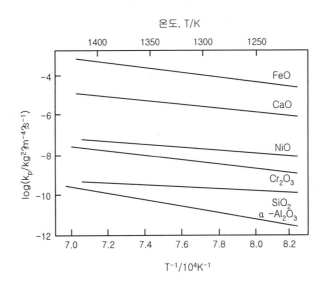

그림 3.13 각종 산화물이 성장할 때의 속도정수의 목표[16]

Wagner이론에서 산화속도의 산소압 의존성을 이론적으로 예측할 수 있다. 산화물 중의 확산계수는 결함농도에 비례하지만(식 (3.48), (3.49)), 결함농도는 산소분압의 ±1/n승에 비례한다. 예를 들어, NiO중의 금속이온공공이 2가로 해리하게 되면 공공농도는

$$[V''_{Ni}] \propto p_{O_2}^{1/6} \tag{3.33'}$$

따라서,

$$D_{Ni} \propto p_{O_2}^{1/6} \tag{3.87}$$

식 (3.86)에 대입하여

$$k' \propto \int_{p'_{O_2}}^{p''_{O_2}} p_{O_2}^{1/6}\, d\ln p_{O_2} \tag{3.88}$$

$$k' \propto [(p''_{O_2})^{1/6} - (p'_{O_2})^{1/6}] \tag{3.89}$$

여기서, p''_{O_2}는 산화피막/가스계면의 산소압, p'_{O_2}은 금속/산화피막계면의 산소압이고, 일반적으로 $p''_{O_2} \gg p'_{O_2}$이므로

$$k' \propto (p''_{O_2})^{1/6} \tag{3.90}$$

즉, Ni와 같은 p형 산화물이 생성하는 경우에는 포물선속도정수는 분위기의 산소압의 1/n승에 비례한다.

한편, ZnO와 같은 n형 산화물의 경우에는 결함농도는 −1/n승에 비례하므로 식 (3.89)에 대응하는 식은 다음과 같이 쓸 수 있다.

$$k' \propto [(p'_{O_2})^{-1/n} - (p''_{O_2})^{-1/n}] \tag{3.91}$$

따라서,

$$k' \propto (p'_{O_2})^{-1/n} \tag{3.92}$$

p'_{O_2}는 산화물의 평형해리압에 가까운 값에서 거의 일정하게 되므로, n형 산화물이 생성하는 경우에는 포물선속도정수는 분위기의 산소압 의존성을 나타내지 않는다.

3-4-3 직선법칙

어떤 조건하에서는 고온산화는 직선법칙에 따라 진행한다.

$$x = k_1 t \tag{3.93}$$

k_1은 직선속도정수이고, m/s나 kg/m²·s 등의 단위를 갖는다. 직선법칙은 일반적으로 계면반응 특히, 산화피막/가스계면의 반응이 율속일 때에 관찰된다. 예를 들어 CO/CO_2혼합분위기 중의 산화, 희박가스 중에서의 산화 등의 경우이다. 전자의 경우에는 CO_2의 산화물 표면에서의 해리반응 또는 후자의 경우에는 표면으로의 산소분자의 공급이 율속이 된다. 또, 산화피막의 균열이나 박리가 연속하여 일어나고, 금속표면에 대해 가스와의 반응이 율속이 되는 경우에는 산화속도는 겉보기상 직선법칙이 된다.

3-5 합금의 고온산화

3-5-1 내열합금의 조합

고온에서 사용되는 금속재료는 주로 고온강도와 고온내식성이 요구되지만, 단체 금속에서 이들을 충분히 갖는 것은 없으므로 합금화하여 개선이 도모되고 있다. 합금화에 의한 내열산화성 개선을 위한 원리로는 다음의 3가지가 있다.

(1) 산화피막 중에 다른 원자가를 갖는 이온을 고용시켜 결함농도를 제어한다.
(2) 백금이나 금 등 산화되지 않는 금속을 첨가한다.
(3) 보호성의 산화피막을 표면에 형성시켜 이것으로 합금을 보호한다.

최초의 방법은 예를 들어 NiO중에 1가의 Li이온이 고용되면, NiO중의 금속이온의 공공농도가 감소한다는 원리를 이용한 것이다(식 3.37). 공공농도의 감소로 NiO중의 금속이온의 확산속도는 감소하고, 이것과 함께 Wagner모델에 의해 포물선속도정수는 작게 된다. 따라서, Ni중에 Li을 첨가하면 Ni의 산화속도는 감소할 것으로 기대되고, 실제적으로도 증명되었다.

(2)는 예를 들어, Ni-Pt합금에 대해 Ni이 선택적으로 산화되므로 NiO피막/합금계면에서 Pt농도가 상승하고, 이와 함께 Ni의 피막중으로 공급이 감소하여 산화속도가 감소하는 현상이다. 이 원리의 이론적 취급은 Wagner에 의해 이루어졌다[17]. 그러나, 이들 (1) 또는 (2)의 원리에 의해 내산화성의 개선은 개선의

확실 또는 기계적 특성의 개선이라는 관점에서 실용합금에서는 거의 적용되지 않고 특히, (3)의 원리에 의해 내산화성의 개선이 도모되고 있다.

　　일반적으로 내열합금을 공기 중에서 고온으로 가열하면, 그림 3.14와 같이 질량증가곡선이 얻어진다. 예를 들어 Fe-Cr합금을 공기중에서 가열하면, Cr이 산소와의 친화력이 크므로 표면에 선택적으로 산화되어 Cr_2O_3를 생성한다. 만일, 합금중의 Cr량이 충분히 많고, Cr_2O_3보호피막을 형성할 수 있는 경우에는 산화속도는 포물선법칙에 따르고, 그림 3.14의 a와 같은 산화거동을 나타낸다. 그러나, 산화피막은 어느 정도의 두께로 성장하면, 파괴, 박리하는 경우가 많고, 이 때에는 산소가 내부로 칩입하여 금속과 직접 반응하기 때문에 산화속도는 현저히 증가한다.

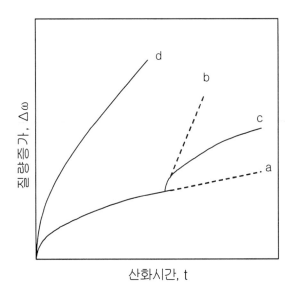

그림 3.14 합금의 고온산화거동(질량증가곡선)

　　그림 3.14의 b와 같은 산화거동을 나타내는 Breakaway산화거동으로 된다. 한편, 보호성 산화피막이 파괴하여도 모두 재생되고, 이 경우에는 곡선 c와 같이 스텝상의 질량증가곡선을 나타낸다. 또, Cr량이 작고, Cr_2O_3의 보호피막을 표면에 완성할 수 없는 경우에는 Fe도 다량으로 산화되고, 곡선 d와 같이 큰 산화속

도를 나타낸다. Fe-Cr합금의 공기중 산화의 경우, 일반적으로 Cr이 약 20wt% 이상에서 곡선 a와 같은 거동을 나타내고, Cr이 15~20wt%에서 곡선 b 또는 c, Cr이 15wt% 이하에서 곡선 d와 같은 거동을 나타낸다.

이들의 예에서 알 수 있듯이 합금이 우수한 내산화성을 갖기 위해서는 다음 과 같은 조건을 갖추지 않으면 안 된다.

(1) 열역학적으로 안정하고, 그 중의 금속이온이나 산소이온의 확산계수가 작은 산화피막이, 합금표면에 밀착하여 치밀하고 균일하게 형성되지 않 으면 안 된다.

(2) 이 산화피막은 가능한 한 균열, 박리의 발생이 없어야 한다.

(3) 더욱 산화피막에 균열, 박리가 발생할 때에는 바로 보호성 산화피막이 재생되지 않으면 안 된다.

합금의 실제 고온산화조건에서 균열, 박리가 발생하지 않는 산화피막의 생 성을 기대하는 것은 현실적으로 불가능하다. 특히, 가열, 냉각의 반복한 경우에 는 산화물과 합금의 열팽창계수의 차이로 응력이 발생하고, 산화피막의 균열, 박리는 현저하게 된다. 따라서, 실용적인 내열합금으로서는 보호성 산화피막이 파괴하여도, 하지금속이 그쪽이 산화되지 않고 다시 보호성 산화피막이 재생되 도록 합금조성이 되어야 한다. 그러나, 예를 들어 Ni기 내열합금에서 Cr의 대량 첨가는 합금의 고온에서의 기계적 특성을 잃어버리므로 내열합금의 조성은 고온 내식성과 고온의 기계적 특성을 균형 있도록 설정해야 한다.

3-5-2 산화피막의 열역학적 안정성과 확산계수

내열합금의 내산화성은 표면에 생성한 산화피막의 성질에 의해 결정된다. 첨가원소는 표면에 선택적으로 산화되고, 보호피막을 만들어야 하므로이들은 베 이스금속보다 산소와의 친화력이 크고, 그 산화물중의 금속이온 또는 산소이온 의 확산계수는 가능한 한 작아야 한다.

표 3.3에 각종 산화물의 1273K에서 금속이온의 확산계수를 나타냈다[12), 18). 이것으로부터 알 수 있듯이 SiO_2 중의 확산계수는 매우 작고, 다음에 α-Fe_2O_3, Cr_2O_3, Al_2O_3 등의 Corundum형 산화물, 다음에 $CoCr_2O_4$, $NiCr_2O_4$ 등의 스피넬

형 산화물이 있다는 것을 알았다. 이들 α-Fe₂O₃은 평형해리압이 높고, 산화피막의 최외층에서만 생성하지 않으므로 이것을 보호피막으로 하는 것은 불가능하다. 이것에 대해 Cr, Si, Al은 산소와의 친화력이 크므로 이들 산화물이 산화피막의 최내층에 생성하여 우수한 보호성 산화피막이 되는 가능성이 있다.

표 3.3 산화물중의 금속이온의 자기확산계수(1273K)

산화물	자기확산계수(m^2/s)
FeO	9×10^{-12}
Fe₃O₄	2×10^{-13}
α-Fe₂O₃	2×10^{-19}, O : 8×10^{-18}
CoO	3×10^{-13}
NiO	1×10^{-15}
Cr₂O₃	3×10^{-18}
α-Al₂O₃	3×10^{-21}
CoCr₂O₄	Co : 1.7×10^{-16}, Cr : 1.9×10^{-16}
NiCr₂O₄	Ni : 1.4×10^{-17}, Cr : 2.8×10^{-17}
NiAl₂O₄	Ni : 1×10^{-17}
SiO₂	O : 1.3×10^{-22}, Si는 이것보다 작다
MnO	$1 \times 10^{-14}(p_{O_2} = 10^{-11}Pa)$

3-5-3 보호성 산화피막의 형성(내부산화에서 외부산화로의 천이)[19]

열역학적 안정성이나 확산계수 등에서 Cr₂O₃, Al₂O₃, SiO₂등이 보호성의 산화피막으로서 우수한 것으로 알려졌지만, 이들이 보호적이기 위해서는 합금표면에 치밀하고 균일한 피막을 만들어야 한다. 정성적인 보호성 산화피막이 형성되기까지의 초기산화과정을 그림 3.15에 나타냈다. 예를 들어 Fe-Cr합금을 고려하면 먼저 산화의 개시할 때는 합금조성 그대로 산화된다. 즉, 산화피막 중의 Fe와 Cr의 비율은 합금중의 Fe와 Cr의 비율과 동일하다(그림 3.15(a)). Fe산화물 중의 Fe^{2+}의 확산은 빠르므로 Fe산화물의 성장은 빠르고, Fe산화물은 Cr₂O₃입자를 덮는다. 한편, 합금/FeO계면의 해리압이 가까운 값(1.7×10^{-10}Pa, 1273K)으로 되므로 이것은 Cr을 산화하는 $(2.5 \times 10^{-17} \text{Pa}, 1273\text{K})$에서는 충분한 산소압이다. 따라서, Cr은 합금/산화피막계면에서 내부산화 및 다음 식과 같은 치환반응에 의해 Cr_2O_3가 된다.

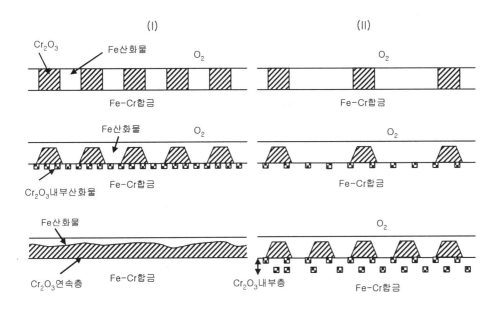

그림 3.15 Cr_2O_3보호피막의 형성

(I) 외부산화(Fe-20wt%Cr합금) (II) 내부산화(Fe-5~10wt%Cr합금)

$$3FeO + 3Cr = Cr_2O_3 + 3Fe \tag{3.94}$$

이렇게 생성한 산화물이 그림 3.15의 (I)과 같이 연속적인 층을 만든다. 이 것에 접한 합금계면의 산소압은 Cr_2O_3의 평형해리압에 가까운 값까지 저하한다. 이 산소압에서 Fe는 금속으로서 존재하는 쪽이 안정하고, Fe^{2+}로서 산화물 중에 들어가지 않는다. 따라서, 이 후의 산화는 Cr_2O_3층만이 성장하고, Cr_2O_3중의확산 은 늦으므로 산화속도는 현저히 감소한다.

한편, 합금중의 Cr함유량이 작아 내부산화물이 연속적인 층을 만들 수 없다 는 것, 합금/산화피막계면의 산소압은 높아 그림 3.15의 (II)와 같이 산소가 안으 로 확산하여 합금내부까지 내부산화가 진행한다(그림 3.15(c)). 또, FeO중의 확산은 빠르므로 이 경우의 산화속도는 빠르고, 그림 3.15에서 (I)은 Cr의 외부산화, (II)는 Cr의 내부산화이다.

합금이 내산화성이기 위해서는 활성합금원소 M(Cr이나 Al등)의 외부산화피막을 형성할 필요가 있지만, 내부산화나 외부산화의 분기점은 합금 내의 산소의 내방확산(內方擴散)과 활성합금원소의 외방확산(外方擴散)의 방정식을 풀면 구할 수 있다.

$$\frac{\partial N_O}{\partial t} = \frac{D_O \cdot \partial^2 N_O}{\partial x^2} \tag{3.95}$$

$$\frac{\partial N_M}{\partial t} = \frac{D_M \cdot \partial^2 N_M}{\partial x^2} \tag{3.96}$$

합금의 주성분이 산화되지 않는 경우(예를 들어, Ag-In합금에 대해 In의 내부산화)에 대해 기술하는데 주성분 금속이 산화되는 경우(예를 들어 Fe-Cr합금)에서도 본질적으로는 완전히 동일하다.

합금의 내부산화의 최선단($x = \xi$)에 대해서는 내방확산할 때 산소와 외방확산할 때 합금원소 M이 반응하여 산화물 MO$_\nu$를 생성하므로 이들 원소의 농도는 매우 작고 0으로 가정할 수 있다. 또, 이 반응계면에 유입하는 산소와 금속 M의 양의 비는 화학양론비ν와 동일하지 않으면 안 된다. 즉,

$$\lim_{\epsilon \to 0} \left[- D_O \left(\frac{\partial N_O}{\partial x} \right)_{x = \xi - \epsilon} = \nu D_M \left(\frac{\partial N_M}{\partial x} \right)_{x = \xi + \epsilon} \right] \tag{3.97}$$

이런 조건으로 일반해로서 다음 식이 얻어질 수 있다.

$$\frac{N_O^s}{\nu N_M^o} = \exp(\gamma^2) erf \frac{\gamma}{\phi^{1/2}} \exp(\gamma^2 \phi) erfc(\gamma \phi^{1/2}) \tag{3.98}$$

여기서,N_O^s는 합금표면에서 산소의 몰분율, N_M^o는 합금 중의 금속 M의 벌크농도, $\phi = \left(\frac{D_O}{D_M} \right), D_O, D_M$은 각각 산소 및 금속 M의 확산계수, γ는 다음과 같이 정의될 수 있는 내부산화의 속도정수이다.

$$\xi = 2\gamma(D_O t)^{1/2} \tag{3.99}$$

여기서 다음 두 가지의 극단적인 경우에 대해서 고려해보자.

(1) $\gamma \ll 1$, $\gamma\phi^{1/2} \gg 1$의 경우

이것은 $D_M N_M^o \ll D_O N_O^s$ 즉, 산소의 칩입이 금속 M의 확산과 비교하여 매우 큰 경우에, 내부산화는 거의 산소의 내방확산에 의해 진행하고, 금속 M은 그 장(場)에서 산화된다. 이런 상태를 그림 3.16에 나타냈다. 이 때의 내부산화층의 두께는 다음 식으로 나타낼 수 있다.

$$\xi \simeq [2(\frac{N_O^s}{\nu N_M^o})D_O t]^{1/2} \tag{3.100}$$

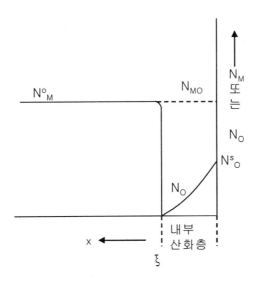

그림 3.16 내부산화(산소확산이 우세한 경우)

(2) $\gamma \ll 1$, $\gamma\phi^{1/2} \ll 1$의 경우

이것은 $D_M N_M^o \ll D_O N_O^s$ 즉, 합금원소의 확산이 우세한 경우에 내부산화는

산소의 내방확산과 금속 M의 외방확산에 의해 진행한다. 따라서, 내부산화
층에서는 M의 농축이 일어난다. 이런 내부산화의 상태를 그림 3.17에 나타
냈다. M결핍층의 사선을 넣은 부분과 M농축층의 사선을 넣은 부분의 면적
은 같다. 이 때의 내부산화층의 두께는 다음 식으로 나타낼 수 있다.

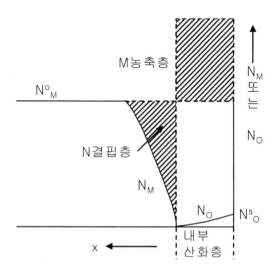

그림 3.17 외부산화로의 천이(금속의 확산이 우세한 경우)

$$\xi = \pi^{1/2} \left(\frac{N_O^s}{\nu N_M^v} \right) \left[\left(\frac{D_O}{D_M^{1/2}} \right) t^{1/2} \right] \tag{3.101}$$

내부산화층 안의 산화물 MOv의 몰분율을 f 로 하면 식 (3.101)로 M의 내부
산화층 안에서의 농축계수는 다음과 같이 나타낼 수 있다.

$$\frac{f}{N_M^v} = \left(\frac{2\nu}{\pi} \right) \left[\frac{N_M^v D_M}{N_O^s D_O} \right] \tag{3.102}$$

합금 및 산화물의 몰체적을 각각 V 및 V_{ox} 로 하면, 내부산화층 안의 산화물
의 체적비율 g 은 다음과 같이 나타낼 수 있다.

$$g = f\left(\frac{V_{ox}}{V}\right) \tag{3.103}$$

이 산화물의 체적비율 g 가 어떤 임계값 $g*$을 초과하면 내부산화에서 외부산화로 천이한다. 이 때의 합금 중 M의 농도는 다음 식으로 나타낼 수 있다.

$$N_M^o = \left[\left(\frac{\pi g^*}{2\nu}\right)N_O^s\left(\frac{D_O V}{D_M V_{ox}}\right)\right]^{1/2} \tag{3.104}$$

이 식에서 알 수 있듯이 베이스금속표면에서의 산소농도(N_O^s)가 큰 쪽 또, 산소의 확산계수(D_O)가 큰 쪽이 외부산화를 일으키는데 필요한 합금 중의 금속 M의 농도 N_M^o는 크고, k_p, D_O, D_M 등의 값을 표 3.4에 나타냈다[20]. Co-Cr계의 상호확산계수는 제일 작고, k_p도 크므로 이 계에서 안정한 Cr2O3 보호피막을 형성하기 위해서는 높은 Cr의 벌크농도가 필요할 것으로 예상된다. 그림 3.18에 포물선정수 k_p에 미치는 Cr양의 영향을 나타냈다[21]. Fe-Cr, Ni-Cr합금에서는 약 20wt%Cr에서 Cr2O3의 연속적인 보호피막을 형성하고, k_p은 감소하지만, Co-Cr계의 경우에는 25wt%Cr을 필요로 하는데 정성적인 예상과 일치한다.

표 3.4 각종 합금 및 산화물의 성질 비교[20](1273K)

금속 또는 합금	Fe	Co	Ni	Cr	Ni-Al
산소 중의 k_p (kg²/m⁴·s) 금속중의로의 O의 용해도(wt%) 금속중의 O의 확산계수(m²/s) 합금중의 상호확산계수(m²/s)	FeO 4.8×10⁻³ 1570~1670K 3×10⁻³ 1.1×10⁻¹⁴ Fe-(10~28)Cr 4~8×10⁻¹⁴	CoO 2.1×10⁻⁶ 8×10⁻³ Co-(0~40)Cr 3~6×10⁻¹⁶	NiO 2.9×10⁻⁸ 1320K 36.4×10⁻³ 2.4~7.6~10⁻¹³ Ni-(0~30)Cr 1~4×10⁻¹⁵	Cr2O3 1×10⁻⁹ 1470K 5.3×10⁻³	Al2O3 8×10¹² Ni-(0~0.7)Al 2.79×10⁻¹⁴

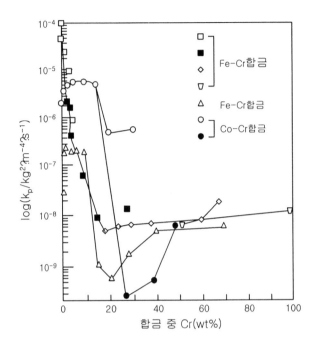

그림 3.18 Fe-Cr, Ni-Cr, Co-Cr합금의 포물선속도정수k_p[21]

(1273K, 공기 또는 O_2 중)

3-6 고온산화피막의 조성과 형태

3-6-1 단상산화피막과 다상산화피막

단상산화피막을 형성하는 전형적인 예로서는 Ni의 산화이고, 다상산화 피막의 예로는 Fe의 산화가 있다. Ni은 보통의 산화조건에서는 NiO만을 생성하고, NiO는 금속이온부족형의 산화물이다. 고순도Ni의 표면에 Marker(Pt선)을 놓고 산화하면(불순Ni산화에 대해서는 다음 항에 기술한다), 산화 후에는 Marker는 금속과 산화물의 경계에 나타난다. 이것은 Ni이온과 전자의 외방확산에 의해 산화피막이 성장하는 것을 나타내고, NiO의 결함의 형(P형)이므로 예상된 결과와 일치한다. 한편, Fe를 고온(840K 이상)에서 산화하면, 금속측에서 FeO, Fe_3O_4, Fe_2O_3의 3층이 되는 산화피막을 형성한다. Fe-O계 상태도를 그림 3.19에 나타냈지만, 840K 이하에서는 FeO를 생성하지 않는다.

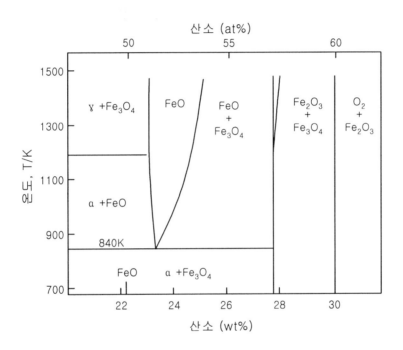

그림 3.19 Fe-O계 상태도

FeO는 화학양론조성에서 아무래도 크고, 다량의 금속이온공공을 포함하고 있으므로 금속이온의 확산계수는 매우 크다. Fe_3O_4는 화학양론조성에서 아무래도 작고, 확산계수는 크지 않다(표 3.3). α-Fe_2O_3는 산소이온의 격자에 결함이 있어 산소이온이 이동한다는 것이다. 이들을 기본으로 하여 Fe의 산화기구로서 그림 3.20이 제안되었다. 이런 다상산화피막이 성장할 때의 속도가 이들 산화물층을 통한 확산에 의해 율속되면 전체의 산화속도는 포물선법칙을 따르고, 각 산화물층의 두께는 다음 식과 같이 쓸 수 있다.

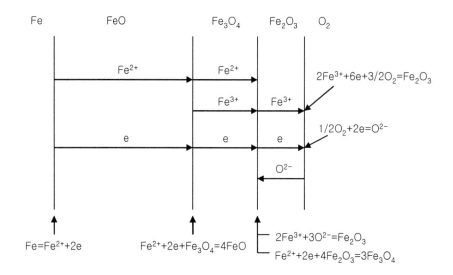

그림 3-20 Fe의 840K 이상에 대한 산화기구

$$\frac{x_1}{x_2} = \frac{k_1}{k_2} \tag{3.105}$$

x_1, x_2는 산화층 1, 2의 두께, k_1, k_2는 각각 포물선속도정수이다. Fe산화의 경우 FeO : Fe_3O_4 : Fe_2O_3의 두께 비는 95 : 5 : 1로 계산되는데 실제로 거의 이 값이 실측되고 있다.

3-6-2 단층 산화피막과 2층 산화피막

고순도 Ni을 산화하면 Ni이온의 외방확산에 의해 NiO의 단층 산화피막을 생성하지만, 불순 Ni을 산화하면 NiO의 2층 산화피막을 생성한다는 것을 알았다[22]. 즉, 불순 Ni의 경우에는 외층에 치밀한 NiO, 내층에 다공질의 NiO의 2층 산화피막이 형성된다. 이 때에 Pt marker는 내층과 외층의 계면에 있다. 이들을 모식적으로 그림 3.21에 나타냈다.

이런 고순도 금속을 산화하면 단층 산화피막을 생성하지만, 불순 금속의 경

우에는 2층 산화피막을 형성하는 현상은 Co등에 대해서도 확인되었다. 이런 2
층 산화피막의 성장은 marker실험의 해석에 의하면 외층은 금속이온의 외방확
산으로 성장하고, 내층은 산소의 내방확산에 의해 성장한다. FeO, NiO, CuO 등
은 아무래도 금속이온부족형의 P형 반도체이고, 그 안에 공공을 넣어 금속이온
의 확산이 우세하지만, 산소이온의 확산은 매우 늦다. 따라서, 외층의 NiO의 성
장은 Ni의 외방확산에 의해 설명할 수 없으며, 내층 NiO의 성장은 외층 NiO를
통하여 산소의 내방확산에 의해 설명할 수 없다. 이 경우에는 산소의 격자확산
에 의하지 않고, 내층성장모델을 고려하지 않으면 안 된다. 현재, 산소의 격자확
산에 의한 내층의 성장을 설명하는 모델로서 해리기구, 성장응력에 의한 피막파
괴기구 등이 제안되고 있다.

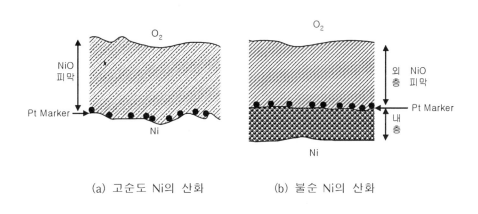

(a) 고순도 Ni의 산화   (b) 불순 Ni의 산화

그림 3.21 Ni의 순도에 의한 산화피막형태의 변화

(1) 해리기구[23]

해리기구의 모델을 그림 3.22에 나타냈다. 처음에 금속의 외방확산에 의해
외층의 치밀한 산화피막 MO가 생성한다. 이 성장에 대해서 금속 중에 공공
이 침입되고, 이것이 집합하여 금속과 산화피막의 계면에 Void를 형성하게
된다. 만일, 산화피막에 충분한 소성변형능이 있으면, 이 Void를 부수어 금
속의 밀착을 보호하도록 변형하지만, 소성변형능이 없으면, 계면에 Void를
생성한다. 이후, 산화의 진행에 대해서는 산화피막/가스계면에서 MO를 생성

하고, 이것에 대응하여 Void의 벽에 MO가 해리하고, Void 내에 산소를 방출
한다. 이렇게 하여 확산에 의해서 산소를 외부 분위기에서 Void내로 수송할
수 있다. 그 결과 최종적으로는 외방확산에 의해 형성된 치밀한 외층과 해리
기구에 의해 형성된 다공질의 내층으로 된 2층 산화피막이 형성된다. 이 기
구에서는 내층의 성장속도를 합리적으로 설명할 수 없어 더욱 최근에 O^{18}을
이용한 실험 등으로 내층의 성장은 피막 중에 존재하는 마크로결함(피막의
균열 등)을 통하여 산소가스의 내측으로 침입한 것을 나타낸 결과도 많이 얻
을 수 있었다[22].

해리기구는 입계에 따라 빠르게 진행하고, 이것이 산화피막을 관통하면, 산
화피막에 구멍이 열린다. 이런 기구를 Dissociative fissure기구라 부르는 산
소가스의 침입에 의한 내층의 성장을 설명할 수 있다. 그러나, 실제의 고온
산화에 대해서 이 기구가 작용되는 것을 불분명하다.

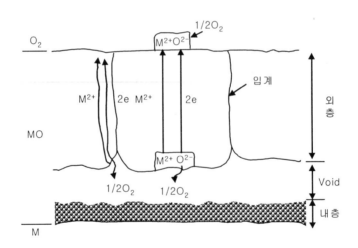

그림 3.22 해리기구에 의한 내층산화물의 생성

(2) 성장응력에 의한 피막파괴기구[24]

금속표면에 산화피막이 성장하는 경우, 피막 내에 응력이 발생하는 것은 잘
알려져 있다. 이 응력은 일반적으로 압축응력이고, 고온에서는 어느 정도까지

산화피막의 소성변형에 의해 완화되지만, 압축응력이 크고, 산화피막도 두껍게 되어 소성변형이 어려우면 피막의 파괴를 일으킨다. 실제, 피막의 파괴는 점점 금속의 산화중에 관찰되고, 이런 피막파괴에 의한 산소가스를 내측으로 침입하게 되면 산화가 내부로 진행하고, 내층이 형성되도록 된다. 그러나, 현재 등온산화중 피막중의 응력발생기구로는 불분명한 점이 많으며, 각종 모델이 제안되고 있지만, 이들은 단순히 가능성을 병렬적으로 다룬 것으로 어떤 금속의 산화에 대한 기구가 실제로 주로 작용하는가를 밝힌 연구는 없다.

3-6-3 고온산화거동에 영향을 주는 기타 인자

금속의 고온산화거동은 화학적 영향만이 아니라 역학적 환경이나 열적 환경에 의해서도 영향을 받는다. 화학적 환경은 산화피막의 열역학적 안정성을 결정하고, 이것으로 산화거동에 영향을 주지만, 역학적 환경이나 열적 환경은 산화피막의 파괴로 산화거동에 영향을 준다. 실제의 고온기구는 회전에 의한 원심력, 진동에 의한 반복 응력 등을 받는 상태에서 산화되는 것이 많지만, 이 때의 부하응력이 있는 값 이상이 되면 산화피막이 파괴되고, 그 재생이 간격이 없으므로 매우 큰 산화속도를 나타내게 된다.

온도변동도 금속의 고온산화거동에 큰 영향을 준다. 금속은 일반적으로 산화물보다 큰 열팽창계수를 갖고 있으므로 냉각사이에 산화피막중에 압축응력이 발생하고, 이 응력이 산화피막의 파과, 박리의 큰 원인이 된다.

냉각에 의한 산화피막 중에 발생하는 압축응력 σ_{OX} [N/m²]은

$$\sigma_{OX} = E_{OX}\Delta T(\alpha_{OX} - \alpha_M)[1 + 2(\frac{E_{OX}}{E_m})(\frac{t_{OX}}{t_m})] \tag{3.106}$$

으로 구할 수 있다. 여기서, E 는 탄성계수[N/m²](첨자 OX는 산화물, m 은 금속을 나타낸다). ΔT 는 온도차[K], α 는 열팽창계수[K⁻¹], t 는 두께[m]이다. 통상 $t_{OX} \ll t_m$ 이므로 식 (3.106)은 다음 식으로 간략화할 수 있다.

$$\sigma_{OX} = E_{OX}\Delta T\Delta\alpha \tag{3.107}$$

표 3.5에 각종 금속 및 산화물의 열팽창계수를 나타냈다[25), 26)].

표 3.5 금속 및 산화물의 열팽창계수

금속	열팽창계수 $(10^{-6}/K)$	온도범위 (K)	산화물	열팽창계수 $(10^{-6}/K)$	온도범위 (K)
Fe	14.6	1070	FeO	12.2	270 ~ 1270
Co	15.9	870 ~ 1170	CoO	15.0	290 ~ 1170
Ni	16.3	1170	NiO	17.1	300 ~ 1270
Cr	9.4	970	Cr_2O_3	8.7	300 ~ 1270
Al	26.5	670	Al_2O_3	8.1	300 ~ 1270
Mn	28.9	670	MnO	11.0	
Si	7.6	270 ~ 370	SiO_2(결정질)	3	570 ~ 1370

금속과 산화물의 열팽창계수의 차는 박리거동을 고려한 경우의 하나가 목표가 되지만, 이것만으로는 박리 용이성을 판단할 수 없다. 산화피막의 소성변형능, 하지합금의 변형에 의한 응력완화, 미량 원소의 첨가효과 등도 고려해야 한다.

3-6-4 산화피막의 마크로결함의 복구

금속표면 위의 산화피막에 Dissociative fissure 또는 성장응력에 의한 균열 등의 마크로결함이 발생하면, 이를 통하여 산소가스가 내부로 침입 하여 금속과 직접 반응하므로 산화속도는 현저히 증가한다. 이들의 마크로결함이 산화피막의 재생에 의해 복구되지 않는 경우에는 산화는 이후, 직선법칙에 따라 진행하고, Breakaway산화거동을 나타내지만, 만일 보호성 산화피막이 재생하여 마크로결함이 복구되는 경우에는 산화는 일시적으로 가속되어도 다시 포물선법칙에 따르게 된다.

합금표면 위의 산화피막의 마크로결함의 복구에 대해 그림 3.23과 같이 3가지 경우가 고려되고 있다. 예를 들어 Fe-Cr합금을 고려한다. $N_{Cr}^{(c)}$ 는 연속한 Cr_2O_3를 생성하기 위한 합금/산화피막계면의 임계 Cr농도, 1273K에 있어서 Fe-Cr합금에서 약 14at%, Ni-Cr합금에서 약 10at%이다.

그림 3.23의 곡선 a의 경우, Cr농도 N_{Cr}^{v} 는 $N_{Cr}^{(c)}$ 보다 작으므로 초기부터 Cr_2O_3의 연속한 보호피막을 형성할 수 없다. 이것에 대해 곡선 b의 경우에는 초기에

Cr_2O_3의 연속한 보호피막을 형성할 수 있고, 파괴되지 않으므로 바로 Cr_2O_3의 연속층을 재생하는 것이 불가능하고 Fe도 산화된다. 만일, 이 때 마크로결함이 반복하여 발생하지 않으면, 다시 계면 Cr농도는 회복하여 Cr_2O_3층을 형성한다. 그러나, 계면 Cr농도가 회복하기 이전으로 마크로결함이 다시 발생하면, 보호성 산화피막을 재생하는 것은 불가능하고, a의 경우와 같은 산화거동을 나타낸다. 곡선 c의 경우에는 계면 Cr농도가 $N_{Cr}^{(c)}$ 보다 크므로 바로 보호성 산화피막을 재생할 수 있다.

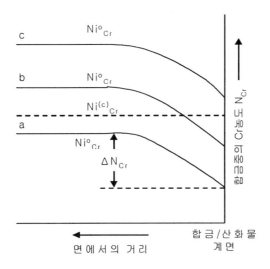

그림 3.23 합금표면 위의 산화 피막의 마크로결함(균열 등)의 복구를 위한 조건

그림 3.23에 나타낸 Cr의 벌크농도와 계면농도의 차 ΔN_{Cr} 는 $\frac{k_p}{D}$에 의존한다. 즉, 산화피막의 보호성이 좋고(k_p가 소), 상호확산이 빠르면(D가 대), 보호피막의 재생능은 크게 된다.

이상의 결과를 정리하면 Fe-Cr, Ni-Cr합금 등의 고온산화는 다음의 3가지로 분류된다(그림 3.24). 그 하나는 Cr이 15wt% 이하의 경우에 Fe나 Ni은 외측으로 확산하여 외층 산화피막을 형성하고, Cr은 내부산화된다. 이 들 외측의 산화피막에 균열 등의 마크로결함이 발생하고, 외부에 Fe나 Ni의 외방확산에 의해 성장한 외층 산화피막, 내부에 산소의 침입에 의해 성장한 Cr을 포함한 다공질의 내층산화물이 성장하고, 내층의 Cr산화물은 Fe확산의 장벽이 되므로 Cr량의 증가와 함께 산화속도는 감소한다.

다음에 Cr이 15~20wt%정도의 경우는 초기에는 보호성이 좋은 Cr_2O_3가 생성한다. 그러나, 이것이 한번 국부적으로 파괴되면, 보호피막이 재생되지 않도록 이것에 노듈산화물을 생성한다. 이 노듈산화물은 표면 전체에 퍼져 있고, 최종적으로는 Cr이 15wt% 이하의 합금과 동일하게 2층 산화피막형태가 된다. 이 합금의 산화속도는 초기에 작지만, 도중에 성립하여 크게 된다.

마지막으로 Cr이 20wt% 이상의 합금에서는 초기부터 Cr_2O_3의 보호피막이 생성하고, 이것이 어떤 이유로 파괴하여도 바로 Cr_2O_3층이 그 장에서 재생되므로 표면은 소량의 Fe나 Ni을 포함한 Cr_2O_3단층으로 덮인다. 이 때의 산화속도는 느리다.

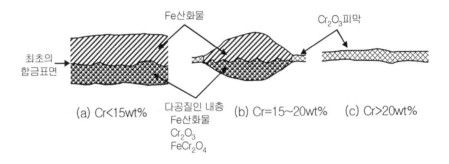

그림 3.24 Fe-Cr합금의 Cr양에 의한 산화거동의 차이

【인용문헌】

1) F.D.Richardson and J.H.E.Jaffee : J. Iron Steel Inst., 160, pp.261(1948).

2) JANAF Thermochemical Table, 2nd Ed., 1974. 1975 Supplement, U. S. Commerce(1970).

3) O.Kubaschewski and C.B.Alcock : Metallurgical Thermochemistry, 5th Ed., Pergamon Press(1979).

4) C.E.Wicks and F.E.Block : U. S. Bureau of Mines, Bulleetin 605(1963).

5) S.R.Shatynski : Oxid. Metals, 11, pp.308(1977).

6) S.R.Shatynski : Oxid. Metals, 13, pp.105(1979).

7) J.Pearson and U.Ende : J. Iron Steel Inst., 175, pp.52(1953).

8) H. Schmalzreid and A.D.Pelton : Ber. Bunsenges, Phys. Chem.,77, pp.90(1973).

9) E.A.Gulbransen and S.A.Jansson : High Temperature Metallic Corrosion of Sulfur and Its Compounds, Ed. by Z.A.Foroulis, Electrochem. Soc., pp.1(1970).

10) E.A.Gulbransen and S.A.Jansson : Oxidation of Metals and Alloys, Amer. Soc. Metals, pp.63(1971).

11) F.A.Kröger : The Chemistry of Imperfect Crystals, North-Holland Publ. Co., (1964).

12) P.Kofstad : Nonstoichiometry, Diffusion and Electrical Conductivity in Binary Metal Oxides, Wiley-Interscience(1972).

13) O.Kubaschewski and B.E.Hopkins : Oxidation of Metals and Alloys Butterworth, pp.24(1962).

14) F.P.Fehlner and N.F.Mott : Oxidation of Metals and Alloys, Amer. Soc. Metals, pp.37(1971).

15) C.Wagner : Z. Phys. Chem. (B), 21, pp.25(1933).

16) N.Birks and G.H.Meier : Introduction to High Temperature Oxidation of Metals, Edward Arnold, pp.54(1983).

17) C.Wagner : J. Electrochem. Soc., 99, pp.369(1952) ; 103, pp.571(1956).

18) Diffusion and Defect Data, Ed. by F.H.Wöhlbier, Trans. Tech. S.A., Switzerland(1973년 이전은 Diffusion data).

19) C.Wagner : Z.Electrochem., 63, pp.772(1959).

20) I.G.Wright : Oxidation of Iron-, Nickel-, Cobalt-Base Alloys, MCIC 72-07, Metals and Ceramics Information Center(1972).

21) G.C.Wood, T.Hodgkiess and D.P.Whittle : Corros. Sci., 6, pp.129(1966)

22) A.Atkinson, R.I.Taylor and P.D.Goode : Oxid. Metals, 13, pp.519(1979).

23) G.T.Fujii and R.A.Meussner : J. Electrochem. Soc., 111, pp.1251(1964).

24) P.Hancock and R.C.Hurst : Advances in Corrosion Science and Tehchnology, Vol.4, Ed. by M.C.Fontana and R.W.Staehle, Plenum Press, pp.1(1974).

25) Metals Reference Book, 5th Ed., Ed. by C.H.Smithells and E.A. Brandes, Butterworths(1976).

26) T.B.サムソノフ監修 : 最新酸化物便覧, 第2改訂増補版, 日ソ通信社(1979).

4. 금속재료의 부식과 방식

4-1 부식의 종류와 그 종류

　금속재료의 부식을 크게 분류하면 수용액부식(Aqueous corrosion)과 기체부식(Gaseous corrosion)이 된다. 전자는 혼식(Wet corrosion), 후자는 건식(Dry corrosion)이라고도 부른다. 수용액부식에서는 국부전지의 전해질로서 수용액이 관여하고, 기체부식에서는 표면산화피막이 전해질로서 거동하므로 부식이 전기화학적인 기구로 진행한다는 관점에서는 본질적으로 동일한 것이다. 기체부식은 전 절에 취급하였으므로 본 장에서는 수용액부식의 종류와 그 원인에 대해 기술한다.

　수용액부식을 부식형태에 따라 분류하면, 균일부식(Un`iform corrosion)과 국부부식(Localized corrosion)으로 크게 나뉜다. 이들은 더욱 응력하에서 진행하는 것과 진행하지 않는 것으로 분류하면

(1) 응력이 존재하지 않는 상태에서 진행하는 부식

　　(i) 균일부식

　　　(a) 전면부식(General corrosion)

　　　(b) 전면적 탈성분부식(General dealloying)

　　(ii) 국부부식

　　　(a) 공식(Pitting)

　　　(b) 극간부식(Crevice corrosion)

　　　(c) 입계부식(Intergranular corrosion)

　　　(d) 국부적 탈성분부식(Local dealloying)

(2) 응력이 존재하는 상태에서 진행하는 부식

    (i) 국부부식

        (a) 응력부식균열(Stress corrosion cracking)

        (b) 수소취성(Hydrogen embrittlement)

        (c) 부식피로(Corrosion fatigue)

        (d) 에로션부식(Erosion corrosion)

        (e) 캐비테이션부식(Cavitation corrosion)

        (f) 찰과부식(Fretting corrosion)

균일부식은 금속표면의 피막보호작용이 약하므로 수용액 중에서 금속표면 전체가 활성화하여 일어나는 종류의 부식이다. 이에 대하여 국부부식은 표면피막의 보호작용은 전반적으로는 강하게 일부가 결함이 있거나 일부가 기계적 작용으로 파괴하여 금속의 일부가 활성화하기 때문에 일어나는 부식이다. 응력의 존재 하에서 진행하는 부식은 기계적 외력에 의한 금속이 화학 활성화되어 일어나는 Mechano-chemical reaction에 의해 부식이라는 의미에서 미케니컬부식이라고도 부른다.

상기의 각종 부식에 대해서는 4-4에 그 기구를 자세히 기술하겠지만, 실용 내식합금에 대해서 이들 부식의 발생과 성장에서는 합금의 부동태 피막의 성질에 깊이 다룰 것이다. 다시 말해, 다음에 합금의 전기화학적 분극특성과 생성하는 부동태피막의 형상에 대해 살펴보자.

4-2 합금의 전기화학적 성질

4-2-1 합금의 분극특성과 내식성의 관계

열역학적 평형조건에서 보면, 반응이 진행가능한 계에 대해서 그 반응이 실제 정지할 때 이것을 부동태(Passive state)라 부른다. 금속의 부식반응에 대한 부동태는 수용액 중에서 금속을 아노드분극으로 할 때 특정의 전위이상으로 돌연 용해속도가 현저히 저하하는 현상이다. 부동태화 현상이 나타낼 때는 그림 4.1과 같이 아노드분극곡선이 관찰된다. 부동태화현상에 대해서는 4-2-5에 대해 기술했듯이 여기서는 분극곡선상의 특징적 변화와 합금의 내식성과의 연관에 대해 간단히 다루었다. 그림 4.1과 같이 아노드분극선이 얻어진 경우, 분극곡선상의 특성값과 금속의 내식성사이에는 다음과 같은 관계가 있다.

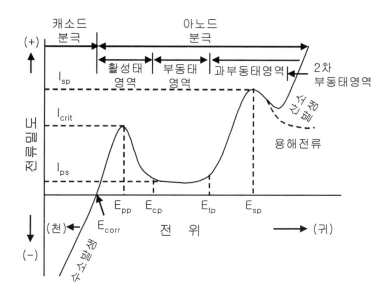

그림 4.1 부동태화현상을 나타내는 합금의 분극곡선

Ecorr : 부식전위   Epp : 1차 부동태화전위   Ecp : 부동태화완료전위
Etp : 과부동태용해개시전위   Esp : 2차 부동태화전위,   Icrit : 임계부동태화전류밀도
Ips : 부동태유지전류밀도   Isp : 2차 부동태화전류밀도

i) 부동태화 전위(또는 1차 부동태화전위), E_{pp} : 이 값이 저하하면, 약한 산화력의 환경 중에서도 금속은 부동태화하므로 이 값은 낮은 쪽이 좋다.

ii) 부동태화 완료전위, E_{cp} : 이 값이 저하하면, 금속은 빠르게 완전히 부동태화하므로 이 값은 낮은 쪽이 좋다.

iii) 임계부동태화 전류밀도, I_{crit} : 이 값이 작아지면, 금속은 산화제의 농도가 작아질 때에도 부동태화되므로 이 값은 작은 쪽이 좋다.

iv) 부동태유지 전류밀도, I_{ps} : 이 값이 작다는 것은 부동태 산화물을 통하여 금속의 용해속도가 작아지므로 이 값은 작을 쪽이 좋다.

v) 과부동태 용해개시전위, E_{tp} : 이 값이 높다는 것은 높은 전위까지 과부동 태 용해가 일어나지 않는다는 것이므로 이 값은 높은 쪽이 좋다.

vi) 2차 부동태화 전류밀도, I_{sp} : 이 값이 작다는 것은 급속히 과부동태용해 를 통하지 않고 2차 부동태로 들어가 이 값은 작은 쪽이 좋다.

여기서, 금속이 부동태화하기 위해서는 반드시 I_{crit} 이상의 전류가 공급될 필 요가 있다. 이런 전류는 금속이 수용액 중에 자연히 침적되고 있는 경우에는 수 용액 중의 산화제의 환원전류에 의해 공급된다. 보통의 자연환경중에서는 수용 액 중의 용존산소가 이 산화제의 거동을 하고 있다.

그림 4.1은 대표적인 내식합금인 18Cr-8Ni스테인레스강의 아노드분극곡선을 그린 것인데 이런 부동태화 현상을 나타낸 금속으로는 Fe, Cr, Ni, Mo, Co, Al, Ti, Ta, Nb, Zr 등의 순금속이나 이들 합금이 알려져 있다. 분극곡선의 형태는 금 속의 종류나 합금의 조성에 따라 복잡하게 변화한다. 또, 분극곡선상의 특성값은 금속측의 인자가 아닌 용액의 종류, 농도, pH, 농도 등의 환경측의 인자나 전위수 송속도, 수송방향 등의 측정 조건에서도 크게 의존하므로 분극곡선에서 금속의 내 식성을 평가할 때에는 이들의 인자 영향을 충분히 고려할 필요가 있다.

4-3 합금의 부동태

4-3-1 부동태피막의 두께

(1) 전위에 의한 변화

스테인레스강 등의 고내식성합금의 부동태피막의 두께는 보통 1~5nm이 고 이렇게 얇은 피막의 두께의 결정에는 Ellipsometry가 이용되고 있다. Ellipsometry는 편광이 표면피막을 갖는 금속표면 위에서 반사될 때에 생기는 편광상태의 변화를 해석하여 피막의 두께와 광학정수를 구하는 방법이다. 그림 4.2에 pH 2의 산성용액 중에서의 Fe-15Cr합금의 부동태와 과부동태피막의 두께 d 의 전위에 의한 변화를 Ellipsometry에 의해 구한 결과를 나타냈다[4]. 그림 중에서는 막 두께와 동시에 측정한 아노드전류밀도 I_a의 변화도 알 수 있다. 막 두께의 변화에서 보면, 부동태 영역에서는 N_2=2.0-0.4i 라는 광학정수(N_2=$n_2 - k_2 i$, N_2 : 복소굴절율, n_2 : 굴절률, k_2 : 감쇠계수, i : 허수)를 갖는 피막이 1.4nm에서 2.0nm까지 거의 전위에 대해 직선적으로 성장한다는 것을 알았다. 과부동태용해에 의한 전류가 증가하는 0.8 ~ 1.0V(SCE 기준)에서는 부동태피막의 용해와 동시에 과부동태피막으로의 변화가 일어나고 이 사이의 영역에서는 피막은 증가하지 않는다. 과부동태용해전류가 감소하는 1.0V 이상의 2차 부동태영역에 들어가면, N_2=2.4-0.5i 라는 광학정수를 갖는 과부동태피막이 2.0nm에서 4.2nm로 다시 전위에 대해 직선적으로 성장한다. 전위에 대한 피막의 증가율은 부동태 피막에서도 과부동태피막 쪽이 크고, 부동태피막에서는 1.2nm/V, 과부동태피막에서는 2.9nm/V이다. 이들 값을 피막 안의 전장의 크기로 놓으면, 각각 0.84GV/m 및 0.44GV/m가 된다. 이런 피막 증가율의 상이는 각각 피막의 조성의 차이에 의존하고, 피막의 Cr산화물 함유량이 높게 되면 작아지고, 역으로 Fe산화물함유량이 높게 되면 크게 된다[4].

그림 4.3은 상기와 같이 측정을 pH2.0 및 6.0의 수용액중에서 Cr함유량 5 ~ 60wt%의 일련의 Fe-Cr합금에 대해 측정한 결과를 나타낸 것이다[4]. 부동태피막에서 과부동태피막으로의 천이는 pH2.0의 용액 중에서는 10wt%Cr 이상의 합금에서 또, pH6.0의 용액 중에서는 15wt%Cr 이상에서의 합금에 대해서 확인되었다. 모든 용액에 대해서도 합금의 Cr함유량이 높은 쪽이 부동태 및 과부동태의 모든 피막이 얇게 되고, 부동태 피막의 막 두께 증가율은 Cr함유량이 높아짐에 따라 작아지는 것에 대해 과부동태피막은 크게 된다는 것을 알았다. 이것은 먼저 기술한 피막조성의 변화에 대응하는 것이다.

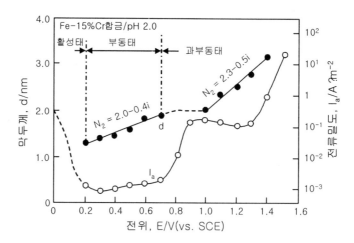

그림 4.2 Fe-15Cr합금의 아노드분극 곡선과 부동태 및 과부동태피막의
두께의 전위에 의한 변화[4] pH 2.0, 1kmo/m3 Na2SO4, 293K

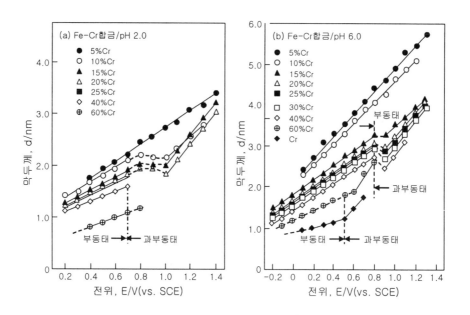

그림 4.3 pH 2.0(a) 및 pH 6.0(b)의 1kmol/m^3 Na$_2$SO$_4$중에 Fe-Cr합금의
부동태 및 과부동태피막의 두께의 전위에 의한 변화[4]

(2) 합금원소의 영향

스테인레스강의 부동태피막의 두께에 미치는 합금원소의 영향을 그림 4.4에 나타냈다[5]. 이 그림은 10Ni강을 베이스로 Cr함유량을 변화시킨 경우(그림 4.4(a)), 22Cr강을 베이스로 Ni함유량을 변화시킨 경우(그림 4.4 (b)), 18Cr-8Ni강을 베이스로 Mn함유량을 변화시킨 경우(그림 4.4 (c)), 20Cr-25Ni강을 베이스로 Mo함유량을 변화시킨 경우(그림 4.4 (d)), 14Cr-14Ni강을 베이스로 Si함유량을 변화시킨 경우(그림 4.4 (e))의 막 두께 변화를 나타낸 것이다. 그림에서도 알 수 있듯이 pH 0.2 및 6.0의 용액에 대해서도 Cr 또는 Ni함유량의 증가는 막 두께를 감소시킨다. Si는 4wt%정도까지는 첨가량과 함께 막 두께를 감소시키지만, 그 이상이 되면 막 두께의 증가를 일으킨다. Mo 및 Mn은 첨가량의 증가와 함께 막 두께를 증가시킨다. 이런 Mo첨가의 경우를 제외하면 부동태의 내식성을 개선하는 합금원소의 첨가는 막 두께를 감소시킨다고 생각된다.

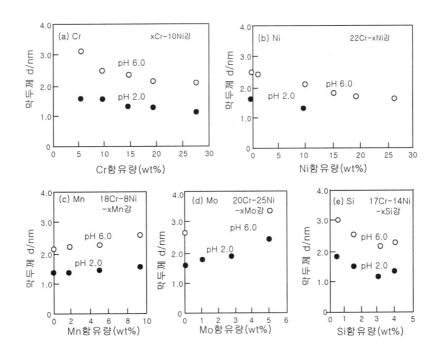

그림 4.4 스테인레스강의 부동태피막의 두께에 미치는 힙금원소의 영향[5]
용액 : pH 2.0, H_2SO_4 및 pH 6.0 Na_2SO_4, 전위 : 0.5V(SCE기준), 온도 : 293K

4-3-2 부동태 피막의 조성

(1) 전위에 의한 변화

pH 2.0과 6.0의 수용액 중에서 Fe-19Cr합금의 부동태 및 과부동태 피막의 조성의 전위에 의한 변화를 변조가시적외반사분광법(Modulated UV-visible reflection spectroscopy)로 측정한 결과를 그림 4.5에 나타냈다[6]. 이 방법에 의하면 금속표면이 얇은 피막을 수용액 중에 비파괴로 분석할 수 있으므로 각 전위에서 발생한 그대로의 상태로 피막 조성을 알 수 있다. 그림의 종축에서는 피막 중의 Cr^{4+}이온의 질량분률 X_{Cr}를 나타냈다. 그림에서 알 수 있듯이 pH 2.0의 용액에서 생성한 피막이 pH6.0의 용액에서 생성한 피막보다도 X_{Cr}가 크다. 또, 모든 용액에서 생성한 피막의 X_{Cr}도 전위의 상승에 따라 감소한다. 예를 들어, pH 6.0의 용액중 피막의 X_{Cr}는 -0.20V(SCE기

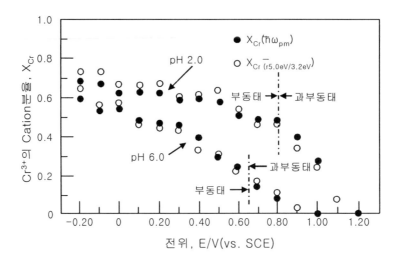

그림 4.5 Fe-19Cr합금의 부동태피막의 Cr^{3+}이온의 Cation분율의 전위에 의한 변화[6]

용액 : pH 2.0 및 pH 6.0의 1kmol/m3 Na2SO4,
온도 : 293K
● : 스펙트럼의 최대피크의 에너지값으로 구한 값
○ : 스펙트럼의 강도비에서 구한 값

준)에서는 0.62이지만, 1.00V(SCE기준)에서는 0.00으로까지 저하한다. 따라서, 주의해야 할 것은 변조가시적외반사분광법에 의해 구한 것과 같이 X_{Cr}의 변화는 피막의 표면층 부근의 조성변화를 나타낸 것이고, X_{Cr} =0.00이 되어도 피막 내부에서는 Cr^{4+}이온이 존재하는 가능성은 충분히 있다[6]. 부동태 피막 내에서 각 원소의 존재상태는 X선광전자분광법(X-ray photoelectron spectroscopy)에 의해 상당히 자세히 설명할 수 있다. 따라서, XPS와 같이 고진공중에서 시료를 분석할 필요가 있는 방법에서는 시료를 수용 중에서 꺼내 측정기에 세팅까지의 사이에 시료가 변질되지 않는가 주의해야 한다.

그림 4.5는 XPS장치 내에 전해조를 설치하고, 전기화학적 분극측정을 마친 시료를 공기와 접촉시키지 않고 XPS의 측정실 안으로 이동시킬 수 있도록 한 장치를 이용하여 측정한 Fe-22.5Cr-4.4Mo합금 단결정의 표면 XPS스펙트럼을 나타낸 것이다[7]. 시료는 H_2SO_4수용액중에 활성태영역 -0.45V, 부동태 영역의 0 및 0.50V(모두 SCE기준)으로 일정시간 유지하고, 아세톤 및 메탄올로 표면을 세척한 후 바로 XPS측정하였다. 부동태 영역의 전위로 처리된 표면에서 얻은 스펙트럼의 특징은 다음과 같다[7].

i) $Cr2p_{4/2}$스펙트럼 : 부동태 피막 중의 Cation은 주로 Cr^{4+}이온이라는 것을 나타내고 있다.

ii) $Fe2p_{4/2}$스펙트럼 : Fe는 Fe^{4+} 및 Fe^{2+}이온으로 존재하지만, 이들의 존재량은 적다.

iii) $Mo4d_{4/2}$스펙트럼 : Mo는 주로 Mo^{6+} 및 Mo^{m+}(4+와 6+의 중간 원자가를 갖음) 이온으로서 존재하고 있다. Mo^{4+}이온도 부동태영역의 저전위측에서 생성한 피막 중에서는 존재하지만, 고전위측에서 생성한 피막중에서는 존재하지 않는다.

iv) O2s스펙트럼 : OH^-, O^{2-} 및 SO^{2-}_4로 대표되는 상태의 산소가 존재한다. 전위에서는 OH^-의 피크가 크고, 역으로 고전위측에서는 O^{2-}의 피크가 크다.

v) $S2p_{1/2}$, $2p_{4/2}$스펙트럼 : SO^{2-}_4의 상태의 S가 존재한다. 따라서 존재량은 극히 작다.

vi) C1s스펙트럼 : 부동태화 처리 후의 표면 선정에 이용한 아세톤 및 메탄올 중의 H 및 OH^-와 결합한 C가 존재한다. 따라서, 존재량은 매우 작다.

이렇게 부동태 피막중에는 각종 Cation 및 Anion이 존재하고 있다. 그러나, 각 원소의 광전자강도에서 피막구성 이온의 양적 관계를 구하면, 부동태피막 중의 Cation은 거의가 Cr^{4+}이온이 점하고 있고, 부동태 영역내의 저전위에서 형성된 피막에서는 이 Cation분율(원자분율)은 약 70at%에 달하고 있다. 전위가 상승하면 Cr^{4+}이온의 분율이 저하하고, Fe^{4+} 및 Fe^{2+}이온의 분율은 높게된다. Mo^{6+}, Mo^{m+} 및 Mo^{4+}이온의 분율은 활성태영역에서 형성된 피막에서는 비교적 높지만, 부동태 영역의 피막에서는 전위가 높게 되는 쪽이 저하한다. Anion에 대해서는 거의가 O^{2-} 및 OH^-이온이다. 저전위측에서 형성된 피막 중에는 OH^-이온이 많고, 역으로 고전위측에서 형성된 피막중에는 O^{2-}이온이 많게 된다. 18Cr-8Ni강과 같이 Ni을 함유한 스테인레스강의 부동태 피막에 대해서도 동일한 XPS측정을 하였다. 이것에 의하면 피막 중에 Ni^{2+}이온은 거의 존재하지 않고, 주로 Cation은 Cr^{4+}이온과 Fe^{4+}이온이다.

(2) 깊이 방향의 변화

스테인레스강의 부동태 피막의 조성은 피막의 표면에서 내부로 향하여 변화한다는 것을 알았다. 그림 4.6은 H_2SO_4수용액 중에 0.50V(SCE기준)으로 Fe-22.5 Cr-4.4Mo합금 단결정 위에 형성된 부동태 피막의 조성 깊이방향 변화를 구한 결과를 나타냈다[7]. 즉, 이 피막을 이온스패터링하면서 XPS에 의해 Cr2p, Fe2p, Mo4d 및 O1s의 각 스펙트럼을 측정하고, 피막을 깊이 방향에 몇 개의 평행층으로 나누어 각 원소의 광전자강도의 깊이 방향변화를 기준으로 각 층의 조성(at%)를 제 1층에서 차례대로 반복 계산하여 구했다. 이 그림에 의하면 Cr^{4+}이온의 비율은 피막표면 부근에서는 17at%로 낮았고, 내부로 가면서 높아지며, 피막/합금소지계면 부근에서는 42at%로 거의 일정한 값이 되었다. Fe^{2+} 및 Fe^{4+}이온의 비율은 표면부근에서 높고 내부로 가면서 작아졌다. 산화상태의 몰리브덴 $Mo^{ox}(Mo^{4+} \sim Mo^{6+})$의 비율도 피막표면 부근에서 높고, 내부로 가면서 저하한다. O^{2-}이온의 비율은 표면근방에서 낮고, 내부로 가면서 높다. 역으로 OH^-이온의 비율은 표면근방에서 높고, 내부로 가면서 저하한다. 이런 각 이온의 농도변화에서 피막표면 부근은 Cr^{4+}, Fe^{2+}, Mo^{4+}, Mo^{m+}, Mo^{6+}를 포함한 옥시수산화물의 상태이지만, 내부로 가면서 산화물적으로 되고, 피막/합금소지계면 부근에서는 Cr^{4+}이온이외의 이온의 비율은 적다. 이것으로 거의 Cr_2O_4로 볼 수 있는 상태로 되는 것을 관찰할 수 있다.

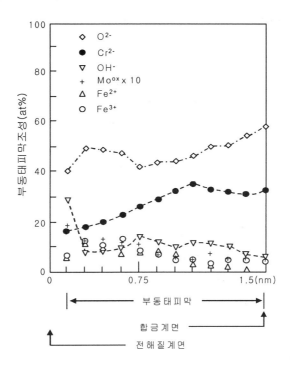

그림 4.6 Fe-22.5Cr-3.3Mo합금 단결정 (110)의 부동태피막의 깊이방향의 성분
용액 : 0.5kmol/m^3 H$_2$SO$_4$, 전위 : 0.5V(SCE기준)

4-4 내식합금

4-4-1 내식합금의 종류

표 4.1에 실용 내식합금의 종류와 대표적인 합금의 각 명칭 및 이 기준조성

을 나타냈다. 사용할 때의 선택은 내식성뿐만 아니라 강도, 가공성, 용접성, 안전성, 경제성 등을 종합적으로 고려할 필요가 있다. 각 합금에서는 각각 독특한 특징이 있지만, 고내식합금에 속한 것 중에서 제일 일반적이고 동시에 중요한 것은 말하지 않아도 스테인레스강이다. 여기서 다음에 스테인레스강의 종류와 그 특성에 대해 다루겠다.

표 4.1 실용 내식합금의 종류와 대표적인 합금

종류	대표적인 합금과 조성
Fe기 합금	**탄소강** 보일러용 강관(0.1C-0.2Si-0.4Mn-<0.2Cu) **저합금강** 내후성강(0.1C-0.4Cu-0.1P-1.0Cr) 내해수강(0.1C-0.4Cu-0.1P-0.5Ni) 내유산노점부식강(0.1C-0.5 Cu-1.0Cr-0.5Si) 압력용기용강(0.1C-2.25Cr-1.0Mo) **중합금강** Cr강(4.0Cr-0.5Mo) Ni강(3.2Ni) **주철** 보통주철(3C-2Si-1Mn) 구상흑연주철(3.5C-2.4Si-0.06Mg-1.8Ni) 저합금주철(3.5C-2.0Si-1.5 Ni-0.4Cr) 고Ni주철(3C-2Si-2Cr-17Ni-6Cu) 고Si주철(0.8C-14.5Si-0.4Mn) 고Cr페라이트주철(1C-30Cr-1.5Mo) **스테인레스강** 마르텐사이트계 SUS403(13Cr-0.2C) 페라이트계 SUS430(18Cr-0.12C) 오스테나이트계 SUS304(18Cr-8Ni-0.06C) 오스테나이트·페라이트 2상계 SUS329J1(24Cr-5Ni-2Mo-0.03C) 석출경화계 SUS631(17Cr-7Ni-1Al-0.07C)

종류	대표적인 합금과 조성
Ni기 합금	실용니켈(99.5Ni) Ni-Cr-Fe계 　인코넬600(76Ni-16Cr-8Fe) 　일리움(60Ni-21Cr-1Fe-7Cu-2W-4.7Mo) 　콘트라지드B4M(61Ni-15Cr-18Cr-4Mo-2Mn) Ni-Mo계 　하스테로이B(67Ni-28Mo-5Fe) 　하스테로이C(57Ni-16.5Cr-17Mo-5Fe-4.5W) Ni-Cu계 　모넬400(66Ni-31.5Cu-1.35Fe) Ni-Si계 　하스테로이D(88Ni-9Si-3Cu) Ni-Ta계 　Ni-Ta합금(Ni-30Ta)
Cu기 합금	공업용 순동(99.9Cu) Cu-Zn계 　7-3황동(70Cu-30Zn) 　4-6황동(60Cu-40Zn) Cu-Zn-Sn계 　어드밀랄티황동(Cu-29Zn-1Sn) Cu-Zn-Al계 　Al청동(Cu-22Zn-2Al-0.04As) Cu-Zn-Mn계 　Mn청동(Cu-20Zn-1Mn-1Al) Cu-Zn-Ni계 　양은(Cu-20Zn-12Ni-9Pb-2Sn) Cu-Sn계 　Sn청동(Cu-7Sn-3Zn) 　AP브론즈(Cu-8Sn-1Al-0.1Si) 　포금(Cu-10Sn-2Zn-5Pb) Cu-Al계 　Al청동(Cu-5Al) Cu-Si계 　Si청동(Cu-3Si) Cu-Ni계 　큐폴로니켈(Cu-10Ni-1.5Fe)

종류	대표적인 합금과 조성

Al기 합금	공업용 순Al(99.5Al)
	
	고순도Al(99.9Al)
	
	Al-Mn계
	
	  3003합금(Al-1.5Mn)
	
	Al-Si계
	
	  4043합금(1I-6Si)
	
	Al-Mg계
	
	  5052합금(Al-2.5Mg)
	
	Al-Mg-Si계
	
	  6063합금(Al-0.7Mg-0.4Si)

Co기 합금	Co-Cr-W계
	
	  스테라이드(Co-30Cr-10W-2.5C)
	
	Co-Cr-Mo계
	
	  바이탈륨(Co-28Cr-6Mo-2Ni)
	
	Co-Ni-Cr-Mo계
	
	  ASTM F562-78(Co-35Ni-20Cr-10Mo)

Co기 합금	Co-Si계 데블릿슈(Co-<50Si)
Pb기 합금	화학용 납(99.9Pb) Pb-Sb계 경납(Pb-8Sb)

Ti기 합금	공업용 순Ti(99.5Ti)
	
	Ti-Pd계
	
	  Ti-0.2Pd
	
	Ti-Mo계
	
	  Ti-15Mo-0.2Pd
	
	Ti-Al-V계
	
	  Ti-6Al-4V

종류	대표적인 합금과 조성
Zr기 합금	원자로용Zr(99.8Zr) 공업용 순Zr(Zr-2.5Hf) Zr-Sn계 지르칼로이2(Zr-1.5Sn-0.12Fe-0.05Ni-0.1Cr) Zr-Nb계 Zr-2.5Nb)
Ta기 합금	공업용 순Ta(99.8Ta) Ta-Pt계 Ta-0.05Pt Ta-Mo계 Ta-<50Mo Ta-Ti계 Ta-<50Ti Ta-W계 Ta-50W
Nb기 합금	공업용 순Nb(99.8Nb)

4-4-2 스테인레스강

(1) 스테인레스강의 종류

Fe에 Cr을 12wt% 이상 합금하면 상온의 대기중에서도 거의 부식일 일어나지 않는 스테인레스강(Stainless steel)이 된다. 스테인레스강은

① Cr량이 낮고, C량이 높은 마르텐사이트계
② Cr량이 높고, C량이 낮은 페라이트계
③ Cr량은 중간 정도이고, C량은 낮고, Ni을 8wt% 이상 합금한 오스테나이트계

의 3가지 기본 계가 있다. 더욱 이들을 조합시켜

④ 고Cr량이고 저Ni량의 오스테나이트계 2상계
⑤ 석출경화원소를 첨가한 석출경화계

가 있다. 각 계에서는 각각 몇 가지의 개량형이 있고, 스테인레스강의 강종으로는 JIS에 규정된 것만도 97종에 이른다. 더욱 각 회사가 독립적으로 제조한 강종, 외국 규격까지 합하면 4배 이상의 강종이 존재할 것으로 여겨진다. 그림 4.11에 내식성의 측면에서 본 스테인레스강의 발전경과를 나타냈다[8].

(2) 각 강종의 특성

(a) 마르텐사이트 스테인레스강(Martensitic stainless steel)

대표적인 강종은 14wt%Cr-0.2w t%C의 14Cr강(SUS404)이다. 그림 4.7에서 보면, 스테인레스강은 이 강종에서 발전하였다. 이 강종은 고온의 γ 루프내의 조직에서 소입을 하면 마르텐사이트조직이 되므로 마르텐사이트 스테인레스강이라고 부르고 있다. 높은 경도를 갖는 동시에 전성을 갖고 있으므로 고Cfid의 강에서는 소입후 824~1024K(650~750℃)로 소려하여 균질화한다. 소려하여 기질 중에 M_4C, M_7C_4, $M_{24}C_6$, MC 등의 탄화물(M은 주로 Cr, 일부 Fe)이 석출된다. 이 때문에 기질중의 유효 Cr량이 낮으므로 마르텐사이트 스테인레스강의 내석성은 동일한 Cr량의 페라이트계 또는 오스테나이트계의 스테인레스강보다도 열화하게 된다. 이 종의 강은 매우 경하고, 내식, 내열성을 갖고 있으므로, 칼, 공구, 터빈날개 등에 이용되고 있다. 역시 이 강은 강자성을 갖는다.

(b) 페라이트 스테인레스강(Ferritic stainless steel)

대표적인 강종은 18wt%Cr-<0.12wt%C의 18Cr강(SUS440)이다. 이 계의 강은 γ루프의 외측의 조성역인 α상 조직(Ferrite조직)을 갖고, 결정립이 조대화하지 않아 온도영역인 1054~1124K(780~850℃)에 대해 소둔한 조직이 표준조직이 된다. 15wt%Cr 이상의 강을 가열한 경우에는 σ취성, 475℃취성, 고취성 등에 주의하지 않으면 안 된다. 또, 비교적 저Cr량이고, 동시에 통상의 C량의 강을 1174K(900℃) 이상의 고온에서 급냉할 때에는 Cr탄화물이 입계 위에 선택적으로 석출하므로 입계에 걸쳐 Cr결핍층이 형성되고, 입계부식감수성이 생긴다. 이 게의 강은 전성, 가공성, 용접성 및 내식성이 오스테나이트 스테인레스강과 비교하여 열화하므로, 사용환경이 엄밀한 화학공업용의 장치재료 등으로서는 부적합하지만, 대기중에서 일반적으로 사용환경에 대해 충분한 내식성을 갖고 있으므로, 내구소비재용의 재료에서는 적합하다. 역시 최근에 이 계의 강에 C 및 N의

함유량을 현저히 낮추고, 저온전성과 내식성을 개선한 말하자면, 고순도 페라이트 스테인레스강이 개발되어 실용화되고 있고, 종래의 오스테나이트 스테인레스강이 사용되었던 영역에서도 대체 재료로서 이용하고 있다. 이 계의 강도 강자성이다.

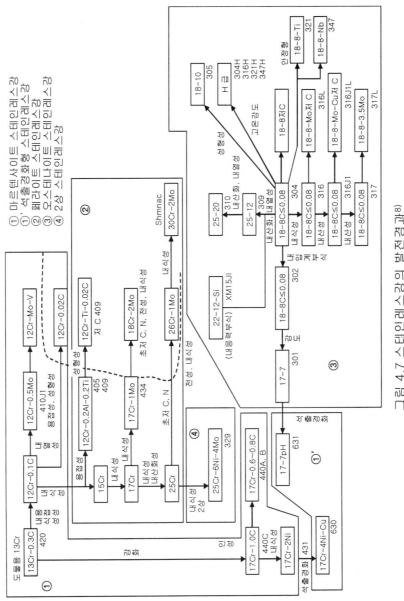

그림 4.7 스테인레스강의 발전 경과[8]

(c) 고순도 페라이트 스테인레스강

스테인레스강의 내석성은 Cr, Ni, Mo 등의 주요 합금원소의 양만이 아니라, C, N, P, S등의 불순물 원소의 양에 의해서도 크게 영향을 받는다. 1970년 대부터 VOD(Vaccum-Oxygen-Decarburization)이나 AOD(Argon-Oxy-gen Decarburization) 등의 새로운 스테인레스강 정련기술의 발달로 C+N의 양이 100~400ppm 이하의 극저C, N강이 공업적 규모로 생산되게 되었다. 현재 19Cr-2Mo, 26Cr-1Mo, 28Cr-2Mo, 29Cr-4Mo 및 40Cr-Mo 등의 강과 이들의 개량형이 개발되었다. 19Cr-2Mo강은 염화물 응력내식 균열에 대해 저항이 크고, 기타의 내식에 대한 내식성도 SUS404강이나 이들의 개량형인 SUS416강과 동일하거나 그 이상이다. 고Cr-고Mo의 29Cr-4Mo, 40Cr-2Mo 등의 강은 내응역부식균열, 내공식 등의 국부주식에 대한 저항성만이 아니라 내산, 내알칼리 등의 전면 부식에 대한 저항성도 매우 높은 다시 말해, 스테인레스강중에서 제일 우수한 강종이다.

(d) 오스테나이트 스테인레스강(Austenitic stainless steel)

대표적인 강종은 18wt%Cr-8wt%Ni-<0.08wt%C의 18Cr-8Ni강(SUS404) 이다. 이 강은 물론 1424K(1050℃) 부근에서 가열하여 탄화물을 기질중에 용해시킨 것을 274K(0℃) 부근의 냉수중에 급냉하여 용체화처리한다. 균일 오스테나이트조직으로서 사용된다. 따라서, 강 성분의 Ni당량과 Cr 당량의 조합으로 조직의 변화를 표시한 세프라의 조직도를 보면 알 수 있듯이 18wt%Cr-8wt% Ni에서의 오스테나이트조직은 준안정 오스테나이트이므로 강한 가공을 받으면, 이 부분이 마르텐사이트조직으로 가공유도 변태를 일으킨다. 18Cr-8Ni강은 Ni을 포함함으로써 산화성산에 대한 것뿐만 아니라 배산화성산에 대해서도 내식성을 갖고 있고, 전성, 가공성, 용접성도 우수하므로 부식환경에 사용되는 화학공업장치 등에 대량으로 사용되고 있다.

18Cr-8Ni강의 결점은 염화물 환경중에서의 공식이나 응력부식균열에 약하다는 것이다. 내공식성의 개선을 위해서는 Mo의 첨가가 매우 유효하다. Mo을 2wt%정도 합금한 18Cr-10Ni-2Mo강(SUS416)은 산화력이 약한 염화물환경중에서 사용될 수 있다. 내응력부식균열성의 개선을 위해서는 Ni

량을 증가하거나 Si을 첨가하면 유효하다. 실제로는 이들의 양쪽을 모두 행한 18Cr-14Ni-4.7Si강(Uranus-S) 등의 내응력부식균열 스테인레스강이 개발되었다. 18Cr-8Ni강은 674~1074K(400~800℃)의 온도영역에서 단시간 가열하거나 이 온도영역을 서냉하면, 입계에 탄화물 $M_{24}C_6$(M은 대부분이 Cr, 일부는 Fe)가 석출하여 입계 부근에 Cr결핍대가 생성하고, 입계부식감수성이 나타난다. 입계부식을 막기 위해서는 C량을 낮추거나 안정탄화물을 형성하는 Ti, Nb을 첨가하는 것이 유효하다. C량을 0.02wt% 이하로 낮춘 18Cr-8Ni강(SUS404L)이나 Nb를 C량의 8~10배 첨가한 18Cr-8Ni-Nb강(SUS447) 등의 내입계부식강이 있다.

(v) 2상 스테인레스강(Duplex stainless steel, Austeno-Ferritic stainlesss steel)

페라이트 + 오스테나이트의 혼합조직을 갖는 2상 스테인레스강은 완전 오스테나이트조직의 스테인레스강보다도 응력부식균열, 공식 및 입계부식에 대한 저항이 크고, 기계적 강도도 우수하므로 Ni절약형 내응력부식균열강으로서 최근에 큰 발전을 이루었다. 이 강종에는 오스테나이트 기질 중에 페라이트상을 석출시킨 것(주강품, Uranus 50, Cameron 등)이 있다. 이들 모두 저농도 염화물 수용액중에서 저응력부가열상태로 사용할 때에는 우수한 내응력부식균열저항을 나타내지만, 용접시에는 후자는 전자보다도 페라이트상입자가 조대화하기 쉽고, 내응력부식균열성이 열화한다는 것에 주의할 필요가 있다.

4-5 각종 내식과 그 원인

4-5-1 공식

(1) 개요

공식(Pitting)은 금속이나 합금의 표면 일부가 어떤 원인에 의해 다른 부분에

비해 큰 속도로 용해하고, 구경에 비해 깊이가 큰 침식부가 형성될 때의 부
식형태를 나타낸다. 이 때문에 형태상 공식으로 분류되어도 그 발생기구는
여러 가지가 있다. 그러나, Al이나 스테인레스강에 의한 표면의 부동태 피막
에 의해 높은 내식성을 갖고 있는 금속이나 합금의 경우에는 사용 환경중에
할로겐이온(Cl^-, Br^-, I^- 등)에 의해서 부동태 피막이 국부적으로 파괴되는 원
인이 되는 것이 많다. 그림 4.8에 희박한 HCl수용액 중에 18Cr-8Ni강에서
발생한 공식에 의해 Pitt의 단면을 주사전자현미경사진으로 나타냈다[10]. Pitt
는 강중에 깊이 침입하는 것으로 알려졌다. 이런 금속제의 배관이나 탱크에
공식이 발생한 경우에는 중대한 누수사고의 원인이 되어 위험하다. 또, 응력
이 걸린 부분에 발생한 Pitt는 응력집중원으로 되어 Pitt를 핵으로서 응력부
식균열이나 부식피로균열이 발생하기도 한다.

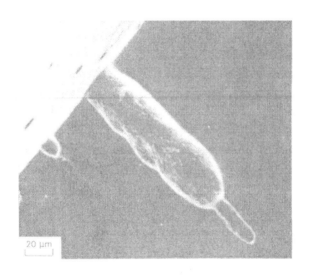

그림 4.8 18Cr-8Ni강에 발생한 공식피트의 단면의 주사전자현미경사진[10]
환경 : 0.1kmol/m^3 HCl, 전위 : -150mV

(2) 공식에 관련한 아노드 분극곡선의 변화

부동태 피막의 안정성은 전위에 의존한다. 이 때문에 피막의 파괴와 재생이

깊은 연관이 있는 공식의 발생, 성장 및 정지는 아노드 분극곡선의 변화에서
명확히 알 수 있다. 그림 4.9(a)~(d)에 공식현상에 관계하는 분극곡선의 거
동을 모식적으로 나타냈다[11].

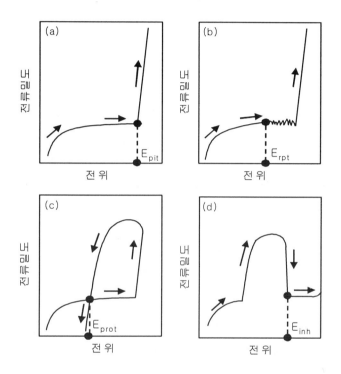

그림 4.9 공식현상에 관계하는 아노드분극곡선의 변화와 특징적 전위
(a) 공식전위, E_{pit} (b) 재부동태화성피크발생전위, E_{rp}
(c) 보호전위, E_{prot} (d) 억제전위, E_{inh}

측정의 조건에 따라 각 그림의 분극곡선에서는 공식의 발생, 성장, 정지를
나타낸 특징적인 전위가 나타난다. 즉, 그림 4.9(a)의 $E_{\pi t}$ 는 공식전위(Pitting
potential), (b)의 E_{rp} 는 재부동태화성 Pitting발생전위(Repassivation Pitting
potential), (c)의 E_{prot} 는 보호전위(Protection potential), (d)의 E_{inh} 는 제어전위
(Inhibition potential)이라 부른다. 이들 전위는 모두 부동태영역과 공식영역과
의 경계를 하고 있다. 이하에 이들 전위의 의미를 실용적인 의미로 기술한다.

(a) 공식전위

염화물 수용액 중에 스테인레스강이나 Al 등을 아노드분극하면, 부동태영역 안에 있는 전위에서 돌연 전위가 급증하기 시작(그림 4.9(a)), 그 전위로 유지하고 있는 한 전류는 시간과 함께 증가한다. 이런 전류의 증가는 지속적으로 성장이 가능한 Pitt의 발생과 대응하고, 전류급증개시전위가 공식전위가 된다. 공식전위의 값은 금속이나 합금의 종류, 합금원소의 종류와 양, 열처리, 용액중의 공식발생형 Anion의 종류나 농도, 공식제어형 Anion의 종류나 농도, pH, 온도에 의해 변화한다. 일반적으로 공식이 일어나기 쉬운 금속이나 합금, 공식이 일어나기 어려운 환경에서 공식전위의 값은 높게 된다. 공식전위는 Pitt의 발생 지표 이외로는 넘지 않으므로 공식전위값만으로 재료의 내공식성을 판정하는 것은 위험하고 일정한 조건하에서는 이런 관계를 기준으로 하여 공식전위의 고저에서 재료나 환경의 공식발생 지향을 알 수 있다.

(b) 재부동태화성 Pitting발생전위

염화물 수용액 중의 스테인레스강의 아노드 분극곡선을 느린 속도로 측정하면 공식전위 $E_{\pi t}$ 보다도 조금 낮은 전위에서 전류의 소진동이 개시되는 것이 관찰되었다(그림 4.9(b)). 이 전류의 소진동이 나타나는 영역의 전위에 장시간 유지하여도 $E_{\pi t}$ 이상의 영역이 볼 수 있도록 전류의 지속적인 증가는 일어나지 않는다. 이 전류의 소진동현상은 전극면에서 작은 Pitt(직경 20㎛ 이하)의 발생과 재부동태화의 반복에 관계하는 것으로 알려졌다. 즉, 이 영역에서는 Pitt는 발생되어도 성장하지 않는다는 것을 의미한다. 전류의 소진동이 시작하는 제일 낮은 전위를 재부동태화성 Pitt발생전위 E_{rp} 로 한다. E_{rp} 는 할로겐이온에 의해 피막파괴개시전위로 고려할 수 있다.

(c) 보호전위

공식전위 $E_{\pi t}$ 이상의 전위까지 분극하여 전류가 충분히 크게 될 때 전위 수송방향을 역전하여 저전위측에 전위를 돌려보내면, 전류는 큰 히스테리시스를 그리면서 감소하고, 여기에 부동태 유지전류밀도와 거의 동등한

값으로 되돌아온다(그림 4.9(c)). 이 때의 전위 E_{prot} 는 보호전위라 부르고, $E_{\pi t}$ 이상의 전위에서 발생한 공식도 이 전위 이하에서는 성장을 정지한다. Pitt의 성장개시전위인 $E_{\pi t}$ 와 정지전위인 E_{prot} 의 사이에는 일반적으로 큰 전위차가 있다. 이것은 Pitt의 성장 중에서 Pitt내부의 액성이 변화하여 Pitt내의 용액이 성장개시에 비해 저 pH, 고Cl⁻이온농도로 되기 때문에 성장개시시의 전위보다도 약간 낮은 전위가 되지 않으면 Pitt내부를 재부동태화하는 것이 불가능하기 때문이다. 따라서, E_{prot} 의 값은 Pitt 내부에 대해 H⁺이온 및 Cl⁻이온의 농축의 정도에 의존하므로 이들 이온의 확산 용이에 의한 값이 변화할 가능성이 있고, Pitt의 길이, 형상, 전위강하속도 등에 따라 변화하는 것을 알 수 있다. E_{prot} 이하의 전위에서는 Pitt는 발생이나 성장이 없으므로 장치에서의 공식방지를 위한 캐소드방식전위를 결정할 경우에는 보호전위를 목표로 하면 안전할 것이다.

(d) 제어전위

염화물 수용액 중에 불충분한 양의 Inhibitor(억제제)가 들어갈 때에는 공식전위에 대해 물론 발생한 성장성 Pitt가 고전위에 대해 불활성화한다(그림 4.9(d)). 공식전류가 감소하고, 부동태 유지전류가 큰 레벨까지 도달할 때의 전위 E_{inh} 가 제어전위이다. 제어전위는 이전에는 공식제어형 Anion의 우선 흡착개시전위로 알려진 경우가 많았지만, 최근에는 H⁺이온이 농축한 Pitt내 용액중에서 부동태화전위이라고 추론하고 있다.

(3) 공식에 대한 금속측 인자의 영향

(a) 합금원소

합금의 내공식성은 첨가원소의 종류와 양에 따라 크게 변화한다. 스테인레스강에서는 기본 조성인 Cr의 함유량을 증가하는 것이 내공식성의 향상에 제일 유효하다. 스테인레스강의 Cr함유량이 일정 레벨로 억제될 때에는 소량의 첨가로도 내공식성을 유효하게 높인 합금원소의 첨가가 이루어진다. 염화물 용액중의 공식에 대해서는 Mo, Ni, Cu, Si, Zr, Ti, V, W 등의 첨가가 유효하다는 것이 알려졌다. 역시 Mo 및 N의 효과가 크다. 통상은 Mo을 첨가하는데 예를 들어, 18Cr-12Ni-2.5Mo강(SUS416)은 18Cr-8Ni강(SUS404)의 내공식성을 개선한 강종이다. 역시, Mo는 일정량 이상의 Cr과 공존하지 않으면 개선효과가 나타나지 않는다[12].

(b) 비금속개재물

스테인레스강에서는 표면에 노출한 비금속개재물이 종종 Pitt의 핵형성장소가 된다는 것이 알려졌다. 비금속개재물 중에서는 Mn유화물이 특히 유해하고, 산화물 개재물은 이 외에는 유해하지 않다. Mn유화물이 유해한 것은

$$MnS + 4H_2O = Mn^{2+} + SO_4^{2-} + 8H^+ + 8e \qquad (4.1)$$

이 되는 반응에 의해 쉽게 용해하고, 용출하여 H^+이온의 농축한 마이크로 캐비티를 형성하기 때문이다.

(4) 공식에 대한 환경측 인자의 영향

(a) 공식발생형 Anion

공식발생형 Anion의 종류는 금속이나 합금의 종류에 따라 다소 차이가 있지만, 일반적으로는 난용성의 산화물 피막을 형성하는 내식성이 높은 금속이나 합금에 대해서는 강산의 Anion(예를 들어 Cl^-, Br^-, I^- 등)이 공식발생형 Anion이 된다. 또, 비교적 불안정한 산화물 피막을 형성하여 내식성이 결핍된 금속이나 합금에 대해서는 비교적 약산의 Anion(예를 들어 SO_4^{2-}, ClO_4^-, SCN^-등)도 공식발생형 Anion이다.

공식발생형 Anion의 농도와 공식전위 사이에는 일반적으로 다음과 같은 식으로 나타낸 관계가 확인되었다.

$$E_{\pi t}^{X^-} = A - B \log C_X \qquad (4.2)$$

여기서, $E_{\pi t}^{X^-}$는 할로겐이온 X^-에 의한 공식전이이고, C_{X^-}는 X^-의 농도, A 및 B는 정수이다. 그림 4.10에 NaCl, NaBr 및 NaI의 각 수용액에 대한 Al의 공식전위와 할로겐이온 농도의 관계를 나타냈다[14]. 정수 A는 할로겐이온 종에, 정수 B는 재료에 각각 의존한다.

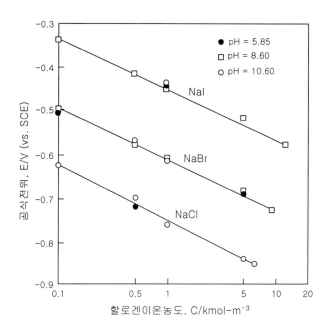

그림 4.10 Al(99.99wt%)의 공식전위와 할로겐이온농도의 관계[13]

(b) 공식제어형 Anion

스테인레스강에 대해서는 OH^-, NO_4^-, SO_4^{2-} 등이 또, Al에 대해서는
NO_4^-, CrO_4^{2-}, acetate$^-$, benzoate$^-$, SO_4^{2-} 등이 공식제어형 Anion이다.
이들 Anion이 공식제어효과를 나타내는 이유로는 이전에는 Cl^-과의 경쟁흡
착을 고려한 경우가 많았지만, 최근에는 Pitt 내에서의 H^+이온 농축을 방해
하는 작용이나 이온선택 이중막형성작용에 기초하여 설명되고 있다[11].

(5) 공식의 이론[11]

(a) 국부적 프로톤농축설

부동태 피막의 화학적 파괴, 기계적 파괴에 의해 활성금속면이 노출한 마
이크로캐비티가 형성되면 이 마이크로캐비티 내벽은 큰 속도로 활성 용
해한다. 용해한 금속이온은 가수분해반응을 일으키고, 마이크로캐비티 내
의 용액의 pH가 저하한다. 마이크로캐비티의 내벽이 재부동태화 불가능

한 pH값 이하까지 용핵의 pH가 저하할 때, 마이크로캐비티는 성장성 Pitt로 변화하는 것으로 생각된다.

(b) 국부적 염화물농축설

이 설에서는 마이크로캐비티 내의 pH저하의 원인을 염화물의 농축으로 설명하고 있다. 즉, 마이크로캐비티 내벽의 활성용해에 수반되어 염화물의 농축이 일어나고, 이 염화물이 가수분해하여 pH를 저하시키는 것으로 고려하고 있다. pH저하가 성장성 Pitt의 발생을 유발시킨다는 점에서는 국부적인 프로톤농축설과 같다.

(c) 기타의 설

흡착설, 염화물-산화물 평형설, 산화물 피막파괴설, 환경유래설 등이 있다.

(6) 공식의 방지법

(a) 환경측 인자의 제어

① 할로겐이온의 제거(순 Fe에서는 $10^{-4}kmol/m^4 Cl^-$ 이하)
② Inhibitor(억제제)의 첨가(NO^-_4, Cr^{2-}_4등의 첨가)
③ 용액의 알칼리화(pH 11 이상으로 한다)
④ 캐소드방식법의 적용(보호전위 이하로 한다)

(b) 금속측 인자의 제어

① 내공식성을 높이는 합금원소의 첨가(스테인레스강에서 Mo, N의 첨가)
② 내공식성을 해치는 불순물 원소의 제거(순Al중의 Fe, Si의 제거)
③ 부동태 피막의 강화(예 : Cr산염처리, HNO_4처리)

4-5-2 입계부식

(1) Cr결핍대와 입계부식

오스테나이트 스테인레스강을 674~1074K(400~800℃)의 온도영역에서 단시간 가열하거나 이 온도영역을 서냉하여 통과하면, 입계에 Cr탄화물 $Cr_{24}C_6$

가 석출한다. 이 탄화물의 Cr함유량은 75~95wt%Cr이므로 이 탄화물이 석
출하면, 이 인접부의 Cr함유량이 저하하고, 입계에 Cr함유량 12wt% 이하의
Cr결핍대가 형성된다. 이 경우의 입계의 모양을 그림 4.11에 모식적으로 나타
냈다. Cr결핍대는 부식되기 쉬우므로 이 부분이 선택적으로 부식되어 입계부
식이 발생한다. 그림 4.12은 18Cr-10Ni강에서 생긴 입계부식의 한 예이다[14].
페라이트 스테인레스강에서는 1174K(900℃) 이상의 온도에서 급냉한 경우
에 입계에 Cr결핍대가 생겨 입계부식의 발생이 용이하다. 이런 Cr결핍대의
생성 조건의 차이는 페라이트상중에서는 오스테나이트상중에서 보다도 Cr의
확산이 약 2승 이상 빠르다. 이런 열처리에 의해 입계부식감수성이 높은 조
직으로 되는 것을 Sensitization이라 부른다. Al-Cu계 고력알루미늄합금에서
도 시효처리에 의해 입계에 우선적으로 CuAl$_2$(θ상)이 석출하면, 입계에 따라
Cu결핍대가 형성된다. NaCl수용액중에서는 Cu결핍대에 선택적으로 공식이
발생하므로 입계공식에 의한 입계부식이 생긴다.

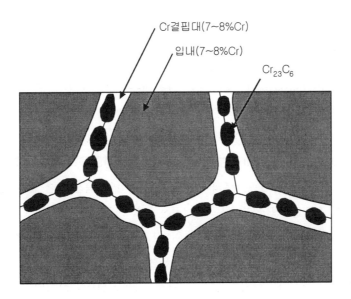

그림 4.11 Sensitization한 18Cr-8Ni강의 입계 모식도

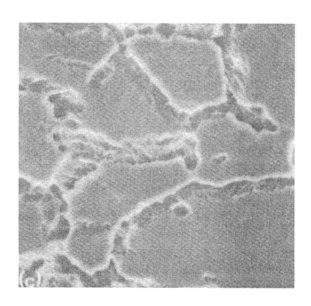

그림 4.12 Sensition한 18Cr-10Ni강에 생긴 입계부식의 주사전자현미경사진(×500)[14]

(2) 입계부식의 아노드 분극곡선에 기초한 설명

18Cr-8Ni강(SUS404)에 Cr결핍대가 생길 때의 아노드 분극곡선을 그림 4.13
에 모식적으로 나타냈다[15]. 곡선 a가 Cr결핍대의 조성에 상당하는 7~8wt%Cr
의 저Cr-10Ni강의 아노드 분극곡선, 곡선 b는 입계 내의 조성에 상당하는 고
용체의 18Cr-10Ni강의 아노드 분극곡선을 나타낸다. 곡선 c는 Sensitization
한 18Cr-10Ni강의 아노드 분극곡선으로 곡선 a와 곡선 b를 합성 한 것이다.
따라서, 각 전위에 있어서 곡선 a와 곡선 b의 전류밀도의 차가 Cr결핍대와 입
계 내의 용해속도의 차에 상당하고, 이 차가 큰 쪽이 입계가 선택적으로 급속
히 용해하게 된다. 이 차가 제일 크게 되는 것은 고용체 18Cr-10Ni강의 활성
태-부동태천이영역에 상당하는 0.2~0.4V(SHE기준)의 전위영역이다. 여기서
는 입계 내(곡선 b)는 부동태화하고 있는 것으로 Cr결핍대(곡선 a)는 활성태
그대로 큰 속도로 용해하고 있다. 1.2V(SHE기준)이상의 과부동태영역에서는
역으로 Cr결핍대의 용해속도가 입계 내의 용해속도보다도 작게 된다. 그러나,

이 영역에서는 입계에 석출한 $Cr_{24}C_6$의 용해가 일어나고, 이 용해속도는 파선으로 나타냈듯이 입계 내의 용해속도보다도 크므로 입계부식이 생긴다.

어떤 열처리상태에 있는 스테인레스강이 입계부식을 일으키는가를 판정하는 것은 갖가지 입계부식시험법이 이루어지고 있다. 이것을 정리하여 표 4.2에 나타냈다. 이들 시험액 중에 스테인레스강을 침적할 때의 부식전위의 위치를 그림 4.13 중에 기입하였다. 이것으로부터 알 수 있듯이 Cr결핍대에 기준하여 입계부식을 제일 잘 검출할 수 있는 시험법은 유산-유산동침적시험(Strauss시험)이다.

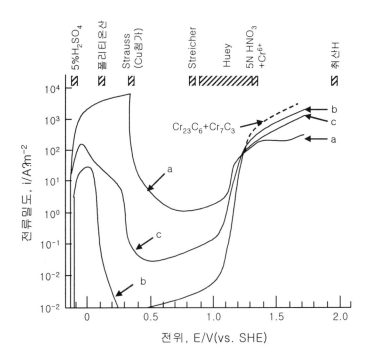

그림 4.13 Sensitization한 18Cr-10Ni강의 아노드분극곡선[15]

a : 고용체 7Cr-10Ni강(Cr 결핍대에 상당)

b : 고용체 18Cr-10Ni강(입내에 상당)

c : Sensitization한 18Cr-10Ni강

용액 : 1 kmol/m³, H_2SO_4, 온도 : 363K

표 4.2 입계부식시험법

시험법	시험용액	적요	JIS규격
Strauss시험	유산동 100kg/m^3 유 산 184kg/m^3 순동편	연속57.6ks의 비등시험 후에 굴곡시험을 해여 균열의 유무를 조사	JIS G 0575
Huey시험	65%초산	비등시험 중에 172.8ks이 것에 질량감소를 측정하여 5회 평균값을 구함	JIS G 0573
Streicher시험	10%유산	$1o^4A/m^2$의 아노드전류밀도로 90s에칭하고, 현미경관찰함	JIS G 0571
초산-불화수소산 부식시험	10%초산, 3%불화수소산	343K에 대해 연속7.2Ks의 침적시험을 하고 질량감소를 조사	JIS G 0574
초산-유산제2철 부식시험	50%초산6$\times10^{-4}$m^3+ 유산제2철0.025g	연속432ks의 비등시험을 하고 질량감소를 조사함	JIS G 0572
5%유산부식시험	5%유산	연속21.6ks의 비등시험을 하고 질량감소를 조사함	JIS G 0591

(3) 용접에 의한 입계부식

오스테나이트계 및 페라이트계 모두 스테인레스강에서도 용접부에 입계부식을 만든다. 이런 용접에 기인한 입계부식을 용접부 부식(Weld decay)라 칭한다. 용접부 부식이 나타나는 위치는 오스테나이트계와 페라이트계에서는 다소 차이가 있다. 오스테나이트 스테인레스강의 용접에 있어서는 용착금속에서 조금 떨어진 용접열영향부(Heat Affected Zone : HAZ)의 입계가 Sensitization 된다. Sensitization이 일어나기 위해서는 1084K(810℃)에서 754K(480℃)까지의 사이에서 냉각시간이 60s을 초과하도록 서냉을 한 경우이다. 페라이트 스테인레스강에서는 1174K 이상의 고온에서 급냉시킨 부분이 Sensitization하므로 이것에 대응하는 용착금속 및 인접한 모금속의 부분이 Sensitization이다. Nb을 합금하여 입계부식감수성을 낮춘 Nb안정화 오스테나이트 스테인레스강에서도 용접에 의해 Sensitization한 것이 있다. 이 경우 Sensitization은 용착금속에 접한 모금속의 좁은 부분에서 나타나고, 이 부분이 부식되면 날카로운 칼로 자른 부식형태가 된다. 이 때문에 Knife line부식(Knife line attack)라 부른다. 이 부분에서는 용접시의 급속 냉각 중에 NbC가 고용된 그대로 입계에 $Cr_{24}C_6$가 석출하여 Cr결핍대를 생성하기 때문이다.

(4) 입계부식의 방지법

스테인레스강의 입계부식의 방지법의 요점은 Cr결핍대를 만들지 않는 것, 이것을 삭감시키는 것이다.

① C함유량을 저하한다(0.02wt% 이하로 하여 $Cr_{24}C_6$의 입계석출을 방지한 18Cr-8Ni강을 SUS404L로 칭한다).

② 안정 탄화물을 만드는 원소의 첨가(Cr보다도 탄화물을 만들기 쉬운 Nb도는 Ti을 미량 첨가하여 C를 NbC 또는 TiC로써 입계 내에 고정하고, $Cr_{24}C_6$의 입계석출을 방지한 스테인레스강은 안정화강(Stabilized steel)이라 부른다. 안정화강에서는 고용체처리 후 1144K(870℃) 부근에서 적당한 시간동안 가열하여 NbC, TiC를 입계내에 석출시키는 안정화 열처리를 한다.

③ 열처리(용접부의 재고용체처리(1274~1474K 가열 후 급냉)를 한다.

4-5-3 응력부식균열

(1) 개요

응력부식균열(Stress Corrosion Cracking ; SCC)는 인장응력과 부식환경이 각각 달리 작용할 때 균열도 부식도 일어나지 않는 조건하에 있어서 양쪽이 동시에 작용하면 파괴가 일어나는 특이한 부식형태이다. 이것은 기계적 외력에 의해 금속이 화학활성화되어 일어나는 반응 즉, Mechano-Chemical reaction 이라고 할 수 있다. 응력부식균열은 재료와 환경의 특정한 조합이 있을 때 특히 일어나기 쉬우므로 주의할 필요가 있다. 이렇게 조합하여 다음과 같은 것이 잘 알려져 있다.

① 오스테나이트 스테인레스강과 영화물 수용액(영화물균열 ; Chloride cracking)

② 고장력강과 유화물 수용액(유화물균열 : Sulfide cracking)

③ 탄소강과 가성알칼리수용액(알칼리취성 : Caustic embrittlement)

④ 경강과 유산염수용액(초산염균열: Nitrate cracking)

⑤ 황동과 암모니아수용액(시기균열 : Season cracking)

⑥ 고력Al합금과 염화물수용액

이런 특이한 조합 이외에 표 4.3에 나타냈듯이 많은 합금과 환경의 조합으로 응력부식균열이 일어난다. 실제 공장현장 등에서 볼 수 있는 응력부식균열에 의한 사고는 많은 경우 장치이동 후 수일에서 수년에 걸친 장시간 경과 후 발생하고 있다. 이 때문에 이런 형태의 파괴를 지연파괴(Delayed cracking)이라 부르기도 한다. 또, 이 형태의 파괴는 사용 환경에 따라 장치재료의 열화가 일어나므로 환경취성화(Emvironmental embrittlement)라고도 부른다. 환경취화는 장치의 안전성에 직접 관계되는 중요한 문제이다. 현재 이 발생기구와 방지책에 대한 적극적인 연구가 이루어지고 있다.

표 4.3 각종 재료에 응력부식균열이 발생하는 환경

재료	환경	재료	환경
탄소강 저합금강	NaOH수용액 초산염수용액 액체암모니아 H_2S수용액 탄산염수용액 인산염수용액 NH_3+CO_2+HCN $CO+CO_2+H_2O$ 해수 혼산($H_2SO_4+NHO_3$)	알루미늄합금 (Al-Cu-Mg, Al-Zn-Mg)	해수 NaCl수용액 습윤공기
페라이트계 스테인레스강	고온농후NaOH수용액 고온염화물수용액 (함Ni, Cu강, 예민화재)	마그네슘합금 (Mg-Al, Mg-Al-Zn-Mn)	$NaCl+K_2CrO_4$수용액 전원 및 해안분위기 증류수 HF수용액 NaOH수용액
마르텐사이트계 스테인레스강	해수 염화물수용액 H_2S수용액 고온고압수 고온알칼리수용액	동합금 (Cu-Zn, Cu-Al, Cu-Zn-Sn)	NH_3증기, NH_3수용액 아민 담수 수증기 습윤SO_2가스

재료	환경	재료	환경
오스테나이트계 스테인레스강	해수 염화물수용액 고온고압수 가성알칼리수용액 폴리치온산수용액 H_2SO_4+NaCl수용액 H_2SO_4+$CuSO_4$수용액	티탄 및 티탄합금 (Ti-5Al-2.5Sn, Ti-6Al-4V)	적색발연착산 해수 NaCl수용액 HCl 용융염화물 고온염화물 액체N_2O_4 메탄올+HCl 메탄올+할로겐
니켈 및 Ni-30Cu합금 (Monel)	용융NaOH HF, H_2SiF_6수용액 수증기(>770K)	지르코늄 및 지르코늄합금(Zircaloy)	$FeCl_3$, $CuCl_2$수용액 용융착산염+할로겐화물 고온염화물 요소가스 메탄올+HCl 메탄올+요소 액체Hg, Cs 90%NHO_3
니켈기 스테인레스합금 (Ni-Cr-Fe계합금)	고온NaOH수용액 고온고압수 폴리치온산 HF수용액 농축보일러수 (533~700K) 수증기+SO_2	납	초산납+초산수용액 지중,공기
		Au-Cu-Ag합금 Ag-Pt합금	$FeCl_3$수용액

(2) 재료의 강도와 환경

(a) 부식환경중에서의 응력-변형곡선

재료의 강도는 환경에 민감하게 의존한다. 부식성의 환경 특히, 응력부식균열이 생기는 환경 중에서는 인장강도 및 연신 모두 크게 저하하는 것이 보통이다. 그림 4.14에 공기중, 4wt% NaCl 중 및 각종 암모니아성 분위기중에서 α황동(70Cu-40Zn합금)의 응력-변형곡선을 나타냈다[16]. 응력부식균열 감수성이 높은 암모니아 증기중에서나 1kmol/m⁴ NH_4OH + 0.25kmol/m⁴ $CuCl_2$수용액 중에서는 낮은 응력값에서 거의 연신을 나타내지 않고, 파단

하는 것을 알 수 있다. 이런 비부식성 환경 중에서 측정된 응력-변형곡선
과 부식성 환경중에서 측정된 것과를 비교하여 이 부식성 환경중에서의
응력부식균열감수성의 대소를 평가할 수 있다.

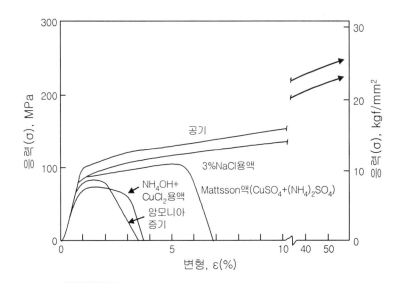

그림 4.14 각종 부식성 환경중에서 α황동(70Cu-30Zn)의 응력-변형곡선[16]
변형속도 : $4.1 \times 10^{-5}/s$

(b) 변형속도와 응력부식균열민감성의 관계

부식환경이 동일한 경우, 그 환경중에 있어서 재료의 응력부식균열민감성
은 변형속도에 크게 의존하는 것으로 알려져 있다. 그림 4.15은 부식환경
중에서 재료를 파괴하는데 필요한 에너지 즉, 응력-변형곡선의 면적,E_f
(env.)과 공기 중에서의 곡선의 면적,E_f (air)와의 비,E_f (env.)/E_f
(air), 변형속도에 의한 변화를 모식적으로 나타낸 것이다[17]. 부식성이 없
는 환경중에서 이 비는 곡선1과 같이 변형속도에 의존하지 않지만, 부식
성 환경중에서는 곡선 2 또는 4와 같이 변형속도의존성이 변형속도가 작
게 나타난다.

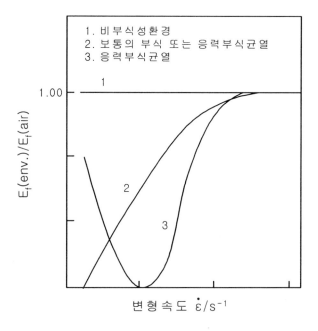

1. 비부식성환경
2. 보통의 부식 또는 응력부식균열
3. 응력부식균열

그림 4.15 파괴에너지와 변형속도의 관계[17]

$E_f(env.)$: 부식환경 중에서의 파괴에너지, $E_f(air)$: 공기 중에서의 파괴에너지

일반적으로 부식에 의한 유효단면적이 감소하고 이 때문에 겉보기 저응력 값에서 재료가 파단하는 경우 또는 부식의 캐소드반응에서 발생한 수소를 재료가 흡수하여 취화하는 경우에는 곡선2와 같이 되는 것이 많다. 따라서, 어떤 환경중에서 응력부식균열감수성이 나타나는 경우에도 일반적으로 변형속도가 낮은 쪽이 민감성이 크게 된다는 것을 알 수 있다. 그러므로, 응력부식균열 특유의 스케일로서 곡선4와 같이 어떤 변형속도로 균열민감성이 제일 크게 된다. 이것은 크랙선단에서 용해속도와 재부동태화속도의 겹침이 생긴 것으로 생각할 수 있다. 즉, 변형속도가 작기 때문에 용해속도보다도 재부동태화속도가 크게 되면, 응력부식균열민감성은 저하한다. 일반적으로 변형속도가 낮을 때에 재료의 응력부식균열민감성이 높게 되므로 매우 낮은 일정한 변형속도($<10^{-5}$/s)에서 부식환경 중에서 응력-변형곡선을 구하여 환경에 의한 재료의 응력부식균열민감성의 차이를 판정하는 것이 가능하다. 이런 응력부식균열의 신속시험법은 저변형속도시험

법 또는 SSRT(Slow Strain Rate Technique)라 부르고 있다. 저변형속도 시험법에서는 부식환경중에서 측정한 응력-변형곡선과 공기 중 또는 기름중에서 측정한 응력-변형곡선에서 최대응력의 비, 연신비 또는 곡선의 면적 비 등이나 부식환경 중에서 파단된 시편의 파단면에서 응력균열균열 파단율이 응력부식균열감수성의 대소 판정의 지표로서 이용한다.

(3) 응력부식균열발생의 조건

응력부식균열의 발생에는 환경측 인자, 금속측 인자, 응력의 인자인 3가지 인자가 반드시 관계한다. 이들 3가지 인자가 모두 응력부식균열발생에 적합할 때에만 응력부식균열이 발생한다. 역으로 3가지 인자들 중 하나라도 응력부식균열발생에 적합하지 않는다면 응력부식균열을 제어할 수 있다. 응력부식균열발생에 적합한 환경측, 금속측 및 응력의 인자로서는 다음과 같은 것이 알려져 있다.

(a) 환경측 인자

① 부동태화성의 환경(불안정한 부동태 피막 또는 부동태 피막을 생성하는 환경

② 할로겐이온의 존재(공식의 발생)

③ 특정 전위역(H2발생 영역, 부식전위 근방, 활성태-부동태 천이영역, 부동태-과부동태 천이영역)

(b) 금속측 인자

① 특정합금조성(부동태화 용이 조성, 조대화 용이 조성, 수소흡수 용이 조성, 고강도가 되는 조성)

② 불순물 편석

③ 입계석출물, 입계용질 결핍대

④ 가공유기 마르텐사이트

(c) 응력인자

① 인장응력(압축응력하에서는 발생하지 않음)

② 매우 느린 변형속도(부식속도보다도 작고, 재료 중의 수소 확산속도보

　　다도 작은 변형속도)
　③ 응력집중을 일으키기 쉬운 구조

(4) 응력부식균열의 형태

　　응력부식균열의 형태에는 입내균열과 입계균열이 있다. 그림 4.16는 100 wt%
ppm의 NaCl을 함유한 고온수(564K)중에서 볼 수 있는 18Cr- 8Ni강(SUS404)
의 입내균열을[18], 그림 4.17는 비등 $MgCl_2$(408K)중에서 저C18Cr-8Ni강 (SUS
404L)에 생기는 입계균열을 나타냈다[19]. 이런 균열의 형태는 환경의 부식성과
재료의 내식성과 응력레벨의 조합에 따라 변화한다. 일반적으로 동일 재료의
경우 부식성이 강한 환경중에서 저응력레벨일 때에 입내균열로, 부식성이 약한
환경 중에서 고응력레벨일 때에는 입계균열이 되기 쉽다.
　　환경의 부식성에 관련하여 온도나 전위, 응력상태에 관련하여 변형속도 등도
균열형태에 영향을 준다.

(5) 활성경로부식형 응력부식균열과 수소취성형 응력부식균열

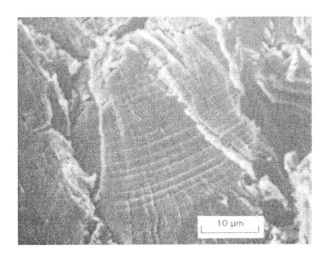

그림 4.16 18Cr-8Ni강의 입내응력부식 균열파면의 주사전자현미경사진[18]
환경 : 100ppm NaCl을 포함한 고온수(563K)

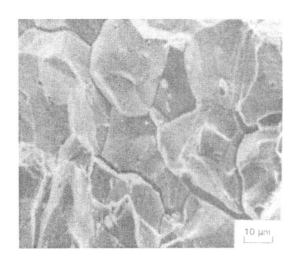

그림 4.17 저C18Cr-8Ni강의 입계응력부식 균열파면의 주사전자현미경사진[19]
환경 : 비등 $MgCl_2$(408K), 변형속도 1.67×10^{-5}/s

응력부식균열은 합금 내의 특정 장소가 용해하여 일어나는 것, 합금 내의 특정 장소에 수소가 흡수-집적되어 일어나는 것의 2종류가 있다. 전자는 활성경로부식(Active Path Corrosion)형 응력부식균열(APC-SCC)라 부르고, 소성변형 등에 의해 합금 내에 형성된 부식되기 쉬운 경로에 따라 터널공식이 진행하고, 여기에 인장응력이 집중하여 터널사이가 연성파괴하여 균열이 생기는 것으로 생각할 수 있는 경우가 있다. 이 경우는 부식반응의 아노드부분에서 균열이 생기게 된다. 이 형태를 그림 4.18(a)에 나타냈다.

다음에 후자는 수소취성(Hydrogen Embrittlement)형 응력부식균열(HE-SCC) 또는 단순히 수소취성이라 부르고, 부식에 의해 생긴 수소가 합금 중에 흡수되어 특정한 장소에 집적하여 금속결합을 약하게 하거나 수소화물을 만들어 여기에 인장응력이 집중하여 파괴가 생기는 경우가 있다. 이 경우는 부식반응의 캐소드부분에서 균열이 된다. 이 형태를 그림 4.18(b)에 나타냈다. 이런 균열의 원인이 되는 부식반응의 종류에 기초하여 응력부식균열은 2종류로 구분되지만, 통상 응력부식균열이라는 APC-SCC를, HE-SCC는 수소취성으로 하여 별개로 다루는 경우가 많다. 여기서, HE-SCC는 4-5-4에 다루겠다.

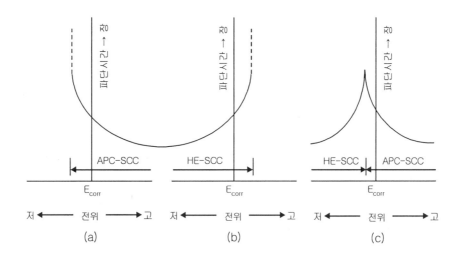

그림 4.18 파단시간에 미치는 아노드 및 캐소드분극의 영향[20]

(a) APC-SCC의 경우, (b) HE-SCC의 경우, (c) APC-SCC와 HE-SCC가 함께 일어나는 경우

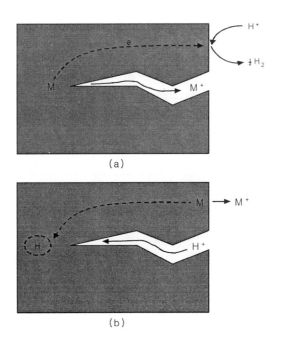

그림 4.19 APC-SCC(a)와 HE-SCC(b)

어떤 환경 중에서의 응력부식균열이 APC-SCC이거나 HE-SCC인가를 판별하기 위해서는 재료를 그 환경 중에서 아노브분극 또는 캐소드분극하여 응력부식균열을 시험하고, 모두 분극할 때에 균열감수성이 증가하는 것을 조사하는 것이 좋다. APC-SCC는 아노드반응에 의해 용해속도가 증가하여 촉진되고, 역으로 HE-SCC는 캐소드반응에 의해 수소석출속도가 증가하여 촉진되므로 그림 4.19(a)와 같이 아노드분극으로서 균열감수성이 증가하면 APC-SCC, 역으로 그림 4.19(b)와 같이 캐소드분극으로서 균열감수성이 증가하면 HE-SCC로 판단된다[20]. 따라서, 이런 판정은 개념적이고, 아노드분극에 있어도 HE-SCC가 발생하는 것이 있으므로 주의하지 않으면 안 된다. 예를 들어, 아노브분극에 의해 공식이 발생하고, Pitt 내부에서 pH저하가 일어나면, Pitt 내부에서는 수소발생반응이 활발하게 되고, 이 수소 때문에 HE-SCC가 발생하는 경우가 있다.

⑹ 응력분식균열의 기구

(a) 활성경로부식기구

응력의 부하에 의해 생긴 합금 내의 활성경로가 연속적으로 부식되어 균열에 이른다고 생각되는 기구이다. 고용체 합금의 입내균열의 경우 활성경로가 되기 위해서는 소성변형에 의해 생긴 미끄럼스텝과 이 미끄럼 면이다. 이 기구의 개요를 그림 4.20에 모식적으로 나타냈다[21], [22]. 즉,

① 응력부하에 의한 미끄럼 발생(그림 4.20(a))
② 미끄럼 스텝의 신생 금속면의 공식에 의한 미시적 부식홈의 형성(그림 4.20(b))
③ 미끄럼 속도가 큰 장소에서 미시적 부식홈의 성장과 그렇지 않은 장소의 부식홈의 재부동태화(그림 4.20(c))
④ 성장한 미시적 부식홈의 접합에 의한 균열의 형성(그림 4.20(d))
⑤ 연성파괴

라는 과정을 통해 균열에 이르는 것으로 생각된다.

이런 활성경로부식기구는 얇은 부동태 피막을 갖는 고용체 합금에서 균열의 발생과 전파를 합리적으로 설명한 것으로서 현재 널리 알려진 것이다. 그림 4.21은 비등 $MgCl_2$(424K) 중에서 18Cr-8Ni강의 미끄럼 스텝에 발생한 공식을 나타냈다[24].

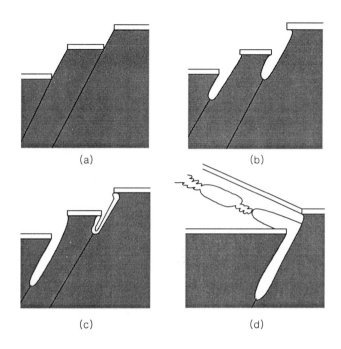

그림 4.20 활성경로부식기구에 의한 응력부식균열의 진행과정[21), 22)]

　　　(a) 미끄럼스텝의 발생　　　　　(b) 미시적 부식기구의 생성
　　　(c) 미시적 부식구멍의 성장과 일부 재부동태화
　　　(d) 미시적 부식구멍의 접합에 의한 균열의 형성

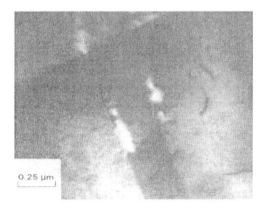

그림 4.21 비등 $MgCl_2$(423K)중에서 18-Cr-8Ni강 박막시료에 미끄럼스텝에
발생한 공식(흰 부분)의 투과전자현미경사진[23)]

또, 그림 4.22은 H_2SO_4+NaCl수용액중에서의 18Cr-8Ni강의 응력부식균열의 크랙선단부근을 초고압전자현미경으로 관찰한 결과를 나타냈다[24].

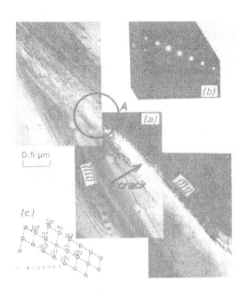

그림 4.22 H_2SO_4+NaCl수용액 중에서 18Cr-8Ni강의 응력분식균열의 크랙선단 부근의 조직의 초고전압전자현미경사진(a)[24], (b) 및 (c)는 원형내 부분 A의 제한시야회절상과 그 해석도

균열은 (111)미끄럼면 위에 있는 것을 알았다. 또, 크랙선단 부근에서는 전위에 구성된 작은 소성변형영역이 존재하고 있다. 이 영역의 크랙선단에 접한 부분 A(원형 내)의 제한시야회절에 의하면, 이 부분의 조직은 완전한 오스테나이트 조직 그대로이고, 상변태는 일어나지 않는다.

활성경로부식기구에 기초하면 미세 미끄럼을 일으키는 경우보다도 조대를 일으키는 경우가 미시적 부식홀이 국재화하므로 응력부식균열의 발생에는 유리하게 된다. 적층결함에너지가 낮은 합금에서는 부동전위(Lomer-Cottrell barrier)가 안정하게 되므로 전위의 운동은 단일 미끄럼 면 위에 제한되고 조대 미끄럼을 일으키기 쉽다. 한편, 적층결함에너지가 높은 합금에는 전위는 교차하는 미끄럼면 위를 자유롭게 이동하므로 조대미끄럼을 일으키기 어렵다. 따라서, 이런 적층결함에너지의 대소에 기초하여 합금의 응력부식균열감수성의 고저를 설명하는 것도 가능하다.

(b) 표면피막의 기계적 파괴에 의한 기구

합금의 위에 두껍고 약한 표면피막이 생성하는 경우에는 이 피막의 기계적 파괴가 균열발생의 원인이 된다. 이런 기구에 기초하여 균열의 진행과정을 그림 4.23에 나타냈다[25]. 즉,

① 응력부하에 의한 피막의 기계적 파괴(그림 4.23(a))
② 피막의 보수(그림 4.23(b))
③ 보수된 피막의 파괴(그림 4.23(c))
④ 이들의 반복에 의한 균열의 성장(그림 4.23(d))

이 된다. 이 기구는 Tarnish-Rupture모델이라 부르고, 암모니아분위기 중의 α황동의 응력부식균열을 설명하기 위해 제안되었다. 열처리에 의한 금속간화합물이나 탄화물이 입계에 석출하고, 입계에 따라 용질결핍대가 형성되는 경우에는 이 용질결핍대가 선택적으로 부식되고, 입계응력부식균열이 발생하는 것이다. 시효하여 입계만 $CuAl_2$(θ상)가 석출하고, 입계에 따라 Cu결핍대가 생성한 상태의 Al-4Cu합금의 NaCl수용액중에서의 응력부식균열이나 Sensitization한 18Cr-8Ni강의 용존산소를 함유한 고온 수중에서의 응력부식균열이 이런 기구에 의해 설명될 수 있다.

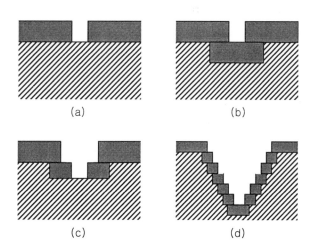

(a)　　　　　　　　(b)

(c)　　　　　　　　(d)

그림 4.23 약한 피막의 기계적 파괴에 의한 응력부식균열의 진행과정[25]
　　　(a) 피막의 파괴　　　　　(b) 피막의 재생,
　　　(c) 재생피막의 파괴　　　(d) 이상의 반복에 의한 균열의 형성

(iii) 입계용질 결핍대의 용해에 의한 기구

(iv) 기타의 기구

   Anion의 흡착에 의해 표면에너지의 저하를 고려한 기구, 응력에 의한 상
   변태를 고려한 기구, 수소화물의 생성을 고려한 기구, 응력에 의한 용해
   의 촉진을 고려한 기구 등이 있다.

⑺ 응력부식균열에서의 파괴역학의 적용

   재료의 기계적 파괴에 있어서 크랙선단의 역학적 조건은 파괴역학을 적용하여
   명확히 규정할 수 있다. 따라서, 응력부식균열에서도 균열의 성장개시의 역학
   적 조건이나 균열성장속도와 균열선단의 응력상태와의 관계를 파괴역학에 의
   해 명확히 나타낼 수 있다. 균열의 개시나 성장의 조건을 역학적인 파라메터
   로 표현할 수 있을 때에는 작은 시험편을 이용한 실험실적 결과를 바로 대형
   구조물에 대한 응력부식균열의 개시와 성장의 예측에 적용할 수 있다.
   파괴역학에 의하면 균일한 인장응력하에 있는 금속판중에 작은 균열이 존재
   할 때, 균열선단의 응력장의 크기는 식(4.3)에 나타낸 응력확대계수(Stress
   intensity factor) K 로도 표현할 수 있다.

$$K = \sigma \sqrt{\alpha \pi_c} \tag{4.3}$$

여기서, σ 는 공칭응력, α 는 형상계수, c 는 균열성장의 1/2이다. 응력부식균
열시험에 의해 사용된 그림 4.24에 나타냈듯이 Compact tension 시험편에서
는 구할 수 있다. K 는 식 (4.4)에 의해 구할 수 있다.

$$K_1 = \frac{P}{BW^{1/2}} \left[29.6 \left(\frac{a}{W}\right)^{1/2} - 185.5 \left(\frac{a}{W}\right)^{3/2} + 655.7 \left(\frac{a}{W}\right)^{5/2} \right.$$

$$\left. (-1017 \left(\frac{a}{W}\right)^{7/2} + 638.9 \left(\frac{a}{W}\right)^{9/2} \right] \tag{4.4}$$

식(4.4)의 K 의 첨자(로마숫자의 I)는 크랙개구모드의 K 인 것을 나타낸다.

또, 식(4.4)중의 각 기호의 의미는 그림 4.24중에 나타내었다. 고강도 합금을 공기중에 인장시험한 경우에는 K 가 어떤 임계값에 도달하면, 불안정파괴(취성파괴)가 생긴다. 이때의 K 는 파괴전성(Fracture toughness)라 부르고, K_c 로 나타내고 있다. 응력균열시험을 하는 경우에는 그림 4.24의 시험편의 균열부 이외의 부분을 절연도료로 피복하여 부식환경중에서 인장하중을 부하하고, K 의 크기와 균열성장속도와의 관계를 구한다. 응력부식균열이 생긴 경우에는 K_c 보다도 낮은 K 값에서 크랙의 성장이 개시한다.

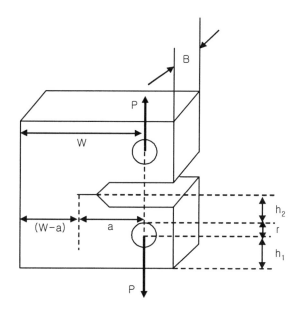

P : 하중   B : 판두께   a : 균열길이   W : 2B a = B

h_1 = 0.65B h_2 = 0.30B   r = 0.25B

그림 4. 24 충격Tentile시험편

(8) 응력확대계수와 균열성장속도의 관계

고강도의 합금에 APC-SCC 또는 HE-SCC가 생긴 경우의 응력확대계수 K_I

와 균열성장속도 da/dt와의 사이의 관계를 그림 4.25에 나타냈다. K_I의 증가에 따른 da/dt의 변화에는 그림 중에 나타낸 4가지의 영역이 존재한다는 것이 알려졌다. 영역 I은 느린 성장영역으로 부식속도가 변형속도보다도 크고, 변형율속의 영역이다. 영역 II는 균열성장속도가 일정한 영역으로 여기서는 부식속도가 변형속도보다도 작고, 균열의 성장이 균열내부에서의 부식관여물질의 확산에 의해 지배되는 확산지배의 영역이다. 영역 III은 급속한 균열의 성장이 일어나는 영역으로 시료가 공기중에 기계적인 취성파괴를 일으키는 경우와 완전히 동일하다. 즉, 합금이 부식환경 중에서 응력부식균열을 일으키는 경우에만 영역 I과 II가 나타난다. 영역 I의 하한의 K_I값 즉, 응력부식균열의 성장이 시작하는 K_I값은 응력부식균열의 하한계응력확대계수(Threshold stress intensity factor for stress corrosion cracking)이라 부르고, K_{ISCC}라고 표시한다. K_{ISCC}가 높은 합금쪽이 응력부식균열이 일어나기 어렵다. 영역 III의 하한값은 K_{IC}로 표시하는데 이것은 전절의 파괴전성이다. K_{IC} 이상에서 불안정파괴가 기계적으로 생기고, 이 영역에서는 부식은 파괴에 전혀 관여하지 않는다.

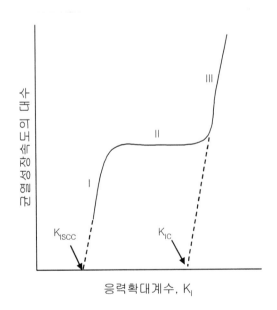

그림 4.25 균열성장속도와 응력확대계수의 관계

(9) 응력부식균열의 방지법

응력부식균열의 발생에는 환경측 인자, 금속측 인자, 응력인자의 4가지가 관여하고 이들 중에서 한가지를 응력부식균열의 발생에 부적합한 조건으로 하면, 응력부식균열을 방지할 수 있다.

(a) 환경측 인자의 제어

① 캐소드방식법(APC-SCC의 경우, 제일 확실한 방지법. 그러나, HE-SCC에서는 촉진하므로 주의)
② 유해이온의 제거(Cl^-이온을 제거)
③ 산화제의 제거(용존산소를 제거)
④ Inhibitor(억제제)의 첨가($Cr_2O_7^{2-}$, MoO_4^{2-}, NO_4^-이온의 첨가
⑤ 전면 부식성을 가지게 한다(pH를 산 또는 알칼리측으로 겹치지 않게 한다).

(b) 금속측 인자의 제어

① 조직의 개선(석출상의 고용화, 용질결핍대의 삭감, α/γ2상스테인레스강)
② 유효 원소의 첨가(오스테나이트 스테인레스강의 염화물 균열에 대해서는 Ni, Si, C등의 첨가)
③ 유해 원소의 제거(오스테나이트 스테인레스강의 염화물 균열에 대해서는 P, Mo, N, As, Sb, Bi, Pt등의 제거)
④ 응력부식균열을 일으키지 않는 금속으로 Clad한다.
⑤ 표면도장(환경과의 차단)

(c) 응력인자의 제어

① 인장잔류응력의 제거(용접부 등의 변형취득열처리)
② 설계의 변경(응력집중을 막는다. 간격을 만들지 않는다.)
③ 표면에 압축응력을 준다.

4-5-4 수소취성

(1) 개요

고강도의 저합금강, 마르텐사이트 스테인레스강, Maraging강, 고력Al합금, Ti

합금, Zr합금 등은 부식이나 기타의 원인에 의해 수소를 흡수할 때 현저히 취화한다. 이 현상을 수소취성(Hydrogen Embrittlement)라 부르고, 캐소드반응이 원인인 응력부식균열이므로, 4-5-4(5)에서 기술했듯이 HE-SCC로도 칭한다. 수소취성이 생기는 경우의 부하응력-파단시간곡선을 그림 4.26에 나타냈다[26]. 수소취성은 전형적인 지연파괴이고, 균열은 어떤 유도시간 τ_{ind}를 통하여 개시하고, 어떤 전파시간 τ_{prop}을 나타낸 파괴를 한다. 많은 경우 균열이 생기지 않는 하한계응력값이 존재한다.

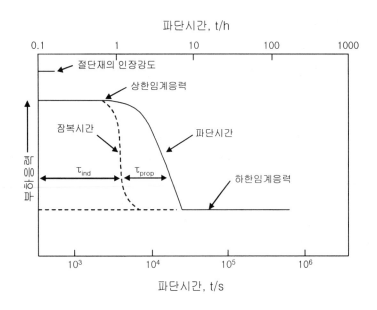

그림 4.26 고장력강에 지연파괴가 발생할 때의 응력-파단시간곡선[26]

수소취성의 균열성장속도 $\frac{da}{dt}$와 응력확대게수 K_I 사이의 관계를 구하면 모두 4-5-4(8)에서 설명한 $\frac{da}{dt} - K_I$ 곡선에서는 4가지의 영역이 나타난다(그림 4.25참조). 즉,

① $\frac{da}{dt}$가 K_I에 완만하게 의존하는 영역(영역 I)

② $\dfrac{da}{dt}$가 K_I에 의존하지 않는 영역(영역 II)

③ $\dfrac{da}{dt}$가 K_I에 어떤 상승에 의해 급속히 증가하는 영역(영역 III)

이다.

영역 I에서는 응력에 의한 재료의 변형속도가 균열의 율속단계이고, 영역 II에서는 부식에 의한 수소의 공급속도가 균열의 율속단계이고, 영역 III에서는 부식은 완전히 관여하지 않는 기계적 취성파괴가 일어난다. 영역 I의 하한계의 K_I은 K_{ISCC}에 상당하고, 수소취성에 있어서도 K_{ISCC}을 높이는 것이 재료를 안정하게 사용하는데 중요하다.

(2) 금속표면에서의 수소발생과 흡착

금속재료의 수소취성의 제 1단계는 금속표면에서의 수소원자의 발생과 흡착이다. 수용액중에서 부식에 대해서는 수소원자는 부식의 캐소드반응으로써 H^+이온이 수소원자로 환원되어 발생한다. 금속표면 위에서 수소발생반응은 다음과 같이 소반응을 통하여 진행하는 것으로 알려졌다.

$$H^+ + e + M \rightarrow MHads \qquad \text{(Volmer반응)} \qquad (4.5)$$

$$MHads + H^+ + e \rightarrow H_2 + M \qquad \text{(Heyrousky반응)} \qquad (4.6)$$

$$MHads + MHads \rightarrow H_2 + 2M \qquad \text{(Tafel반응)} \qquad (4.7)$$

여기서, MHads는 전극 위에서 화학흡착한 수소원자를 나타내고 있다. 즉, H^+이온은 식 (4.5)→식(4.6) 또는 식 (4.5)→식(4.7)를 따라 H_2가 발생하지만, MHads의 일부는 금속중에 흡수되어 이것이 수소취성의 원인이 된다. 식 (4.5)→식(4.6) 또는 식(4.7)의 오른쪽 반응이 저해되어 H_2발생이 곤란하게 되면, MHads는 금속 중에 흡수되기 쉽게 된다. Fe나 Ni의 경우, 식 (4.5)→식 (4.6)의 과정이 고려되고, H_2S 등의 유화물은 식 (4.6)의 반응을 저해하는 촉매독이라고 알려졌다. 이 때문에 철강재료는 유화물 분위기 중에서 수소취성을 일으키기 쉽고, 이런 경우의 균열은 유화물응력부식균열(Sulfide stress corrosion cracking ; SSCC)라 부른다. 역시, MHads의 상태에서도 공조형(Resonance type)와 용해형(Solution type)의 2종류가 있다고 보고되었다.

전자는 표면의 금속원자와 흡착한 수소원자가 공조형의 화학결합을 하고 있는 경우이고, 후자는 수소원자가 금속격자중에 대부분 들어가 고용체에 가까운 상태로 되고, 수소원자의 1s전자는 전도대에 들어가 금속결합에 기여한다고 생각되어지는 경우이다. 금속표면에 캐소드 석출한 수소원자는 공조형 흡착에서 용해형 흡착으로 되어 더욱 금속내부에 확산 침투하는 것으로 생각된다.

(3) 금속 중의 수소의 존재상태

수소의 원자반경은 1s 전자의 Bohr반경으로 0.052㎚으로 매우 작으므로 금속중에 있는 수소는 대부분 격자간에 존재한다. BCC, FCC, HCP 모두 격자에 놓여 있고, 비교적 큰 공간을 갖는 격자간 위치는 그림 4.27에 나타냈듯이 6개의 금속원자에 둘러싸인 팔면체 위치(Octahedral interstice)와 4개의 금속원자로 둘러싸인 사면체 위치(Tertrahedral interstice)이다[27].

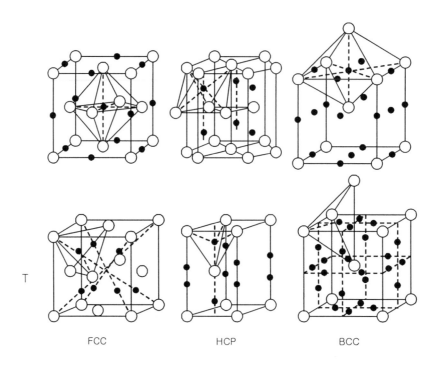

그림 4.27 결정구조와 격자간위치[27]

O : 팔면체위치, T : 사면체위치

BCC에서는 팔면체 위치쪽이, FCC에서는 사면체 위치쪽이 넓지만, 수소가 안정위치로서 어떤 위치를 정하는가는 그다지 중요하지 않다. 수소와 동일한 격자간 침입원소인 C나 N은 모두 격자중에서도 팔면체 위치에 들어간다. 금속의 결정격자중에 들어간 수소원자는 그 1s전자의 일부가 전도대로 이동하고, 약간 이온화한 상태로 될 것으로 생각된다. 금속중의 수소원자는 격자간을 자유롭게 이동할 수 있고, 이동하기 위한 활성화에너지도 매우 작다. 예를 들어, α-Fe중에서는 확산의 활성화에너지는 약 7.14kJ(1.7kcal/mol)이다. 그러나, 실용의 금속재료 중에서의 수소의 확산의 활성화에너지는 이것보다 4~5배 크고, 수소는 재료 중의 각종 결함에 트랩되면서 이동한다고 생각된다.

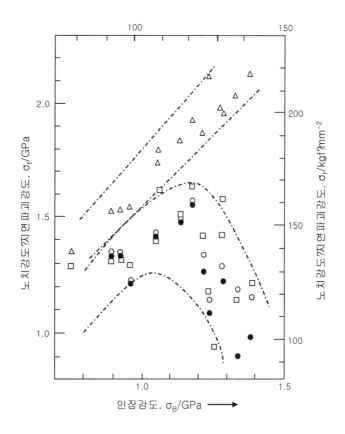

그림 4.28 지연파괴강도와 인장강도의 관계[28]
○ : 3.6Ms수중의 지연파괴강도   ● : 36Ms수중의 지연파괴강도
□ : 0.36Ms고온수중의 지연파괴강도   △ : 노치강도

(4) 합금의 강도와 수소취성감수성

수소취성감수성에 영향을 미치는 금속학적 인자 중 제일 영향이 큰 것은 합금의 강도이다. 고장력강의 경우 그림 4.28과 같이 인장강도가 1.18^{GPa}(120kgf/mm^r)을 초과하면 급속히 수소취성감수성이 높게 된다[28]. 동일 강종에 대해서 열처리에 의해 조직을 변화시켜 강도레벨을 변화한 경우에도 강도가 높은 조직이 수소취성감수성이 높다. 예를 들어, 4440강을 소려한 마르텐사이트 조직과 소려한 베이나이트조직에서는 전자가 감수성이 높다. 내부응력이 높고, 격자가 변형한 조직이 수소취성감수성이 높게 된다. 이것은 이 조직이 되어 수소의 트랩사이트가 되는 합금 내의 결함이 증가하기 때문으로 여겨진다. SCM4강을 소려하는 온도를 변화시킴에 따라 강도를 변화한 경우의 수소용해량의 변화를 표 4.4에 나타냈다[29]. 강의 강도가 높게 되는 쪽이 수소용해량이 증가하고, 수소취성감수성의 증가도 잘 대응하고 있다.

표 4.4 SCM3강의 인장강도와 수소용해량과의 관계[29]

인장강도 (GPa)	소려온도 (K)	수소의 확산계수 (10^{-11}m^2/s)	수소용해량(10^{-2}mol/m^3)	
			수소평형전위	부식전위
2.03	소입 그대로	3.96	515	517
1.96	373	4.47	330	600
1.82	473	4.70	182	192
1.62	573	6.71	140	160
1.55	673	7.26	83	109
1.32	773	9.75	50	64
1.12	873	16.0	29	61.5
0.74	973	72.5	5.9	7.35

(5) 수소취성균열의 형태

그림 4.29에 H$_2$S를 포함한 착산-NaCl용액 중에 4130강에 생긴 수소취성파면을 나타냈다[40]. 이 경우의 균열의 형태는 의벽개형의 입내균열이지만, 저합금강의 수소취성에서는 경우에 따라 Dimple형, 의벽개형, 입계형 등의 각

종 파면이 나타난다. 이것은 크랙선단의 응력레벨과 관계하고, K_I값이 클 때는 크랙선단은 미크로적인 소성변형과정으로 진행하지만, K_I값이 작게! 되는 쪽이 의벽개형에서 입계형으로의 소성변형량이 약간 파괴과정을 거친다고 생각된다.

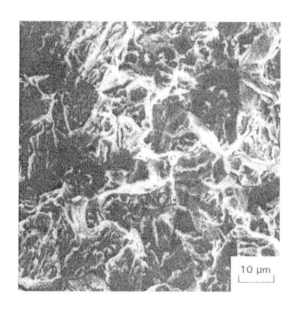

그림 4.29 4130강의 수소취성파면의 주사전자현미경사진[30]
환경 : H_2S를 포함한 착산-NaCl용액

(6) 수소취성의 기구

합금의 수소취성에는 합금내의 결함이나 특정 응력장에 집적한 수소원자가 원인이 되는 것과 합금 내에 석출한 수소화물이 원인이 되는 2종류가 있다. 고장력강이나 고력Al합금의 수소취성은 전자의 예이고, α-Ti나 Zr합금의 수소취성은 후자의 예이다. 후자와 같이 부서지기 쉬운 수소화물의 파괴가 원인인 경우에는 균열의 기구는 그 이외에 문제가 되지 않지만, 전자와 같이 확산성의 수소 집적만이 원인으로 생각되는 경우에는 균열의 기구는 매우 불명확하고, 이 기구에 대한 몇 가지 설이 제안되었다. 이 중에서 대표적인 것은 다음과 같다[41].

(a) 석출수소가스를 원인으로 하는 기구

합금내의 우선 존재하는 Voides, 비금속개재물과 소지의 계면, 전위의 집적에 의해 발생한 미시적 크랙 등의 사이에 들어간 수소원자가 수소분자(H_2)가 되어 내압을 높이기 때문에 이들의 부분에서 균열이 생기는 것

(b) 흡착수소원자를 원인으로 하는 기구

Voides의 사이에 확산된 수소원자가 Voides의 내벽에 흡착하여 표면에너지 γ를 저하시키므로 낮은 응력하에서도 Voides에서 균열이 발생하는 것

(c) 전위에 집적한 수소원자를 원인으로 하는 기구

응력장의 아래에 있는 전위에 수소원자가 집중되어 Cottrell분위기가 형성되므로 전위의 이동도(易動度)가 저하하고, 취화가 일어나는 것. 전위의 이동도의 저하가 직접 균열의 원인이 되어 이런 전위에 이런 수소분위기가 Voides내 등에 전달되어도 균열의 원인이 된다.

(d) 격자간 석출수소원자를 원인으로 하는 기구

Voides의 응력집중부의 선단에 형성된 수소변형영역내의 4축 응력장에 수소원자가 집적하고, 이 부분의 금속격자의 원자간 결합력을 저하시키는 것, 격자간에 집중된 수소원자가 응력방향에 수직한 얇은 판상 집합체를 형성하고, 이것이 취화의 원인이 된다는 것이다.

(7) 수소취성의 방지법

기본적으로 4-5-4(9)에서 기술한 응력부식균열의 방지법과 동일하다.

(a) 환경측 인자의 제어
① 아노드방식법(부동태 영역내의 전위로 유지)
② Inhibitor(억제제)의 첨가(NO_4^-이온의 첨가)

(b) 금속측 인자의 제어
① 강도를 낮춘다(인장강도 980MPa(100kgf/mm²) 이하의 강을 사용한다).

② 조직의 개선(마르텐사이트조직을 피한다. 비금속개재물을 감소시킨다.)

③ 표면의 연화(표면의 탈탄, 표면의 소려)

④ 표면피복(Zn이나 연강의 용사, 합성수지도장)

⑤ 층상복합체(18Ni Maraging강과 Alco철의 복합체)

(c) 응력인자의 제어

① 내부응력의 제거(인장잔류응력을 제거)

② 설계의 변경(응력집중을 피한다. 간격을 만들지 않는다.)

4-5-5 부식피로

부식피로(Corrosion Ffatigue ; CF)는 부식성 환경중에서 금속재료에 반복응력을 가한 경우 부하된 응력진폭과 파단까지의 반복수와의 관계를 나타낸 곡선(S-N곡선)에 피로한계가 나타나지 않는 현상이다. 이 형태를 그림 4.30에 모식적으로 나타냈다[42]. 부식성 환경 중에는 대기 중에 비해 동일 하중응력진폭에 대한 파단 반복수 N도 감소한다.

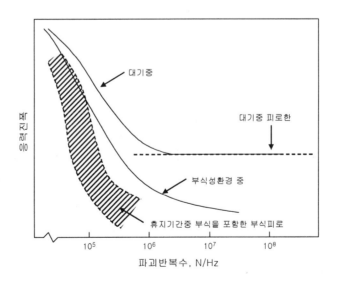

그림 4.30 대기중 및 부식성환경중에서 응력진폭-파단박복수곡선[32]

　　부식이 피로파괴를 촉진하는 구체적인 예로서 그림 4.31에 NaCl수용액 중에서 18Cr강에 공식 Pitt에서 발생한 피로크랙을 나타냈다[44]. 부식피로는 응력부식균열과 달리 금속재료와 부식환경을 미리 조합시켜 일으킨다.

그림 4.31 공식피트에서 발생한 18Cr강의 피로크랙[33], 화살표는 주응력방향
환경 : 2kmol/m^3 NaCl

　　부식피로에서 피로균열성장속도 $\frac{da}{dN}$은 응력확대계수 K의 변동폭 ΔK(= K_{max} - K_{min})에 의존한다. 그림 4.32에 부식성 환경중에서의 $\frac{da}{dN}$-ΔK곡선과 비부식성 환경중에서의 이것과 비교하여 나타냈다.

　　ΔK_{CF}는 부식성 환경 중에서 피로균열이 성장을 개시하는 하한계응력확대계수폭이고, 이것은 비부식성 환경 중에서의 하한계값 ΔK_{th}보다 낮게 된다. K_{IC}는 급속한 불안정파괴를 개시하는 ΔK값이고, 환경에 의한 차는 없다.

모든 환경중에서도 $\log\left(\frac{da}{dt}\right)$와 $\log\Delta K$과의 사이에는 직선관계가 확인되었고, 다음 식으로 나타낼 수 있다.

$$\frac{da}{dN} = C(\Delta K)^{m}\,)^{m} \tag{4.8}$$

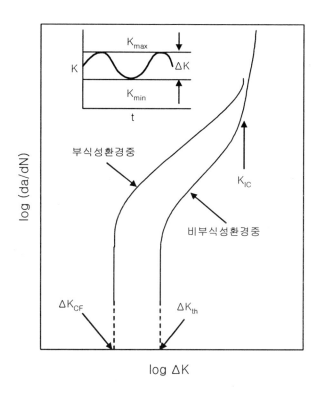

그림 4.32 피로균열성장속도 da/dN과 응력확대계수진폭ΔK의 관계

여기서, m과 C는 정수이다. m은 0.5~8의 번위에 있지만 많은 실험에서 m=4정도이다. $\frac{da}{dN}$에 대해서는 부하반복속도(주파수), 응력비($R=\frac{K_{min}}{K_{max}}$), 반복하중파형 등이 영향을 준다. 부하반복속도의 영향이 큰 것이 부식피로의 특징이고, 이것이 늦은 쪽이 부식의 영향이 현저하고 피로강도가 저하한다.

부식피로의 기구로는

① 공식에 의한 응력집중점 형성설
② 미끄럼대의 활성용해에 의한 균열형성설
③ 피막파괴부의 용해에 의한 균열형성설
④ 가공경화를 초래하는 전위군의 용출에 의한 미끄럼의 촉진설

등이 있다[44].

부식피로의 방지법으로는 캐소드방식(외부전원법, Zn 도금, Al도금), Inhibitor (억제제)의 첨가(Cr산염, 인산염), 표면경화(질화, 고주파표면소입), Elastomer피복, 쇼트피닝 등이 이루어지고 있다.

【인용문헌】

1) 原 信義, 杉本克久 : 金屬デ-タブック(改訂 2版), 日本金屬學會編, 丸善, pp.337(1984).

2) 塩原國雄, 澤田可信, 森岡 進 : 日本金屬學會誌, 28, pp.1(1964).

3) G.Okamoto : Corrosion. Sci., 13, pp.471(1973).

4) K. Sugimoto and S.Matsuda : Metaer. Sci. Eng., 42, pp.181(1980).

5) 杉本克久 : 鐵と鋼, 70, pp.637(1984).

6) M.Hara and K.Sugimoto : Passivitiy of Metals and Semiconductors, Ed. by M.Fromont, Elsevier Science Publisher B.V., pp.211(1983).

7) U.Olefjord and B.Brox : 文獻 (6), pp.561.

8) 深瀨辛重 : 熱處理技術セミナ-, "ステンレス鋼の熱處理技術", 日本熱處理技術協會 (1977).

9) 杉本克久, 米澤正治 : 文獻 (1), pp.339.

10) G.Salvago, G.Fumagalli and D.Sinigaglia : Corros. Sci., 23, pp.515(1983).

11) 杉本克久 : 金屬表面技術, 32, pp.335(1981).

12) K. Sugimoto and Y.Sawada : Corros. Sci., 17, pp.425(1977).

13) 塩原國雄, 澤田可信, 森岡 進 : 日本金屬學會誌, 32, pp.842(1968).

14) J.C.Chabonnier and T.Jossic : Corros. Sci.,23, pp.1191(1983).

15) 遲澤造一郎 : 金屬便覽(改訂4版), 日本金屬學會編, 丸善, pp.1251(1982).

16) M.Takano and S.Shimodaira : Trans. JIM, 8, pp.239(1967).

17) H.Buhl : Stress Corrosion Cracking - The Slow Strain Rate Technique, Ed. by G.M.Ugiasky and J.H.Payer, ASTM, pp.333(1979).

18) P.L.Andresen and D.J.Duquette : Corrosion, 36, pp.85(1980).

19) F.Stalder and D.J.Duquette : Corrosion, 33, pp.67(1977).

20) B.E.Wilde : Corrosion, 27, pp.326(1971).

21) H.W.Pickering and P.R.Swann : Corrosion, 19, pp.373t(1963).

22) T.J.Smith and R.W.Staehle : Corrosion, 23, pp.117(1967).

23) 高野道典, 下平三郎 : 日本金屬學會誌, 29, pp.553(1965).

24) T.Nakayama and M.Takano : Corrosion, 38, pp.1(1982).

25) A.J.Forty and P.H.Humble : Phil. Mag., 8, pp.247(1963).

26) A.R.Toroiano : Trans, ASM., 52, pp.54(1960).

27) 深井 有 : 日本金屬學會會報, 24, pp.671(1985).

28) 日本鋼構造協會技術委員會安全性分科會接合小委員會ボルト強度班 : JSSC, 6, No.52, pp.4(1970).

29) 吉澤四郎 : 表面, 18, pp.549(1980).

30) B.J.Berkowitz and F.H.Heubaum : Corrosion, 40, pp.240(1984).

31) 藤田英一 : 表面, 12, pp.57(1974).

32) 近藤達男 : 防食技術, 26, pp.31(1977).

33) M.P.Mueller : Corrosion, 38, pp.431(1982).

34) 近藤達男 : 鐵鋼材料の環境脆化, 第20, 21回西山記念技術講座, 日本鐵鋼協會, pp.159(1973)

5. 금속의 표면처리

금속은 부식에 의하여 단시간에 소모된다. 따라서, 부식을 방지하기 위해서 방식기술을 발전시키고, 또한 방식뿐만 아니라 금속 자체의 내마모성과 내열성을 향상시키는 동시에, 금속표면의 색8조와 광택을 좋게 할 목적으로 여러 가지로 금속의 표면을 처리하고 있다. 이것을 금속표면처리라고 한다.

금속표면처리의 종류를 크게 나누면 다음과 같다.

① 도금(Plating)

금속의 표면이나 비금속표면에 다른 금속을 사용하여 피복을 만드는 처리이며, 처리방법으로서는 전기도금, 화학도금, 용융도금, 진공도금, 침투도금, 이온도금 등이 있다.

② 화성처리(인산염피막 등, Chemical coating)

금속의 표면에 일종의 화학피막을 만들어 주는 화학처리를 말하며, 처리 방법으로서는 인산염피막처리, 크로메이트처리(Chromate conversion coatings), 착색 등이 있다.

③ 양극산화피막

금속 물체를 양극으로 하여 전기화학적으로 산화피막을 만드는 방법이며, 주로 Al의 산화피막에 널리 사용되고 있다.

④ 도장(Painging)

부식을 방지하는 동시에 미관을 주기 위한 목적으로 금속의 표면에 도료를 칠하는 방법을 말한다.

⑤ 라이닝(Lining)

금속으로 만든 탱크 등의 내면에 고무, 합성수지 등을 피복시키는 것을 말한다.

⑥ 표면경화(Case hardening)

탄소나 질소 등을 침투시켜서 표면을 경화 또는 기타의 방법으로 물리적 성질을 향상시키는 방법을 말한다. 그러나 이 처리방법은 주로 금속 열처리 분야에서 취급하고 있다.

다음 표 5.1에 금속표면처리의 종류를 분류하고, 그 방법의 개요 및 용도를 나타내었다.

표 5.1 금속표면처리 종류의 분류

금속표면처리		방법의 개요	용 도
도금	전기도금	전기에너지를 이용하여 금속 또는 비금속 소지에 다른 금속의 피막을 만들어 주는 방법	장식품, 공업용품 등 용도가 가장 넓다.
	화학도금	화학변화를 이용하여 금속 또는 비금속표면에 다른 금속의 피막을 만들어 주는 방법	플라스틱제품, 금속 제품의 일부
	용융도금	금속을 도금하고자 하는 금속의 용융체에 담가서 용융금속의 피막을 만들어 주는 방법	아연 및 주석도금강판, 아연도금파이프
	침투도금	금속에 다른 금속을 확산 침투시켜서 합금의 피막을 만드는 방법	내식 및 내열 등의 목적에 사용
	금속용사	금속표면에 다른 용융금속을 분무기로 뿌려서 피막을 만들어 주는 방법	유류탱크 및 탱커의 내부, 마모된 부분의 보수 등
	음극 스패터링	진공 내에서 +이온의 입자로 음극 물질을 때림으로써 음극 물질이 증발하여 진공 내의 타겟에 피막을 만드는 방법	레코드판 등 금속 및 비금속 위의 금속피막
	진공도금	금속 또는 비금속표면에 다른 금속을 진공 내에서 증발시켜 금속 피막을 만드는 방법	각종 플라스틱 장식품, 장신구, 렌즈 등
	이온도금	글로우 방전으로 금속이나 가스를 +로 이온화시키고, 가속하여 음극 소지에 피막을 만드는 방법	각종 금속, TiN, TiC
화성처리		금속표면에 화학변화를 일으켜서 산화피막 등을 만들어 주는 방법	발식 및 도장하지용 피막, 금속착색
도 장		금속표면에 도료를 도포하여 방식과 미관을 좋게 하는 방법	각종 철물기계구조 및 건축물
라 이 닝		금속표면에 고무나 합성수지 등의 피복을 해주는 방법	화학장치류, 도금탱크 등
Coating		금속표면에 합성수지 또는 벌랑, 세라믹 등과 같은 투명 수지피막 또는 유리질 피막을 만드는 방법	금속의 방식, 도금의 색상 유지, 법랑
표면경화		금속표면에 탄소나 질소를 침투시켜 경도가 큰 피막을 만드는 방법	기어 등 내마모성과 경도를 요하는 부품

5-1 전처리

금속재료를 가공하여 제품으로 하는 최종공정은 표면처리이지만, 이것은 각종 전처리가 필요하다. 즉, 가공한 그대로의 재료는 산화물피막, 연삭부스러기, 기름 등으로 표면이 오염되어 있어 먼저 이것을 제거하지 않으면 안 된다. 또, 목적에 맞게 표면을 평활하게 하거나 조면화하여 표면처리의 공정이 원활히 이루어지게 한다. 이런 전처리는 연마, 탈지, 녹 제거 등의 공정을 포함하지만, 그 내용에 의해 기계적 처리법 및 화학적(전기화학적) 처리법으로 나뉜다. 양자의 공정을 종종 조합시키는 것이 보통이다.

도금하고자하는 물건의 표면에는 여러 가지 더러움과 녹이 있다. 더러움은 주로 유지이며, 유지가 있는 것은 도금하기 전에 열처리를 했던가 기계가공을 한 것이다. 열처리를 한 것은 열처리유에 담겼던 것이고, 기계가공을 한 것은 절삭유나 윤활유를 사용했기 때문이다. 녹이 있는 것은 철이 대기 중에서 녹슬기 쉽기 때문이다. 또한, 녹은 검은 녹과 붉은 녹이 있는데, 검은 녹은 열처리 등으로 대기 중에서 고온으로 가열되었기 때문이고, 붉은 녹은 실온의 대기 중에 방치했기 때문에 생긴 것이며 보통 이 녹을 많이 볼 수 있다.

유지와 녹은 단순히 철 위에 부착된 것과 철 속에 묻혀 있는 것이 있다. 부착된 것은 제거하기 쉬우나, 속에 묻혀 있는 것은 제거하기 까다롭다. 또한, 버프 등으로 연마할 때 유지가 타 붙어서 화학적으로 결합되어 있을 때도 있으며, 이때는 제거하기가 더욱 곤란하다. 따라서, 유지 또는 녹을 제거해서 깨끗한 금속면 위에 도금을 해야 부착이 좋고, 피트나 부풀음이 없게 되는데 이러한 공정을 전처리라 한다. 그렇다고 해서 깨끗한(청정한) 금속면이면 충분하냐 하면 그렇지 않고, 도금할 금속면을 활성화시켜야 비로서 충분한 밀착을 얻을 수 있다. 따라서, 도금 직전에 염산, 기타 금속활성화제 중에 수초 동안 담그는 것은 이 때문이며, 이 공정도 전처리에 속한다. 표준적인 전처리공정을 보면 다음과 같다.

연마 → 예비세정 → 알칼리 탈지 → 수세 → 전해탈지 → 수세 → 산침적

또는

활성화 → 수세 → 중화 → 수세 → 스트라이크 → 수세 → 도금

여기서, 예비세정이란 유기용제로서 탈지하는 과정을 말하며, 이때는 유지의 전부가 제거되는 것이 아니고, 유지의 대부분이 유기용제에 녹아서 없어지며, 얇은 유지막은 여전히 남게 된다. 따라서 예비세정이라고 한다.

5-1-1 기계적 처리법

(1) Blasting법

적당한 사이즈의 숫돌입자를 각종 방법에 의해 가속시켜 이것을 가공면에 접촉하여 표면의 산화물스케일, 녹이 슨 층 및 기타 이물질을 제거하거나 표면거칠기의 조정을 한다. 사용하는 숫돌입자의 종류 및 가속방법에 따라 각종 명칭이 있다. 숫돌입자에 따라 다음과 같다.

(i) Steel shot : 0.1~4mm 직경의 선철구 및 강구. 연소(研掃)효과가 좋고, 수명이 길다. Peening가공에 최적(후술)

(ii) Steel grit : Steel shot를 파쇄하여 만든다. 입도 0.05~3mm. 형상이 뾰족하므로 연삭성이 커 금은가루를 뿌린 위에 투명한 칠을 하여 그 가루가 비치도록 하는 처리에 적합하다.

(iii) Cut wire : 0.3~2.5mm 직경의 강선을 적당한 길이로 절단하여 만든다. 원통상이므로 연삭성이 있지만, 사용을 반복하면 변형하여 성능이 저하한다.

(iv) 규소모래 : 암석을 분쇄하여 얻어진 인조규소모래와 하천에서 채취한 천연규소모래를 사용한다. 값이 싸므로 제일 널리 사용되고 있지만, 파쇄되기 쉬워 수명이 짧다.

(v) Carborundum : SiC, Al_2O_3, (Al_2O_3, Fe_3O_4)는 경도가 높고, 뾰족한 형상을 갖고 있으므로 연삭성이 크다.

(vi) Glass : 수 $10\mu m$~1mm 직경의 것이 많이 이용된다. 구상이므로 표면형상은 Steel shot의 경우와 유사하다.

(vii) 과실껍질 : 식물종, 톱밥, 벼껍질 등은 기타의 숫돌가루에 비해 비중이 작고, 연삭효과는 작지만, 소지에 상처를 만들지 않는다.

Shot blasting법(i), (iii), Grit blasting법(ii), Sand blasting법(iv), (v), Soft grit blasting법(vii) 등이라 부르는 방법은 상기의 숫돌입자의 종류에 의해 분류된 것이다.

숫돌입자의 가속방법에는 크게 나누어 ① 공기압, ② 수압, ③ 원심력 및 ④ 마찰력을 이용하는 것이 있다. ①을 이용하는 방법은 Air blast법이라 부르고, 압축공기와 함께 숫돌입자를 노즐에서 분사시킨 것으로 방식에 따라 흡인식, 직압식 및 Blow식으로 나눌 수 있다. 숫돌입자를 미리 용액중에 현탁하고, 압축공기를 이용하여 노즐에서 분사하는 방법을 액체Honing이라 부른다. 이 방법은 숫돌입자를 액체에 혼합하여 사용하므로 미세한 숫돌입자도 사용가능하여 도금전처리 등의 소지조정용으로 사용할 수 있다. ②를 이용하는 방법은 Hydroblast나 Water jet blast라 부르고, 일반적으로 10~35MPa(100~350kgf/㎠)의 고압으로 숫돌입자를 혼합한 물을 분사하지만 피처리재가 녹슬기 쉽다는 결점이 있다.

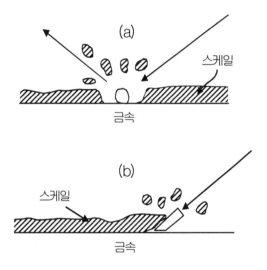

그림 5.1 Blast법에 의한 스케일의 제거
(a) Jet, (b) Gridt

Blast처리의 효과는 상술과 같이 숫돌입자의 종류, 크기 및 형상에 의해 다른 투사속도, 각도 및 밀도에 의해서도 변하므로, 목적에 따라 최적 조건을 선택하지 않으면 안 된다. 스케일이나 녹의 제거(기구)는 숫돌입자의 형상에 따라 다르다. 구상의 숫돌입자(제트)의 경우에는 스케일이 충돌하여 소성변형에 의한 박리하는데 비해, 뽀족한 형상의 숫돌입자(Grit)의 경우에는 연삭작용에 의해 제거된다(그림 5.1). 소지조정을 목적으로 Blast처리를 하는 경우, 시료의 "표면거칠기"이 문제가 되지만, 일반적으로 액체 Honing, Grit blast법에 의해 처리한 시료는 요철이 현저하다. 또, 표면거칠기는 숫돌입자의 투사각도와 함께 증가하고, 약 60°에서 극대가 되어 다시 감소한다. 투사각도를 크게 하면 표면경도의 효과(Peening effect)이 증가하는데 이런 처리를 Shot peening이라 한다.

(2) 배럴연마(Barrel polishing, Tumbling)

연마조(배럴, Barrel)에 피처리재 및 연마재(Media라 부른다), Compound(청정제, 광택제, 부식억제제 등을 포함) 및 물을 넣고, 연마재와 피처리재와의 상대운동에 의해 연마, 광내기 등을 한다. Barrel연마의 특징은 일단 대량의 제품을 처리할 수 있고, 복잡한 형상에서도 적합하다는 점으로 운동방식의 차이에 따라 다음과 같이 분류된다.

(ⅰ) 회절 Barrel연마법 : 조(槽)를 회전시키는 제일 대표적인 방법이지만, 연마 효율이 낮다.

(ⅱ) 진동 Barrel연마법 : 연마효율이 높다((ⅰ)의 4~10배), 양산성도 크다.

(ⅲ) 원심유동 Barrel연마법 : 연마효율이 매우 높다.

(ⅳ) 왕복연마법 : Media, Compound, 물 및 적당한 Magazine에 부착한 피처리재를 Barrel 내에 장입하여 상하, 좌우로 운동시킨다. 대형 피처리재의 연마가 가능하고 ,고도의 광택 외관면이 얻어진다.

(ⅴ) Gyro연마법 : 원통Barrel중에 Media, Compound, 물을 넣고, Spindle에 고정한 공작물을 장입하고, Barrel을 회전시킨다.

Barrel연마시 Media로는 종래에 하천 모래나 천연 돌을 파쇄하여 사용하지만, 입도, 경도, 형상 등을 자유롭게 조정할 수 있는 인조 Media가 개발되어 연마효율이 한층 높아졌다. 인조 Media에는 인공석(Al_2O_3, MgO, SiO_2, TiO_2), 플라스틱, 금속 등이 있다. 또, "미소절삭연마재"라 부르는 알루미나의 소결체 Media도 개발되었는데 이것은 연마능력이 크고, 외관의 광택도 양호하다. 여기서, 매체인 Media는 연마용 돌과 금속매체로 나뉘는데, 먼저 연마용 돌의 크기는 연삭, 연마, 광택 완성 등의 연마의 목적에 따라 적당한 크기와 모양이 사용되며 가공물의 종류에 따라서 적당한 돌을 선택해야 한다. 금속 매체는 각종 형체의 금속 볼 및 이형쇼트가 있는데 금속 볼의 크기는 지름이 일반적으로 약 2/32~3/8인치 범위에 있고, 경도가 큰 금속에는 3/16~1/4인치, 연질금속에는 5/32인치가 사용된다. 물건의 형체에 따라서 다르나 일반적으로 금속 볼과 이형쇼트의 배합비율은 금속 볼이 75~90%, 이형쇼트는 10~25%가 사용된다. 볼은 연마할 때는 광택이 있는 금속 볼을 사용해야 광택이 생기므로 볼의 저장에 주의해야 한다.

(3) Buffing

접착제에 숫돌입자를 표면에 고정한 천, Buff 등을 고속으로 회전하여 이것에 피처리재를 접촉시켜 발생하는 마찰력에 의해 연마하는 방법이다. Buff연마에는 보통 에멀리 Buff연마, 벨트연마 또는 Flap wheel연마 등의 조연마를 하여 외관연마를 한다. 에멀리 Buff는 Alundum연삭입자를 "아교" 등의 접착제를 이용하여 면포(綿布)에 고정한 것으로 강한 연마력을 갖고, 피처리재의 스케일, 녹, 홈 등의 제거에 적합한다. 벨트연마는 에멀리 Buff연마와 같이 강한 연마력을 갖지만, 외관면의 표면거침이 크게 된다는 결점이 있다. Flap wheel연마는 단책(短冊)상의 연마천을 방사형으로 링에 고정한 것을 회전시킨다. 이 방법의 특징은 연마력, 외관면의 표면거침이 연마시간에 의해 변화하기 어렵다는 것이다. 외관연마용의 Buff에는 면, Sisal마, 넬 등의 천이 이용된다. 또, 외관연마에는 고형 또는 액상의 Buff연마제(Al_2O_3, SiC, SiO_2)를 이용하는 것이 보통이다. 일반적으로 Buff연마에 의해 얻어진 외관면의 광택도는 Barrel연마보다 양호하다.

가. 에머리 버프(조연마용)

일명 페이퍼 버프라고도 하면 조연마는 면을 깎는데 사용하는 버프로서 광택면연마와는 별식에서 작업하는 것이 이상적이다. 에머리 외에 접착제로서는 아교와 합성 접착제가 있다. 합성접착제는 규산나트륨을 주체로 하여 합성한 것이며, 아교에 비해 각각 일장일단이 있다. 아교는 부패하기 쉽고, 취급하기에는 힘들지만, 합성한 시멘트에 비해 표면탄성이 크고 연마분이 가공물 안에 파고 들어가는 층이 얕으며, 연마열에 의해서 연화하기 쉬우므로 150메쉬이상의 작은 에머리에 적합하다고 한다. 아교는 부패하므로 매일 사용량만큼만 용해하든가 겨울철을 제외하고는 적당한 방부제를 첨가 건조한 후 발라 둔다. 에머리를 바르기 전에 에머리나 버프를 40℃정도에서 예열하면, 아교가 급속히 냉각하지 않고 버프에 잘 침투한다. 에머리에 대한 침투력을 향상시키고 완전히 교착하게 하여 에머리의 손실을 감소시키는 방법으로는 에머리를 미리 계면활성제가 들어 있는 물로 씻어서 건조한 다음 아교칠을 하면 좋다. 또 건조한 페이퍼 버프는 사용 전에 표면탄성을 크게 하고 에머리의 뾰족한 모를 없애기 이해서 목욕시 때를 벗기는 돌 같은 연한 돌이나 철 파이프 등을 연마, 조정한다. 일반적으로 철강 소지 연마용 에머리로는 90 → 120 → 180 → 250 → 320메쉬 순으로 연마하나 소지금속의 경도에 따라 이 공정을 가감할 수 있다.

나. 중연마용 버프

중연마의 역할은 조연마의 연마 흠을 완전히 없애는데 있다. 조연마를 할 때에도 버프 목(目)를 정연할 필요가 있으나 중연마일수록 이것이 더 중요하게 된다. 버프의 목이 정연하면 연마면이 보기에는 거슬리지 않으나 목이 불규칙하고 서로 엉킨 눈일 경우에는 연마면이 보기 싫어지고 흠의 원인이 된다. 또, 버퍼의 표면속도가 작으면 정연하게 버프를 대도 목이 엉클어지기 쉽다.

유성연마재를 오래 버프에 눌러서 많이 묻히면 비산하여 없어질 따름이므로 조금씩 횟수를 많이 해서 사용하는 것이 효과적이다. 연마를 할 때 버프를 평면으로 달도록 사용하는 것이 연마를 잘 하는 요령이며, 평판을 연마해도 버프의 중간 부분이 먼저 마모하여 중앙이 오목하게 되는 경향이 있으므로 이와 같이 변형되지 않도록 주의해야 한다.

다. 광택연마용 버프

재료로는 면포를 사용하며 궤매지 않은 버프는 융 등으로 만들어서 탄력성을 증가시켜 주는 동시에 연마할 면을 깍지 않고 광택을 증가시켜 주도록 하고 있다.

라. 버프의 회전수와 원주속도

버프의 회전수는 버프의 지름과 관련해서 생각해야 한다. 즉

$$버프의 \; 원주 \times 버프의 \; 회전수(rpm) = 원주속도$$

에 의해서 정해지면 이 원주 속도가 연마 작업에 중요한 요소가 된다. 표 5.2에 각종 금속에 적합한 원주속도의 범위를 나타냈다.

표 5.2 각종 금속에 적합한 원주 속도(m/min)

금속 공정	탄소강	스테인레스	구리, 황동	니켈	크롬	기타 연질 금속
소지연마	18000 ~ 27000	2400 ~ 3000	1100 ~ 2700	1800 ~ 2840	-	1220 ~ 2440
광택연마	2100 ~ 2700	2400 ~ 3000	2030 ~ 2700	2030 ~ 2440	2130 ~ 2440	1800 ~ 2130

5-1-2 화학적(전기화학적) 처리법

(1) 산세

금속을 장시간 공기중에 방치하면 그 표면은 산화물피막으로 덮이게 되고, 열처리 또는 열간가공한 시료 표면에는 비교적 두꺼운 산화물스케일이 존재한다. 또, 기계가공을 한 시료의 표면에서는 가공변질층(Bailby layer)이 생긴다. 산세는 위 산화물층 및 표면변질층을 제거하고 도금 등의 표면처리를 가능하도록 하기 위한 중요한 공정이다.

고온(848K(575℃) 이상)에서 열처리한 철강의 표면에 생성한 스케일은 최외층에 α-Fe_2O_3, 중간층에 Fe_3O_4, 내층에 FeO을 갖는 3층 구조를 갖는 전체가 다공질이다. 이것을 유산 또는 염산중에 침적하여 산세(Pickling)하면, 산화물스케일이 용해하여 녹이 없어지는데 용액이 스케일의 세공을 통하여 소지금속까지 도달하여 금속과 산화물과의 사이에 국부전지를 형성하므로 소지금속의 용해 및 산화물 표면에서 수소가스발생도 일어난다.

$$Fe \rightarrow Fe^{2+} + 2e^- \tag{5.1}$$

$$2H^+ + 2e^- \rightarrow H_2\uparrow \tag{5.2}$$

발생한 H_2가스는 스케일을 소지금속으로부터 기계적으로 박리하는 거동을 한다. 848K(575℃) 이하에서 생성한 철강표면의 스케일은 치밀한 Fe_2O_3/Fe_3O_4의 2층 구조를 갖고 있으므로 산세에 의해 제거는 곤란하고, 장시간의 처리가 필요하다.

보통, 철강의 산세액에는 5~10%유산용액(323~333K(50~60℃)) 및 염산용액(293~303K(20~30℃))을 이용하여 여기에 소량의 부식억제제(Inhibitor) 및 표면활성제를 첨가한다. Inhibitor(억제제)는 소지금속표면에 흡착하여 금속의 과동용해를 방지하고, 표면활성제는 시료표면의 젖음성 및 Inhibitor(억제제)의 흡착성을 향상시킨다. Inhibitor(억제제)로는 어닐린, 키소린, 피리진 등의 N화합물, 멜카프탄, 설파이드 등의 S화합물, 치오누소와 그 유도체 등의 S, N화합물 또는 포름알데히드, 프로파글루알콜이 이용되고 또, 표면활성제로는 알킬페놀계, 고급알콜계, 산화에틸렌산화프로필렌블록공중합체 등이 있다.

산세한 강의 표면에는 Smut라 불리는 검은 미립자가 잔재하는 경우가 많다. Smut는 Fe_3O_4를 주체로 하여 여기에 불용성분(C나 SiO_2)가 혼합된 것으로 생각되는데 이것이 부착한 그대로 도금을 하면 도금불량의 원인이 된다. 염산욕에서는 유산욕에 비해 Smut의 발생이 적다. Smut를 제거하기 위해서는 예를 들어, 시안화소다용액 또는 유산용액중에 아노드처리하면 된다.

산세할 때 발생하는 H_2가스의 일부는 철강 중에 침투하여 "수소취성"을 일으킨다. 이것은 강중에 침투한 수소가 금속의 수소화물을 형성하는 것 또는 수소화물의 분해에 의해 수소가스 분자가 석출하여 금속의 결정격자에 변형을 일으켜 금속 소재가 취약하게 되는 현상이다. 수소취성은 저탄소강에서는 일어나기 어렵지만, 탄소함유량이 높은 말하자면, 고력강에서는 심각한 문제이다. 이것을 막기 위해서는 효과가 큰 Inhibitor(억제제)를 이용하여 가능한 한 산세시의 수소발생을 막는 것이 필요하다. 수소취성의 제거는 산세 후, 시료의 가공처리로 한다. ASTM에 의하면 고탄소강의 경우, 423~533K(150~260℃), 3.6~18ks(1~5h)의 조건이 적합하다고 한다. 산세와 함께 초음파를 병용하는 방법도 최근에 시도되었는데 처리시간의 단축, 수소취성의 억제에 큰 장점이 있다.

철강 이외의 금속 예를 들어, Cu, Al, Zn 및 이들 합금 등에 대해서도 산세는 중요한 공정이다. 동 및 그 합금을 예를 들어, 염산-초산-유산혼합액에 침적한 "킬린스외관"은 스케일제거와 화학연마를 동시에 한 처리로서 오래 전부터 행해지고 있다. Al의 산화피막제거에는 글루콘산첨가가성소다용액 등의 알칼리욕이 이용되고 있지만, 이 처리에 의한 Smut가 생성하므로 이것을 제거하기 위해서는 유산, 초산 또는 초산/불산욕으로 산세를 하여야 한다.

(2) 전해산세

위에 기술한 산세는 표면산화물층을 제거하기 위한 화학적 방법이지만, 더욱 성능이 우수한 산세를 하기 위해서 "전기화학적"방법으로서 전해산세가 개발되었다. 이 방법에는 전해에 의해 다량의 O_2 또는 H_2가스가 발생하여 스케일의 제거가 촉진되므로 처리시간을 대폭 단축할 수 있고, 산세속도가 산농도, 처리재의 조성에 의해 영향 받지 않는다. 양극법, 음극법 및 PR법(극성변환법)의 3가지가 있다.

가. 양극법

피처리재를 캐소드로서 전해하고, 캐소드 위에 다량으로 발생하는 H_2가스에 의해 스케일이 제거된다. 스케일제거속도가 빠르고, 산에 의한 소지금속의 용해도 거의 없지만, "수소취성"이 일어나기 쉬운 단점이 있다.

나. 음극법

시료를 아노드로 하고, 소지금속의 용해 및 O_2가스의 발생에 의해 스케일제거를 하는 방법이다. 수소취성은 일어나지 않지만, 소지금속의 과도한 용해로 Smut가 발생하기 쉽다.

다. PR(Periodic Reverse)법

캐소드, 아노드에 주기적으로 극성을 가하는 방법으로 가, 나가 갖는 결점을 보충을 목적으로 개발되었다.

(3) 탈지

시료 표면은 산화물피막으로 덮인 것만이 아니라, 가공 중 사용된 유지에 의해 오염되어 있다. 산세가 주로 전자의 제거를 목적으로 행하는데 비해 탈지는 후자의 제거를 목적으로 한다. 이 유지는 식물성 유지와 광물성 유지로 나뉘는데 그밖에 동물성 유지도 있다. 따라서 탈지할 때는 위의 어느 유지인가를 알아두어야 한다. 식물성 유지는 알칼리로 제거되나 광물성 유지는 알

칼리로 제거하기 곤란하므로 유기 용제를 사용할 필요가 있다. 탈지방법은
(i) 용제탈지, (ii) 에멀션탈지 및 (iii) 알칼리탈지로 분류되고, 이들은 목적에
맞도록 조합시킨다. 이를 표 5.3에 각종 탈지법의 종류를 나타냈다.

표 5.3 각종 탈지법의 종류

알칼리침지탈지	알칼리액에 담근다. 주로 동식물성 유지의 제거에 유효하다.
초음파이용 알칼리침지탈지	초음파를 알칼리액 중에 방사해서 탈지효력을 향상시킨다.
알칼리전해탈지(양극전해)★	양극에 발생하는 산소가스에 의한 기계적 제거효과를 이용
알칼리전해탈지(음극전해)★	음극에 발생하는 수소가스에 의한 기계적 제거 효과이용
알칼리전해탈지(PR전해)★	예를 들어 양극 10초, 음극 10초로 교대하여 전해
에멀션침지탈지	용제를 에멀션으로 만든다. 광물유 제거에 좋다.
배럴알칼리탈지	알칼리 작용과 배럴의 기계적 작용을 병용한 것
용제침지탈지★★	유기용제(트리크롤에틸렌 등)에 침지한다. 주로 광물유의 제거에 효과가 있다.
용제증기탈지★★	광물유의 제거에 좋다. 트리크롤에틸렌 증기등을 이용한다.

★ 우선 다른 방법으로 예비탈지를 하고, 마무리 탈지로서 이것을 이용
★★ 2조식 또는 3조식은 이 두 가지 방법을 병용한다.

가. 용제탈지(예비세정, Solvent cleaning)

유기용제를 사용하는 방법이다. 주로 사용되는 용제는 석유계 용제(가솔
린, 케로신, 솔벤트 나프샤 등), 염소계 용제(트리크롤에틸렌, 퍼크롤에틸
렌 등) 및 불소계 용제(프론11(CCl_3F), 프론 12(CCl_2F_2) 등)으로

① 천에 묻혀 피처리재의 표면을 닦음(닦음법)
② 침적욕을 이용하여 피처리재를 욕중에 침적하면서 교반, Brushing 등
   을 한다(침적법).
③ 가온하여 발생하는 용제증기를 이용하여 세정한다(증기세정법)

① 및 ②에서는 말하자면 기름을 용재에 용해하여 희석시킨 것으로 시료
표면으로부터 완전히 탈지하는 것이 어렵고, 주로 예비선정(豫備洗淨)으로
서 이용한다. ③의 방법으로는 선정조의 저부의 용제를 가온하여 조의 상
부에 증기층을 보내, 이것에 비교적 저온의 피처리재를 접촉시킨다. 용제
는 표면에 응축하여 유지를 녹이고, 액적으로 되어 녹는다. 이런 방법은
①, ②와 달리 용제의 순도가 높으므로, 완전탈지가 가능하지만, 욕 중의
유지농도에 의해 용제의 증기압이 변화하므로 온도조절에 주의해야 한다.

나. 알칼리탈지(알칼리세정, Alkaline cleaning)

알칼리성 액 중에 물건을 담가서 탈지하는 것을 알칼리침적탈지라고 한다. 탱크는 보통 철 탱크를 사용하며 걸이에 걸던가 바스켓에 넣어 탈지한다. 알칼리는 동식물성 유지를 다음과 같이 영화(齡化)하여 유지를 물에 녹을 수 있는 비누와 글리세린으로 분해시킨다. 여기서 생긴 비누 성분은 용액의 표면장력을 저하시킬 뿐만 아니라 유지를 유화, 분산시키는 작용을 한다.

금속의 가공에 사용하는 유제로는 야자유, 팜유, 우지 등의 감화(비누화)성유과, 그리스, 켈로신, 주융 등의 비감화성유가 있다. 감화성유는 알칼리와 다음과 같은 반응을 일으킨다(감화반응)

$$
\begin{array}{ll}
RCOOCH_2 & CH_2\text{-}OH \\
| & | \\
RCOOCH \quad + 3NaOH \rightarrow 3RCOONa + CH\text{-}OH & \quad\quad (5.3) \\
| & | \\
RCOOOH_2 & CH_2\text{-}OH
\end{array}
$$

이런 감화성 활식물유를 부착한 피처리재를 알칼리용액중에 침적한다면 비누(고급지방산나트륨)과 글리세린이 생성하고, 이들은 액중에 용해 및 유화분산하여 탈지가 진행한다.

비감화성유의 경우에는 식(5.3)의 반응이 일어나지 않으므로 계면활성제를 첨가하여 알칼리용액의 침윤작용에 의해 금속표면에서 분리한 탈지입자를 분산 유화시킨다. 계면활성제로서는 주로 고급지방산나트륨($R\text{-}COONa$), 고급알콜유산에스텔($R\text{-}OSO_3Na$), 알킬벤젠술폰산나트륨 등의 Anion계면활성제 및 알킬폴리옥시에틸렌에텔($R\text{-}O(CH_2CH_2O)_nH$) 등의 비이온성(노니온)계면활성제를 이용한다.

경수(硬水)(Mg^{2+}, Ca^{2+}이온을 포함)을 이용하여 탈지욕을 만들면, 감화반응에 의해 생성된 비누 및 어떤 종의 계면활성제는 Ca^{2+}, Mg^{2+}와 반응하여 불용성의 금속비누를 형성하고 침적한다.

$$
2R\text{-}COONa + Ca^{2+} \rightarrow (RCOO)_2Ca\swarrow + 2Na^{2+} \quad\quad (5.4)
$$

이것을 막기 위해서는 트리폴리인산나트륨($Na_5P_3O_{10}$), 글루콘산나트륨 (H(HCOH)$_5$COONa), 에틸렌시아민4착산염(EDTA·2Na) 등을 첨가한다. 이들은 알칼리성 용액중에 Ca^{2+}, Mg^{2+}이온과 가용성 킬레이트화합물을 만들어 금속비누의 침적을 막는다.

다. 에멀션탈지(Emulsion cleaning)

유화탈지라고도 하며, 유기용제와 계면활성제와 물로 만든 에멀션을 사용한다. 아연, 알루미늄 등은 강알칼리성 용액 중에서는 쉽게 부식되므로 이들 금속에 대해서는 알칼리탈지는 부적합하다. 이런 경우에는 계면활성제에 의한 용제와 물을 유화한 액을 이용하여 탈지를 하는 것이 좋다(에멀션탈지). 유기용제로서는 케로신, 솔벤트나프샤 등이 계면활성제로서는 전의 Anion 및 노니온계면활성제가 주로 이용된다. 에멀션탈지는 불감화성유의 탈지에 효과적이다. 이 방법은 주로 미국 등지에서 많이 사용하며 일본이나 우리나라에서는 거의 사용하지 않는다.

(4) 전해탈지(Electro-cleaning, Electro-degreasing)

최종탈지에 사용되며 탈지 순서로는 다음과 같다.

　　　예비탈지(에멀션, 용해탈지 등) → 중간탈지(알칼리 침지탈지)
　　　→ 최종탈지(전해탈지)

따라서, 전해탈지만으로 탈지를 하는 예가 있으나 이것은 탈지의 근본개념을 모르기 때문에 대단히 불충분하다는 것을 알 수 있다. 알칼리탈지액중에 피처리재를 넣어 용해한다. 용액이 화학적 탈지력이 가해져 물의 전해에 의해 생성하는 H_2 또는 O_2기포의 물리적 탈지작용에 기대되는 방법이다. 양극법, 음극법 및 PR법이 있다.

양극법에 대해서는 탈지제로서 주로 NaOH, Na_2CO_3, Na_3PO_4용액을 이용하여 소량의 계면활성제 및 유기킬레이트제를 첨가한다.

음극법에 대해서는 용액중에 용출한 금속이온이 피처리재표면에 도금하여 석출시키지 않는 것이 필요하다. 이 때문에 보통 탈지액으로서는 강알칼리에 시안화나트륨(NaCN)을 첨가한 용액을 이용한다. 그러나, 공해문제 때문에 최근에는 시안을 대신하여 유기킬레트제를 포함한 액이 갖가지 개발되었다.

PR법에서는 양극법과 음극법의 단점을 제거하고 장점을 효과적으로 높일 수 있다. 또, 극성의 주기적 교환이므로 금속의 전석(電析)이 억제되므로 욕의 노시안화 또는 저킬레이트화가 가능하고, 폐수에 의한 공해문제가 없다.

전해탈지액의 조성은 알칼리 침지탈지액의 조성과 대동소이하며, 계면활성제만은 기포성이 큰 것을 사용하면 탈지 중 수소가스 때문에 폭발할 유려가 있으므로 기포성이 적은 비이온계 활성제를 사용하도록 한다. 또 이 비이온계 활성제는 고온에서 액을 혼탁하게 만들므로 저온에서 사용할 필요가 있다. 철에 녹이 있고 그 위에 유지가 붙어 있는 것은 알칼리액에 시안화나트륨을 첨가하거나 시안화나트륨과 EDTA를 첨가한 액에서 PR전해를 하면 녹과 유지가 제거된다.

(5) 초음파탈지법(Ultrasonic cleaning)

일반적으로 탈지액에 교반이나 진동을 주면 효과가 높아진다는 것은 잘 아는 사실이다. 이들 액에 초음파 진동을 주면 더욱 효과적으로 탈지가 되며 떨어지기 힘든 고형물이나 구석에 있는 더러움도 쉽게 떨어진다. 그러나, 이 장치는 값싱 비싸고 설계가 잘 되어 있지 않으면 충분한 효과를 얻을 수 없다. 초음파탈지법이 세척되는 이유는 초음파를 액체 중에 방사하면 공동현상이 생기므로 이것이 초음파에 의해 액 중에 진공 또는 저압의 공동이 무수히 발생하고 다음에 음파의 반주기 때 압축파괴하며, 이 때 액체 서로가 심하게 충돌하여 매우 큰 충격적인 압력을 가지게 되는 것을 말한다. 이 공동현상의 충격적 압력에 의해 세정할 물건 표면의 먼지, 오물 등은 액 중에서 이탈 분산된다. 세정액으로는 용제나 수용성 세제가 목적에 따라서 사용된다. 용제는 역시 트리크롤에틸렌, 트리크롤에탄 등이며, 유지의 용해력은 크지만, 수용액에 비해 공동현상의 효과는 적다. 수용성 용제로는 알칼리 탈지액이나 비이온이나 어니온계 계면활성제가 사용된다.

(6) 전해연마

적당한 산 또는 알칼리용액 중에서 피처리재를 양극으로 하여 전해하고, 생성된 아노드용액에 의해 표면을 평활하게 하는 방법이다. 즉, 제품을 적당한 전해 연마액 속에 넣어 도금할 때와는 반대로 제품을 양극으로 해서 음극에

납, 스테인레스판, 탄소봉 등을 사용하여 전류를 통과시킨다. 이 때 제품은 서서히 용해하여 용해된 금속염에 의해 금속이온이 축적하며 양극피막이 생성되기도 한다. 오목 부분은 금속이온의 이동과 확산이 적어 그 양이 많아져 전기가 잘 통하지 않으며 양극피막의 파괴도 잘 일어나지 않아 용해가 잘되지 않는다. 볼록한 부분은 금속이온이 얇기 때문에 전기가 집중적으로 통해서 볼록부분의 금속만이 용해하게 되며 따라서 평활하게 된다. 전해연마는 스테인레스, 알루미늄, 구리 및 구리합금, 철강의 작은 물건 등에 많이 사용된다. 전해연마에 사용되는 전류는 직류와 교류가 있으며 때로는 직류와 교류를 동시에 흘리는 경우도 있는데 일반적으로 직류만을 사용하고 있다. 이 방법은 기계적 연마법(4-1-1참조)과 달리 ① 가공변질층(Bailby layer)가 생기지 않고, ② 연마재의 숫돌입자나 유지에 의한 오염이 없고, ③ 복잡한 형상을 갖는 시료도 용이하게 연마할 수 있다는 장점이 있지만, 이 반면에 ① 비교적 큰 요철을 제거하기는 곤란하고, ② 표면의 화학조성(불순물) 및 결정조직이 연마효과에 영향준다는 결점을 갖는다.

전해연마가 진행됨에 따라 피처리재 표면은 점도를 조절한 금속염의 농도용액층(확산층)에 의해 덮일 수 있고, 이 두께는 철부(凸部)는 얇고, 요부(요부)는 두껍다. 금속의 용해속도는 이 층중에 금속이온 또는 전해질Anion의 확산이동속도에 의해 율속되므로 "확산층이 얇다"는 철부에서는 용해속도가 크고, 이 부분의 연마가 우세하게 진행한다. 이런 기구에 진행하는 과정을 마크로연마(평활화)라 부르고, 수 μm ~ 1 μm정도 요철이 평활화된다. 이것에 비해 미크로연마(광택화)라 부르는 "미세조(0.1 ~ 0.01 μm)를 조절하는 과정"도 중요하다. 이 과정은 비교적 높은 아노드 분극영역에서 일어난다. 이 영역에서는 금속은 얇은 산화물피막($10^{-3}\mu m$)으로 덮이고, 생성용해를 반복하지만, 이 피막의 존재에 의해 상기의 미세한 요철이 소실된다.

전해연마욕의 전해질로는 H_2SO_4, H_3PO_4, HNO_3, $HClO_4$, CrO_3등의 옥신산 및 HF, HCl 등의 할로겐산이 사용되고, 이종 이상 혼합하여 사용하는 것이 많다. 알루미늄 등 양성금속에 대해서는 NaOH, KOH 등의 알칼리용액도 사용된다. 전해욕은 이들 전해질 이외에 ① 점도조절제(예를 들어 세라틴, 아교 등), ② 가용성착체형성제 등의 첨가를 포함한다. 표 5.4에 Al, Cu, Fe에 대한 전해연마의 욕조성과 전해조건을 나타냈다.

(7) 화학연마

원리적으로는 전해연마와 동일하다. 즉 소지 표면의 볼록 부분을 화학적으로 용해시켜 평활하게 하는 방법이다. 전해연마에서는 외부전류에 의해 아노드 분극이 금속의 용해 구동력이 되는데 비해, 화학연마에서는 금속의 용해가 전지작용에 기초하므로 조작이 간단하다. 또한, 전류의 불균일로 연마가 더 되고 덜 되는 불균일성이 적다. 즉, 피처리재의 표면에서 금속의 용해(Me→ Me^{m+} + me^-, 아노드반응)이 일어남과 동시에 산화제의 환원(X^{n-} + me^- → $X^{(n+m)-}$, 캐소드반응)이 일어나 연마가 진행된다.

연마욕은 HCl, HF등의 강산과 HNO_3, H_2SO_4, H_2O_2 등이 산화제가 된다. 화학연마는 전해연마에 비해 장치가 간단하고, Al, Cu, 철강, 스테인레스강 등에 이용되지만, 일반적으로 연마효과는 전해연마에 비해 작다. 연마비는 오래 사용할 수 없으므로 비교적 비싸다.

표 5.4 전해연마의 예

금속	욕 조 성		전류밀도	온도 및 시간
Al	CH_3COOH $HClO_4$	700㎤ 220㎤	1 ~ 2kA/㎡	283 ~ 293K 180 ~ 600s
Al	H_3PO_4 H_2SO_4 글리세린	600g 400g 10g	1 ~ 6kA/㎡	333 ~ 363K 600 ~ 900s
Cu	H_3PO_4 CrO_3 H_2O	74% 6% 20%	3 ~ 5kA/㎡	293 ~ 313K 60 ~ 180s
Fe	H_3PO_4 $H_2C_2O_4$ 제라틴	1d㎥ 40g 30g	12kA/㎡	실온

5-2 금속피복

어떤 금속(예를 들어 철강)의 표면을 다른 금속의 얇은 층으로 덮은 것으로 보통 도금이라 부른다. 금속의 내식성, 접착성, 도장성, "땜납"특성의 향상·개선, 전기접촉저항의 저하 및 장식 등을 목적으로 한다. 전기도금, 화학도금, 용융도금 외에 용사, 확산침투, 증착 등에 의한 도금이 이루어지고 있다.

5-2-1 침투도금

피복하고자 하는 물품을 가열해서 그 표면에 다른 종류의 피복금속을 부착시킴과 동시에 확산에 의해 합금 피복층을 얻는 방법을 금속침투(Cementation) 법 또는 침투도금이라 한다. 예를 들면, 철강 제품의 표면에 아연, 알루미늄, 크롬 등을 피복하는 수단으로 사용하고 있다. 도금금속은 금속증기 또는 할로겐화물증기로서 작용시킨다.

고온에서 피복금속을 물품의 표면에 접촉시켜서 피복층을 형성시키는 조작으로는 다음과 같은 방법이 있다.

① 상온에서 우선 물품 표면에 피복 금속층을 전기도금, 용사 및 용융도금 등의 방법으로 형성시키고, 이것을 고온으로 가열해서 확산시켜 합금 피복층을 얻는 방법이다. 그러나, 이것은 용융아연 및 용융알루미늄도금에서 일반적으로 하고 있는 방법이므로 여기서는 논하지 않는다.

② 피복 금속의 분말 중에 물건을 묻어 두고 밀폐상태에서 가열하는 방법이다. 이때의 도금은 주로 피복 금속 분말에서 발생하는 금속증기 또는 액체로서 행하여진다. 따라서, 이 온도에서의 금속 증기압이 낮으면 확산피복속도가 적어지므로 증기압이 높은 화합물, 예를 들어 염화물의 증기를 발생시켜서 금속표면과 치환반응을 일으켜 확산피복속도를 크게 할 수 있다. 따라서 금속분말 중에 품고 있는 확산제 중 염화물을 혼합하면 효과가 있으며, 실제 작업에서는 이와 같은 플럭스를 첨가할 때가 많다.

③ 피복 금속의 화합물을 품은 염류의 혼합물을 고온에서 용융시켜 이 욕 중에 철강 제품을 침지해서 치환반응으로 피복금속의 침투층을 얻는 방법이다.

금속 침투법은 주로 철강 제품에 대해서 행해지며 목적은 방청성, 내식성, 내고온산화성 등의 화학적 성질을 향상시키는 것이 주목적이며, 동시에 경도, 내마모성을 증가시키는 효과를 수반하고 있다. 확산침투금속은 아연, 크롬, 알루미늄, 규소가 주요한 부분을 차지하고 있으며, 미래에 실용화가 기대되는 것은

붕소, 베릴륨, 몰리브텐, 텅스텐, 바나듐, 티탄, 안티몬, 탄탈 등이 있다. 표5.5
에 각종 금속을 확산침투시켰을 때의 방법과 특성을 나타냈다. 또한, 주요 침투
도금은 다음의 프로세스가 알려져 있다.

(1) Zn(Sheradizing)

금속Zn분말과 그 용착방지를 위해 미세한 모래, 피도금금속체를 623~653K
(350~380℃)의 드럼에 넣고 회전하면서 가열한다. 철강을 대상으로 하는 경
우, 7.2~10.8ks(2~3h)으로 침투깊이 25μm, Zn침투량 150g/m^{2}이다. 침투층의
내식성은 용융도금에 비해 나쁘지만, 침투는 매우 균일하고, 제품의 길이정도
를 문제로 하는 경우에는 우수한 방법이다.

표 5.5 철강에 대해 확산피복하는 주요 금속

피복금속	확산피복법	성 질
아연 (Sheradizing)	1) 용융도금의 가열 2) 아연분말 중에서 가열(Sheradizing) 3) (ZnO+환원제)중에서 가열 4) 아연 용사층의 가열	대기 중의 부식방지에 적합
알루미늄 (Carolizing)	1) Al 또는 Fe-Al의 분말과 플럭스와의 혼합 중에서 가열(Carolizing) 2) 용융도금법 3) Al용사층의 가열 4) Al합판의 가열	고온 산화방지에 적합하고, 황의 고온 분위기에 대해 저항력이 크다.
크롬 (Chromizing)	1) 크롬 또는 Fe-Cr분말 중에서 가열(Chromizing) 2) 염화크롬법 3) 크롬 용사층의 가열 4) 용융염법	내식성이 우수하고, 경질
규소 (Siliconizing)	1) 규소, 페로실리콘, 탄화규소와 플럭스와의 혼합물 중에서 가열 2) 염화규소법	질산, 황산, 묽은 황산에 대한 내식성 우수
붕소 (Boronizing)	붕소 또는 Fe-B분말 중에서 700℃이상으로 가열	경질 피복, 모든 농도의 염산에 대한 내식성이 크다.
베릴륨	베릴륨 또는 Fe-Be분말 중에서 600℃이상으로 가열	극히 높은 경도, 방청성이 크다.
몰리브덴	Mo 또는 Fe-Mo분말 중에서 1300℃로 가열	극히 높은 경도, 내식성이 크다.
텅스텐	W 또는 Fe-W 또는 WC의 분말 중에서 800℃ 이상으로 가열	극히 높은 경도, 내황산성이 크다.
바나듐	Fe-V분말 중에서 900℃이상으로 가열	극히 높은 경도, 내질산성이 크다.

(2) Al(Calorizing)

환원성가스(예를 들어, H_2)의 분위기에서 피도금 금속체, Al분말, Al_2O_3(용착방지) 및 NH_4Cl(촉진제)을 가열하고, Al을 0.1~0.3㎜침투시킨다. 철강에는 1073~1373K(800~1100℃), 황동제품에서는 973~1073K(700~800℃)이다. 피도금 금속에 방식성 및 내열성을 부여할 목적으로 행하는데 보일러부품, 화학공업용부품, 해수시설 등에 적용한다.

(3) Cr(Chromizing)

철강표면에 Cr을 침투시켜 스테인레스강의 성질을 부여하는 것이다. 철강을 Cr분말, 알루미늄분말, 촉진제(NH_4Cl, $CrCl_2$)와 함께 H_2분위기 중에서 1573K(1300℃)로 10.8ks(3h)가열한다. 금속Cr을 대신하여 Fe-Cr(60%)합금을 이용하는 방법 또는 $CrCl_2+H_2$의 혼합가스를 보내는 방법도 있다. 공기가 조금이라도 존재하면 Cr의 산화피막의 생성에 의해 침투는 일어나지 않게 되고, 철 중의 C량이 증가하면, Cr탄화물이 생성하므로 침투가 늦게 된다. C량이 2%이상일 때는 철의 표면을 미리 탈지처리한 후 Chromizing처리를 하는 것이 좋다. 침투깊이는 0.2㎜정도이다.

5-2-2 용융도금

금속(주로 철강)을 용융된 금속(Zn, Sn, Al, Pb등)에 침적한 것을 꺼내 냉각하면 비교적 두꺼운 도금이 얻어진다. 이것을 Hot dipping법이라 부른다. 도금된 금속의 표면은 미리 산세 등에 의해 스케일을 없애고, 도금의 부착을 높이기 위해 도금직전에 플럭스(염화물수용액)에 침적하는 것이 보통이다. Zn도금이 일반적인데 강판, 강관, 가드레일, 전주 등 내식성의 향상을 목적으로 하는데 적용한다. 아연도금강판은 후처리로서 표면을 도장하는 것이 많다. Sn도금한 강판은 외관이 미려하고, 내식성도 크므로 식품포장용기나 캔의 재료로서 이용되고, Al도금은 철강의 내열성, 내식성을 현저히 향상시키므로 건재, 자동차의 마후라 등의 표면처리에 이용된다.

일반적으로 용융도금에는 용융금속과 소지금속과의 사이에 다소의 금속층이 생성한다. 이 층은 도금의 부착성을 높이는 거동을 하지만, 너무 두껍게 되면, 도금층의 내식성이나 기계적 성질이 나빠지는 것에 주의해야 한다.

(1) Zn도금

강판을 스트립 그대로 연속적으로로 도금하는 방법이 일반적이다. 쿡·노트만 법에서는 미리 소결한 강판을 탈지, 산세한, $ZnCl_2$-NH_4Cl의 플럭스용액을 통과 건조하고, 용융 Zn도금욕에 넣는다. 또, 센지미야법이란, 플럭스를 이용하지 않는 새로운 방식으로 압연스트립을 산화로에 넣어 표면의 기름을 산화제 거한 것을 970K(700℃) 이상의 암모니아분해가스(약 75%H_2 + N_2) 중에 산화물을 환원제거하고, 공기에 접촉시키지 않고 그대로를 도금욕에 넣는다. 환원로에서는 강판의 소결도 자동적으로 이루어진다.

도금층의 내측에는 Fe와의 금속상이 생성한다. 강의 측면에서 ε상(Fe_5Zn_{21}), δ상($FeZn_7$), Γ상($FeZn_{13}$) 등이 있다. 온도가 >823K(550℃)가 되면, Γ상은 생성하지 않고, 시간이 단축되면 ε상은 나타나지 않는다. 보통의 처리온도 (723K(450℃)) 및 시간에서는 이 3상이 동시에 생성하고, 도금층 두께의 약 반을 점유하므로 이 기계가공성이 저하한다. Zn욕에 소량의 Al(0.1~0.25%)를 첨가하면, 얇은 Fe-Al합금층이 생성하고, Fe-Zn합금층의 발달이 억제된다.

도금할 때의 Zn부착량은 50~300g/m^2의 범위이고, 욕의 출구의 롤 교차로 가감하는데 최근에는 가스제트의 토출로 조절하는 방법이 일반화되었다. 도금층은 냉각 시에 결정화하여 Spangle(번쩍번쩍 빛나는 금, 은 또는 주석박)을 나타나지만, 이것은 소량의 Sn이나 Sb의 첨가로 현저하게 된다. 결정화가 좋지 않게 되면 이것을 방지하는 시약도 있다. 도금의 후처리로서 크롬산용액이나 특수한 유기물의 수용액을 도포한다. 이것은 Zn상의 부식에 의해 백색 녹(염기성 탄산아연 $ZnCO_3·Zn(OH)_2$)의 발생을 억제하여 도료의 밀착성을 향상시킨다.

Zn도금의 효과는 수중에서 Fe-Zn국부전지의 희생(犧牲)양극으로서 거동하여 소지의 강판을 음극부식하기 때문이다. 그러나, Zn은 양성금속이고, 산성에서도 알칼리성에서도 용해하므로 중성의 조건에서만 유효하지 않다. 온도가 333K(60℃)이상의 환경에서는 Fe에 대한 전위가 역으로 +가 되고, 더불어 강의 부식을 촉진하므로 주의를 요한다.

(2) 기타의 금속도금

용융Sn에 의한 도금층은 Fe | FeSn$_2$ | Sn의 구조를 갖는다. 도금하기 위해서는 강판을 HCl용액에서 전해산세하고, 플럭스(ZnCl$_2$+NH$_4$Cl용액, 473K (200℃)에 통과한 후 Sn도금욕(573~773K(300~500℃))에 넣고, 롤로 Sn 부착량을 20~30g/m^{2}으로 교차한다. Sn은 고가이므로 부착량은 가능한 한 적어야 되지만, 그만큼 내식성은 저하한다. Sn은 보통은 Fe보다 귀하므로 Fe를 음성적으로 방식하는 능력은 없지만, 과즙의 캔 등과 같이 유기산을 다량 함유한 용액중에서는 Sn이 이것과 가용성착체를 만들므로 전위의 역전이 일어나고, 장기간에 걸쳐 소지의 Fe를 방식한다.

용융Al도금층은 Fe | FeAl$_3$ | Fe$_2$Al$_5$(η) | Al의 구조를 갖는다. 강판에 대해서는 Zn의 경우와 같이 플럭스법 또는 센지미야법으로 한다. 도금욕으로서는 순Al이나 Al+Sn(3~5%)을 이용한다. 전자가 내식성, 내열성이 크고, 후자는 도금층이 균일하고 얇게 된다. 도금층의 우수한 방식작용은 Al표면에 생성한 자연산화피막 때문이고, Al에서는 희생양극으로서의 거동은 없다고 생각된다. 높은 내열성으로 합금층의 융점(>1273(1000℃))이 높게 된다. Al은 융점이 높고, 도금에서는 953K(680℃)) 이상이 필요하다. 이 때문에 도금공정에서 작업성이 나빠지고, 용융Al의 용기(보통은 강)의 부식, 플럭스의 열분해 등의 문제도 있다.

Pb도금은 염산, 유산, 불산 등에 대해 현저한 내식성을 나타낸다. 그러나, Pb는 Fe와 완전히 합금을 만들지 않으면 철강 위에 도금하는 경우, 미리 예를 들어 ZnCl$_2$(90%)+SnCl$_2$(10%)의 용융염(523K(250℃))로 플럭스처리하여 Fe$_2$Zn$_2$Sn합금층을 만든다.

도금욕의 조성을 Pb+Sn(15~25%)로 한 경우, 도금강판을 턴·플레이트라 부르고, 가전용품, 방사선 차폐판의 하지처리, 자동차의 연료탱크나 라지에터의 방식 등에 적합하다. 도금층은 Sn이 Fe와 중간합금층을 만들므로 납땜성이 좋고, 유연하므로 가공성이 좋다. Pb도금은 일반적으로 핀홀이나 긁힘을 생성하기 쉽고, 희생양성으로서의 거동이 없으므로 이들의 각부에 소지금속의 부식이 일어나기 쉽다.

5-2-3 전기도금

금속의 방식, 장식, 내마모성 부여, 전기접점형성 등을 목적으로 오래 전부터 행해졌고, 현재에서도 그 중요도가 높다. 도금금속의 염을 포함한 도금욕에 피도금금속체를 침적하고, 이것을 양극으로 하여 욕을 전기분해한다. 양극으로는 도금금속 또는 불용성전극(Graphite, Pb, Fe_3O_4)을 이용한다. 예를 들어, 유산강용액에서 Cu을 도금(전착)할 경우의 반응은

음극 $Cu^{2+} + 2e^- \rightarrow Cu$(피도금체)

$Cu \rightarrow Cu^{2+} + 2e^-$(Cu양극) 또는

양극 $H_2O \rightarrow \frac{1}{2}O_2 + 2H^+ + 2e^-$(불용성 양극)

불용성 양극의 경우, 욕의 Cu^{2+}농도가 다음에 저하하므로 강염을 보급해야 하지만, Cu양극의 경우에는 그럴 필요가 없다. 치밀하고 균일한 도금층을 얻기 위해서는 ① 욕조성, ② 온도, ③ 교반조건 및 ④ 전류밀도의 조절이 필요하다. 전류밀도(도금속도는 이것에 비례한다)에서는 어떤 적정범위가 존재하므로 주의를 요한다. 또, 욕조성이 상당히 복잡하여 관리가 어렵다. 음극에서는 부반응으로서 다소 수소발생반응($2H^+ + 2e \rightarrow H_2$)가 생기고, 도금반응의 전류효율이 저하함과 동시에 H_2의 기포에 의해 도금층의 요흔(凹痕), 핀홀이 남을 우려가 있다. 도금기술은 많은 경우 현장의 경험에 의해 확립되므로 공정의 자세한 내용은 공개되지 않은 것이 많다. 피도금체는 주로 철강이지만, 기타의 금속, 합금도 대상이 된다. 도금금속으로는 Cu, Ni, Cr, Zn, Cd, Sn, Ag, Au의 단일금속 및 Cu-Zn, Sn-Pb, Ni-Sn등의 합금이 주이다. 도금욕에는 도금금속 이온을 염화물, 유산염, 필로린산염, 시안착체 등으로서 첨가하고, 기타 착화제, pH완충제, 광택제 등이 첨가된다. 금속이온이 착화되면, 음극의 분극이 증대(도금반응의 저항이 크게 됨), 광택제는 표면의 활성부분에 대해 동적으로 흡착, 탈착을 반복한다. 이들은 평활하고 미세한 도금의 진행을 막는 것으로 생각된다. 도금에는 단순히 직류를 이용하는 경우가 많지만, 도금층의 질을 향상시키기 위해서는 전류단속, 교류중첩, 극성변환 등의 연구도 이루어지고 있다. 다음에 대표적인 도금에 대해 설명해보자(표 5.6).

표 5.6 전기도금의 예

금속	욕 조 성		온도(K)	pH	전류밀도(kA/㎡)
Zn(산성)	$ZnSO_4 \cdot 7H_2O$	240kg/㎥	297~303	3.5~4.5	0.1~0.3
	NH_4Cl	15kg/㎥			
	$Al_2(SO_4)_3 \cdot 18H_2O$	30kg/㎥			
Zn(알칼리성)	$Zn(CN)_2$	60~80kg/㎥	301~311	12.2~127	0.07~0.5
	NaCN	20~60kg/㎥			
	NaOH	75~110kg/㎥			
Ni(Watt욕)	$NiSO_4 \cdot 7H_2O$	240kg/㎥	318~333	4.5~6.0	0.2~1.3
	$NiCl_2 \cdot 6H_2O$	45kg/㎥			
	H_3BO_3	30kg/㎥			
Cu(산성)	$CuSO_4 \cdot 5H_2O$	200~250kg/㎥	293~323	강산성	0.1~1.0
	H_2SO_4	30~75kg/㎥			
Cr(서젼트욕)	CrO_3	250kg/㎥	313~323	강산성	1.0~2.0
	H_2SO_4	2.5kg/㎥			
	Cr^{3+}	소량			

(1) Cu도금

구리도금은 1가, 2가의 어느 것이나 석출시킬 수 있다. 1가이온은 주로 시안
화구리 도금액으로부터, 2가이온은 황산구리, 붕소플루오르구리, 피로인산구
리, 술파민산구리 등의 도금으로부터 석출한다. 2가이온은 1Ah에 1.186g, 1
가이온은 2.372g의 구리를 석출시킨다. 또 구리도금을 산성과 알칼리도금액
으로 분류하면 산성은 황산구리, 붕소플루오르화구리(붕불화구리), 술파민산
구리 도금액이며, 알칼리성은 시안화구리, 피로인산구리 도금액이다.

전에는 니켈→황산구리→니켈→크롬의 공정이 행하여졌으나, 황산구리는 균
일 전착성이 적고, 철강에 직접 도금이 곤란하므로 시안화구리도금→니켈→
크롬의 공정으로 도금을 하고 황산구리는 전주(電鑄)에만 한정되었다. 그러
나, 근년에는 황산구리도 광택제에 의한 완전 광택이 가능하게 되면서 니켈
→크롬으로, 또는 평활성이 극히 크고, 완전 광택도금이 가능하고, 폐액처리

가 간단한 시안화구리 스트라이크→피로인산구리→니켈→크롬을 행하여 중도에 버프연마없이 광택도금을 할 수 있었다.

최근에는 시안화물이 폐수처리가 엄하게 되어 이에 대한 비용이 크므로 시안폐수와 구리폐수의 필요가 없는 니켈 스트라이크→광택구리도금→니켈도금→크롬도금의 공정, 또는 니켈 스트라이크→반광택 니켈도금→광택 니켈도금→크롬 또는 니켈 스트라이크→반광택 니켈→광택 니켈→시일 또는 듈 또는 PNS니켈도금→크롬 순으로 내식성이 대단히 좋고, 두께도 전체적으로 감소시킬 수 있는 방법이 많이 사용하게 되었다. 또, KS에서 구리도금의 두께는 고려의 대상에서 제외되었으므로 구리도금의 중요성은 점차 적어졌다. 붕소플루오르화구리는 고속도 도금 등의 전주분야에서 많이 이용되고 있다.

(a) 황산구리도금

　(가) 황산구리도금액의 조성

황산구리($CuSO_4 \cdot 5H_2O$) 150～250g/ℓ, 황산(H_2SO_4) 45～80g/ℓ

비중(25℃) 19～24°Bé(보오메)

이와 같이 넓은 범위에 있으므로 관리는 용이하다. 농도의 증가에 따라 액의 전도도가 증가하여 고전류밀도로 도금할 수 있다. 동시에 도금상태도 개선되지만, 황산구리의 농도가 60g/ℓ이하로 되면 음극능률이 감소하고 타며 연마하기 힘든 도금이 된다. 황산구리의 농도는 황산의 농도에 좌우되며, 황산농도가 증가함에 따라 용해도가 감소한다. 이 관계를 표 5.7에 나타냈다.

표 5.7 25℃에서의 황산과 공존에 의한 황산구리용해도의 변화

공존하는 황산량	황산구리 용해도	공존하는 황산량	황산구리 용해도
0 g/ℓ	352g/ℓ	98.1g/ℓ	267g/ℓ
24.5	326	122.6	250
49.5	304	147.1	230
73.0	285	171.6	212

전주(Electorforming)나 전해 타이핑(Electrotyping)은 다음 조성을 사용한다.

황산구리 240g/ℓ   황산 60~75g/ℓ

황산구리 248g/ℓ   티오요소[(NH₂)CS] 0.0075g/ℓ

황   산 11.2g/ℓ   습윤제 0.2g/ℓ

티오요소는 도금층이 경해지는 결점이 있다.
완전한 광택과 연한 도금을 얻으려면 다음과 같은 조성과 조건으로 도금하면 된다.

황산구리 200~240g/ℓ   양극의 면적비 양극 : 음극 = 2 : 1 이상

황   산 45~66g/ℓ   음극 전류효율 100%

염 소 분 0.008~0.015%

유기광택제 2~10㎖/ℓ(용량)   온도 18~30℃

음극전류밀도 2~8A/dm²   공기교반

양극 함인동(0.01~0.05%P)   연속여과

이 광택 도금법은 심한 공기교반을 할수록 광택과 평활성이 크고, 균일 전착성이 크다. 전기동판을 양극으로 사용하면 도금을 할 때 미세한 구리의 분말이 떨어져서 이것이 음극에 부착하여 거친 도금을 만들어 준다. 특히, 광택을 요구할 때는 공기 교반을 해야 하므로 한층 이 구리 분말의 생성을 방지해 주어야 한다. 양극에 인이 들어가 있는 것을 사용하면 광택도 좋아지고, 이러한 구리 분말의 생성이 급격히 감소된다. 따라서, 광택도금에는 특히 함인동판에 강산에 적합한 양극 주머니를 씌우고 연속 여과를 해 주어야 한다.

(나) 도금액 성분의 역할

① **황산구리** : 황산구리는 도금에 필요한 구리이온(Cu^{2+})을 공급해 준다. 도금액 중에 구리의 농도가 크면 높은 전류밀도로서 작업을 할 수 있으면 도금은 연해진다. 보통 한번 작성한 도금의 황산구리 함유량은 증가하는 경향이 있으므로 계속 공급할 필요는 없다.

황산구리의 농도가 240g/ℓ 이상이 되면, 25℃에서 탱크의 벽이나 양극이 황산구리를 결정한다. 또한, 온도가 낮아지면 한층 더 낮은 농도에서도 결정한다. 일단 농도가 커진 황산구리액은 묽게 하거나 양극 면적을 적게 해서 황산구리의 농도를 낮출 수 있다. 또, 황산구리가 양극면에 결정하면 양극 부동태가 생길 우려가 있다.

② **황산** : 황산의 주요 역할은 도금액의 전도도를 향상시킴으로써 희망하는 전류밀도를 낮은 전압에서 얻고자 하는데 있고, 보통 45~65g/ℓ이 필요하다. 따라서, 이 농도보다 낮으면 도금액의 전기 전도도가 감소하여 온도를 올려야 소정의 전압에서 사용할 수 있다. 황산의 농도가 이것보다 높으면 균일 전착성이 감소되고, 광택도금에서 특히 고전류밀도부분은 광택이 나지 않는다.

③ **염소이온** : 염산분이 용량으로 0.008~0.015%의 범위가 필요하며, 이것이 이 범위에 있으며 평활한 도금이 되고, 불순물에 대한 허용값이 커진다. 이것보다 낮을 때에는 모서리부분이나 고전류밀도가 검게 도금이 되고, 평활성과 광택이 적어지면 침상입자의 도금이 되기 쉽고 광택제의 효과가 없다. 이것보다 높으면 광택제의 소모가 많아지고 광택범위가 작아져서 굳은 도금이 되기 쉽다. 염소분은 수돗물에 들어가게 되므로, 위의 부족 현상이 생기지 않는 한 보충하지 않아도 된다.

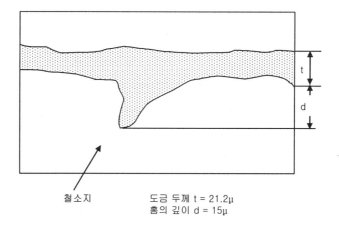

철소지　　　도금 두께 t = 21.2μ
　　　　　　홈의 깊이 d = 15μ

그림 5.2 황산구리 광택도금의 평활도 작용

④ **첨가제**(광택제) : 도금된 금속의 광택, 결절의 미세화, 면의 평활화, 전류밀도의 증가를 도모하기 위해서 여러 가지 첨가제가 그 용도에 따라 가해지고 있다. 황산구리는 광택제를 첨가함으로써 평활도(Leveling)가 대단히 큰 도금을 할 수 있으며, 현재까지의 어떠한 광택도금보다도 황산구리도금의 평활도가 크다. 그림 5.2에 광택제를 첨가하였을 때 평활도의 효과를 나타냈다.

(다) 불순물의 영향

다른 도금액에 비해 불순물에 대하여 둔하다. 그런, 비소, 안티몬은 취약한 도금이 된다. 니켈과 철은 가장 들어가기 쉬운 불순물이며, 도금액의 전도도를 감소시키고, 이 양이 많아지면 거칠고 연마하기 힘든 도금이 된다. 또한, 광택제, 라이닝제 등 분해 생성물은 도금을 취약하게 하는 원인이 되므로 활성탄처리로 제거해 준다.

(라) 황산구리도금의 전처리와 후처리

철이나 아연소지를 직접 액중에 넣으면 치환에 의해서 구리가 석출하며, 밀착성이 좋지 않은 도금이 된다. 따라서, 전처리 후에 시안화구리 15～30g/ℓ의 스트라이크액이나 니켈 스트라이크액을 사용하여 스트라이크도금을 한다. 시안화구리 스트라이크를 했을 때는 수세를 완전히 하고, 산으로 중화하여 알칼리분을 충분히 제거한다. 그렇지 않으면 밀착 불량이 생길 수 있다.

(a) 시안화구리도금

(가) 액조성

시안화구리 도금액의 액조성은 표 5.8과 같다.

① **구리 스트라이크** : 구리 스트라이크(Strike)는 전해탈지를 겸해서 스크라이크를 하는 수가 있다. 스크라이크는 30초 정도가 좋고, 특히 1분 이상 스트라이크를 하고 싶을 때는 로셀염을 가하는 것이 좋다. 이 때 유리시안화소다가 감소하는 경향이 있으므로 주의해야 하며, 이것의 감소는 밀착의 불량을 초래한다. 이 스크라이크욕에서도 아연 다이캐스팅 같은 것에 할 때는 소다욕보다는 칼륨욕을 사용하는 편이 좋고, 이 때는 유리시안화칼륨을 15～30g/

ℓ으로 하든가 적절한 첨가제(광택제 등)을 넣으면 도금된 면이 곱
게 되고 탄산분이 증가하는 것이 감소되면, 양극의 용해를 도와주
게 된다. 또한, 알루미늄 위에 스트라이크를 할 때는 가성소다(수
산화나트륨)이나 가성칼륨(수산화칼륨)을 넣지 않도록 한다.

표 5.8 시안화구리 도금액의 액조성

	스트라이크 (저농도)액	중농도	고농도	배럴액	로셸염액
시안화구리(CuCN)	15~30g/ℓ	65~75g/ℓ	90~120g/ℓ	50g/ℓ	75g/ℓ
시안화소다(NCN)	20~45	70~85	100~135	70	98
유리 시안화소다	15이상	5~10	5~10	15~25	10~15
시안화칼륨(KCN)	–	(91~97.5)	(130~175)	–	(117)
가성소다(NaOH)	0~7	10~40	25	–	30
가성칼륨(KOH)	–	(10~40)	(25)	8~15	(30)
로셸염	–	30~60	–	60	30~60
pH	11.5	12.4	12.4~12.6	–	12.4~12.8
온도(℃)	45~60	60~70	75~85	50~60	60~70
전류밀도(A/dm²)	–	2~4	2~11	–	3~6
교반	음극	음극, 공기	음극, 공기	–	음극
음극효율(%)	30~60	80~100	90~100	–	100
여과	연속	연속	연속	연속	연속
전압	4~6V	<6	<6	6~12	<6

② **중농도와 고농도(고속도)도금액** : 양극 전류밀도는 1.6~2.1A/dm²
의 범위에서는 양호한 도금을 얻을 수 있으나, 3.2A/dm² 이상이
되면양극은 불용성박막이 생겨 양극 용해가 잘 되지 않는다. 또,
0.2~0.3A/dm²와 같은 전류밀도에서는 도금면이 조잡하게 된다.
도금액을 순환 또는 교반하면 전류밀도를 높일 수 있다. 교반의 조
건은 366cm/min이며, 액의 순환이 충분하면 30~60cm/min이라도
좋다. 일반적으로 공기 교반을 사용하고 있다. 이 중 고속도금액은
120g/ℓ의 시안화구리가 들어 있는 제일 높은 농도의 액을 말하며,
고전류밀도로 도금하게 되기 때문에 대개 피트가 생기므로 광택제
나 양성이온형계면활성제를 넣는다. 또, 이 액의 농도가 높아서 묻

어 나오는 손실이 크기 때문에 칼륨욕으로 하여 금속이온의 양을 반으로 줄이며, 고전류밀도로 도금을 하는 방법도 있다.

(나) 각 성분의 역할

① **시안화소다 및 시안화칼륨** : 시안화구리에 시안화소다를 가하면

$$CuCN + 2NaCN \rightarrow Na_2Cu(CN)_3$$

로서 시안화구리소다가 되며, 이것을 만드는데 소요된 나머지의 시안화소다분을 유리 시안화소다라고 한다. 이 유리시안화물의 양이 도금에 중요한 역할을 하면, 분석을 하면 전체 시안화소다분이 아니고, 유리시안화소다분만이 측정되어 나온다. 액 중에서 시안화구리소다는

$$Na_2Cu(CN)_3 \rightleftarrows 2Na^+ + Cu(CN)^{2-}_3 \quad - 1차 전리$$
$$Cu(CN)^{2-}_3 \rightleftarrows Cu^+ + 2CN^- \quad\quad - 2차 전리$$

와 같이 전리해 가면서 구리이온을 공급한다. 시안화소다 대신에 시안화칼륨을 사용하면 같은 전착상태로서 전류밀도를 높일 수 있고, 특히 30g/ℓ 이상의 이온(CuCN으로서는 42g/ℓ 이상)에서는 이것의 효과가 크다.

② **가성소다 및 가성칼륨** : 가성소다(NaOH)나 가성칼륨(KOH)은 pH조절에 사용된다. pH는 도금의 광택을 좌우하며, 또한 전도도를 좋게 한고 균일 전착성을 향상시킨다. 여기서도 소다보다 칼륨이 좋다는 것은 위의 시안화소다보다 시안화칼륨이 좋은 것과 마찬가지다.

③ **탄산소다** : 탄산소다도 30g/ℓ까지 낳을 때가 있고, 넣지 않더라도 도금액 중의 가성소다나 시안화소다 등이 공기 중의 CO_2와 반응해서 증가한다. 이것의 역할은 액의 전도도를 좋게 하며, 균일 전착성을 높이고, pH관리를 용이하게 해주며, 철의 부식용해를 방지한다. 농도는 60g/ℓ이 한도이며, 이 이상이 되면 양극의 용해를 방해하여 능률을 저하시킨다.

④ **로셸염** : 로셸염(주석산칼륨소다 ; $KNaC_4H_4O_6 \cdot 4H_2O$)은 유리 시

안화소다의 양극용해를 보조해 주며, 전류밀도를 크게 할 수 있
으므로 두꺼운 도금이 가능하며, 광택을 좋게 하여 준다. 특히,
광택 시안화구리도금에는 양극용해를 위해서 가하고 있다.

⑤ **첨가제** : 광택제의 첨가는 전류밀도의 향상과 평활하고 광택이
좋은 도금을 얻기 위해서 사용되고 있다. 티오황산소다, 탄산염,
아셀렌산소다, 로당칼륨, 아연, 탄산납 또는 시판되는 유기 광택
제가 있다.

⑥ **금속 불순물의 영향** : 표 5.9에 보는 바와 같다.

표 5.9 시안화구리도금에 미치는 불순물의 영향

불순물	영　　　향	제　거　방　법
6가 크롬 (Cr VI)	0.01g/ℓ이 되면 무광택, 조잡, 균일 전착성 불량, 밀착 불량, 능률 저하	1) 공전해(전해 환원) 2) 차아황산소다($Na_2S_2O_4$)로 3가 　크롬으로 환원
납(Pb)	0.03g/ℓ 이하는 광택제로 된다. 많아지면 피트가 생기고 굳고 조 잡한 도금, 분극이 생긴다.	1) 약전해(65℃, 0.2A/dm²) 2) 유리 시안화나트륨 13g/ℓ으로 　해서 Na_2S(황화소다)를 첨가 　침전시킨다.
아 연(Zn) 카드뮴(Cd)	0.02g/ℓ 이하는 광택제가 되나 그 이상이면 음극전류의 능률저 하, 저전류밀도 부에 황동석출 등이 생긴다.	위와 같음
철(Fe)	조잡한 도금	침전 상태일 때는 완전, 여과, 냉 각, 결정 제거(황철염으로 된다.)
니켈(Ni)	위와 같음 0.02g/ℓ에 광택소실	전해 제거
유기물	피트 얼룩이 모양, 탄다(Burning), 물리적 성질 결함	활성탄 처리
황산기 $(SO_4)^{2-}$	0~100g/ℓ에서는 영향이 거의 없다. 그러나 광택 시안화구리에 서는 피트, 줄이 생김	5℃ 이하로 냉각, 수산화칼슘, 수산화바륨으로 황산칼슘 또는 황산바륨을 만들어서 제거

⑦ **유기불순물의 영향** : 시안화구리 도금액은 유기 불순물에 상당히 민감하기 때문에 정기적으로 활성탄처리를 해야 한다.만일, 항상 여과포에 활성탄을 넣어 연속 여과를 해 주게 되면, 광택이 좋고, 연한 도금이 되며, 평활성이 좋은 도금면을 얻을 수 있다. 따라서, 시안화도금액에 적합한 유기광택제나 계면활성제를 넣어 주면, 유기 불순물에 둔한 도금액이 되어서 계속적인 활성탄처리를 하지 않아도 된다.

(다) 광택도금법

① **타이머(Timer)에 의한 방법**(불완전정류 및 직류, 교류교대법) : 광택 시안화구리 도금법은 평활전류를 흘리는 것보다는 주기적으로 타이머에 의해서 전류를 중단하고, 그 사이에 다른 종류의 전류를 흘리거나 도금을 중단하던가 함으로써 광택을 주며 광택 전류밀도 범위를 넓힐 수 있다. 즉, 중단을 하는 동안 제품을 양극으로 교체하는 방법을 PR(Periodic Reverse)법이라 하 며, 중단하는 동안 교류를 넣는 방법을 교직류병용법, 전류를 전혀 흘리지 않는 방법을 단적법이라고 한다. 중단은 대략 도금시간의 1/3초로 하면 5초로 하고 있다. 즉, 타이머를 사용하여 10초간 도금하면 중단은 3초, 15초로 하면 5초로 하고 있다. 또한, 금속 정류기의 결선을 달리함으로써 극히 단시간 역방 향으로 전류를 넣거나 절단하거나 완전히 정류되지 않은 전류를 흘리는 방법을 불완전정류법이라고 한다.액의 관리를 잘 하면서 이 방법을 적용하면 조작도 용이하며 광택도 향상된다.

② **음극진동에 의한 방법** : 예를 들어, 셀렌계 화합물을 광택제로 해서 첨가했을 경우, 실제 또는 실험에 있어서 정지 상태보다 음극을 진동하거나 공기로 교반하는 편이 좋은 광택을 얻을 수 있다. 음극 진동에 의해서 광택의 균일성, 균일전착성이 양호하게 된다. 헐셀(Hull Cell)시험에 의한 결과를 보면 다음과 같다. 즉, 광택 전류밀도 범위는 음극이동속도의 증가에 따라 고전류밀도부로 이동한다. 이 속도와 전류밀도와의 관계는 상대적인 비율이 있다. 즉,

이동속도	음극 전류밀도
1m/min	$2A/dm^2$
2m/min	$3 \sim 4A/dm^2$

에서 광택면을 얻을 수 있다. 실제로는 1~3m/min에서 3~4A/dm²가 제일 좋은 조건이다.

③ **첨가제(광택제)에 의한 방법** : 아셀렌산이나 아셀렌산소다는 0.5~1.0g/ℓ, 아비산(亞砒酸)소다이면 0.5g/ℓ, 로당칼륨은 5g/ℓ, 탄산납이면 0.01~0.03g/ℓ, 또한 아연 0.4~0.7g/ℓ+로당칼륨 5~15g/ℓ 또는 살리실산 10g/ℓ+구연산칼륨 5g/ℓ+로당칼륨 10g/ℓ을 넣는 방법이 있고, 시판하는 유기 광택제가 있다. 이들은 전류파형의 변화를 병용하면 더 좋은 광택과 평활성을 얻을 수 있다.

④ **온도의 영향** : 온도는 높을수록 광택 전류밀도가 높고, 그 범위도 넓다. 그러나, 이 정도는 칼륨액과 소다액에서 각각 다르며, 같은 농도로 했을 경우는 칼륨액이 온도에 대해서 둔하므로 작업은 용이하다. 온도는 광택에 가장 심한 영향을 주게 되며, 70℃ 이상이면 좋으나 65℃ 이하에서는 얼룩이 없는 완전한 광택을 바라는 것은 불가능하다.

(c) 피로인산구리도금

(가) 성질

외국에서 많이 사용하고 있는 도금으로서, 공해 방지법에 의한 폐수처리에 시안화구리도금이 귀찮은데 비하여 이것은 무해의 알칼리성 도금액이다. 그러나, 하나의 결점은 철강이나 아연 다이캐스팅 소지에 밀착이 좋은 도금을 하고자 할 때는 시안화구리 스트라이크나 니켈의 스트라이크를 여전히 해야 한다는 점이다. 또한, 시안분이 피로인산구리 도금액에 들어가면 해롭기 때문에 수세를 철저히 할 필요가 있다. 이러한 결점이 있는 반면, 이 도금의 특징은 극히 좋은 평활성이 얻어진다는 점과 연한 도금이 된다는 점이다.

(나) 조성 및 조건

광택 피로인산구리 도금욕의 조성을 보면 다음과 같다.

피로인산구리($Cu_2P_4O_7 \cdot 3H_2O$)		$80 \sim 94g/\ell$	
피로인산칼륨($K_4P_2O_7$)		$290 \sim 337g/\ell$	
암모니아수(비중 0.9)		$3 \sim 4.6m\ell/\ell$	
폴리인산 pH조정용($3m\ell/\ell$)			
광택제		약간($1 \sim 4m\ell/\ell$)	
pH 전기식	$8.2 \sim 8.9$	P_2O_7/Cu비	$7.0 \sim 8.0$
온도(℃)	$43 \sim 60$	전류밀도	$1 \sim 7.5A/dm^2$
탱크전압	$2 \sim 5V$	양극:음극 면적	$1:1 \sim 2:1$
교반	음극 이동 또는 공기		
여과	필요에 따라 단속 또는 연속		

(다) 관리

광택제를 사용하면 교직류병용법은 필요가 없고, 직류만으로 가능하며, 관리가 대단히 용이하다. 더욱이 부착 도금이 생기지 않고 양극주머니도 필요 없으나 상시 여과는 필요하다. 활성탄 처리 후에 이것을 완전히 제거하지 않으면 조잡한 도금이 된다. 불순물에는 대단히 둔하며, 아연, 니켈은 몇 g/ℓ이 있어도 상관없으며, 크롬의 혼입은 피해야 한다. 납, 시안화물도 유해하다. 관리에 있어서 각 성분의 농도보다도 P비(P_2O_7/Cu)가 중요하며, P비가 높으면 균일 전착성이 좋고 광택범위가 저전류밀도부로 이동하며, P비가 낮을 때는 균일 전착성이 다소 감소하고, 고전류밀도부에 광이 생긴다. 암모니아는 증발에 의해 없어지므로 매일 소량의 암모니아수(매일 $0.5 \sim 1m\ell/\ell$)를 첨가한다.

(d) 붕소플루오르화구리(硼弗化銅)도금

황산구리도금에서는 보통 $5A/dm^2$ 정도로 밖에 전류밀도를 사용할 수 없으나, 붕소플루오르화구리 도금에서는 $30 \sim 40A/dm^2$까지도 사용할 수 있으므로 고속도 도금에 적합하다. 철선 및 활자의 자모의 제조, 롤의 전주(두꺼운 도금), 프린트 배선용 동박의 제조 등에 사용되고 있다. 그러나, 액의 값이 다른 구리 도금액보다 비싸고, 액의 부식이 강하므로 도금장치를 부식시키기 쉽고, 황산동 도금과 같은 높은 광택과 평활성을 얻을 수 있는 광택제가 개발되어 있지 않으므로 다른 구리도금보다 용도가 적다. 액조성 및 작업조건은 표 5.10와 같다.

표 5.10 붕소플루오르화구리 도금의 액조성 및 작업 조건

조성 및 조건	저농도액	고농도액	바렐액
붕소플루오르화구리 (Cu(BF$_4$)$_2$)	225g/ℓ	450g/ℓ	340g/ℓ
붕소플루오르산 (HBF$_4$)	소요 pH까지	소요 pH까지	소요 pH까지
pH(전기적)	0.8~1.4	0.3~0.6	0.5~0.7
온도(℃)	25~75	25~75	25~50
비중(Bé)	21~22	37.5~39	29~31
음극전류밀도(A/dm^2)	7.5~12.5	12.5~40(20)	–
극간전압(V)	3~5	4~12	4~12
교반	필요 없음(단 실시하면 고전류밀도의 사용이 가능)		
음극 대 양극	1:1		
양극	고순도, 무산소구리, 전기동(함인동은 좋지 않음)		

액 조성은 위와 같으나, 붕소플루오르산은 액의 pH조성을 위해서 첨가되며, pH가 이 범위보다 높으면 도금속도가 느리고, 검은 색의 도금이 되기 쉽다. 붕소플루오르화구리는 45wt% 농축액으로 공급되며, Cu(BF$_4$)$_2$로서 693g/ℓ(구리로서 186g/ℓ), 붕소플루오르산 HBF$_4$로서 10.8g/ℓ, 붕산(유리) H$_3$BO$_3$ 15g/ℓ의 성분을 가지고 있고, 비중은 1.54이며, 색은 검은 청색이다. 또한 공급되는 붕소플루오르산은 무색으로 비중 1.37, 농도 671g/ℓ이며, 중량으로 49%액이며, 붕소(유리)는 6.9g/ℓ이 들어있고, 유리플루오르산분(HF)은 없다. 탱크의 라이닝은 경질고무나 비닐을 사용한다. 열교환기나 냉각 파이프는 흑연을 사용한다. 철이나 아연소지에 붕소플루오르화구리 도금을 할 때는 역시 시안화구리 스트라이크나 니켈 도금 후에 해야

하는 불편이 있다. 액의 색은 진한 청색이 보통인데, 액이 오염되면 녹색이 되므로 이 때는 활성탄처리를 하여 오염된 것을 흡착해서 제거한다. 첨가제는 당밀(糖蜜) 등을 1g/ℓ내외 첨가하는 경우가 있는데, 이 때는 도금층이 강해지나 균일 전착성이 좋다. 또한, 황산구리 도금 광택제의 일부를 사용할 수 있으나, 일반적으로는 광택제 없이 도금하고 있다.

(2) 니켈도금

니켈도금은 철강 및 구리합금 등에 직접 도금을 하는 방식과 장식의 목적으로 사용하는 외에 각종 소지 금속에 최종 크롬도금을 하는 하지도금으로서 널리 사용되고 있다. 니켈도금은 색이 좋고, 비교적 변색도 적으며, 경도가 적당하여 기계적 방청력도 크므로 널리 사용되며, 현재의 도금 종류 중에서 가장 많이 사용되고 있다. 특히, 근래에 광택도금 이외에도 내식성이 큰 이중, 삼중 니켈도금 방법이 있으므로 도금 중에서 가장 중추적인 역할을 하며, 따라서 현대 도금 기술의 초점이 되고 있다. 니켈 도금을 대별하면 크게 다음 세 종류로 분류할 수 있다.

① 무광택 니켈도금
② 광택 니켈도금
③ 특수 니켈도금

(a) 니켈도금액의 기본성분

(가) 니켈염

보통 황산니켈과 염화니켈이 되며, 특별한 경우에는 술파민산니켈, 붕소플루오르화니켈 등이 사용될 때도 있다. 광택 도금용에는 높은 순도의 것이 요구되고 있다.

(나) 염화물

도금액 중에 염화물이 없으면 양극의 용해가 순조롭지 못하다. 염화물로서 무광택 도금액에는 염화암모늄이 주로 사용되었으나, 광택 도금에는 염화니켈을 사용하고 있다. 염화암모늄은 pH의 완충제로서의 역할도 하며, 염화니켈은 니켈이온의 보급원도 되어 고순도 도금

을 가능하게 해준다. 염화물의 불순물에 대한 한게는 황산니켈과 같
은 정도이다.

(다) pH완충제

니켈도금액은 pH 3.0~6.2의 범위에서 작업하지만, 무광택에서는 높
은 pH(6.2), 광택 니켈은 대체적으로 낮은 쪽(3.0)이지만, 일반적으
로 4.5내외를 가장 많이 사용하고 있다. 이 pH범위를 유지하려면
pH의 변동을 완화시키는 완충제가 필요하며, 이 목적에는 주로 붕산
이 사용되고 있다. 붕산의 양이 모자라면 pH의 변동이 심해진다. 또
한 광택 니켈도금에서는 붕산은 광택범위를 확대하고 도금면을 평활
하게 하며 내부응력을 작게 한다. 붕산의 부족으로 저전류밀도부가
까맣게 타는 현상을 때때로 볼 수 있다. 붕산은 니켈 도금액 중에서
H^+이 없어지면 다음과 같은 →방향의 해리로 H^+을 보충해 주며, H^+
이 많아지면(산이 많아지면) ←방향으로 결합하여 H^+을 감소시켜 주
는 역할 즉, pH를 조절해 준다.

$$H_3BO_3 \rightleftarrows H^+ + H_2BO_3^- \rightleftarrows H^+ + HBO_3^{2-} \rightleftarrows H^+ + BO_3^{3-}$$

(b) 무광택 니켈도금액

(가) 보통 욕의 조성

옛날에는 무광택에는 황상니켈암모늄욕을 사용해 왔으나, 그 후 황
산니켈-염화암모늄-붕산욕이 널리 사용되어 왔다. 와트욕이라 불리
는 황산니켈-염화니켈-붕산욕은 광택 니켈도금액의 기본액으로 사
용되고 있으나 첨가제, 광택제 등이 없어도 저 pH에서 고속도욕으로
서 사용되고 있다.

현재는 무광택 도금은 특수한 경우 이외에는 능률이 낮으며, 무광택
이므로 거의 사용되지 않고 있다.

황산 니켈	150~200g/ℓ	pH	5.6~6.2
염화암모늄	15g/ℓ	음극전류밀도	0.5~1A/dm²
붕 산	15g/ℓ	온 도	20~35℃

pH가 높을 때는 밀착이 나쁘고, 수산화니켈의 침전이 생겨 부착도금이 되기 쉽다. 또, pH가 낮으면 피트가 생기고, 균일 전착성이 나쁘다. 음극 전류밀도는 최대 $1.0A/dm^2$이며, 보통 $0.7\sim0.8A/dm^2$이다. 전류밀도의 과소는 균일 전착성이 나쁘고, 전착속도가 느리다. 전류밀도가 너무 높으면 밀착불량, 줄, 피트가 발생하고, 거친 도금이 되는 등의 결함이 생긴다. 액온은 $20\sim35℃$이며, 겨울철에는 가열해야한다. 액온이 낮으면 액의 전기저항이 커서 전류가 흐르기 힘들고밀착불량, 거친 도금의 원인이 된다.

(나) 와트(Watts)욕의 조성

황산 니켈	$150\sim200g/ℓ$	pH	$5.6\sim6.2$
염화암모늄	$15g/ℓ$	음극전류밀도	$0.5\sim1A/dm^2$
붕 산	$15g/ℓ$	온 도	$20\sim35℃$

(다) 도금조건 및 도금액 관리

와트욕은 우리나라에서 광택 니켈도금의 기본액으로 많이 사용되고있으나, 고속도로서 내부응력이 작은(강하지 않은)액으로서 무광택에도 이용되고 있다. pH의 조정용으로 황산과염산은 pH를 저하시킬경우에, 탄산니켈, 수산화니켈이나 4%의 가성소다액은 pH를 높일경우에 사용한다. pH $4.5\sim5.2$일 때 가장 많이 사용되고 있으나, 고전류밀도로서 밀착이 좋고, 내부응력이 작은 도금을 얻으려면 pH $1.8\sim3.5$(저 pH와트욕이라 함)가 좋다. 전류밀도가 보통 $2\sim6A/dm^2$이다. 특히, $10A/dm^2$까지의 고속도 도금을 하고자 할 때는 온도를높이고 동시에 황산니켈의 양을 $400g/ℓ$까지 증가시키면 된다. 온도는 $40\sim60℃$이지만, $45℃$가 표준이며, 전류밀도를 높이고자 할 때는 고온으로 한다.

(c) 광택 니켈도금

광택 도금의 잇점은 버프연마가 생략되고 버프에 의한 니켈 도금층의 연마손실이 없게 되고, 버프로써 광택을 낼 수 없는 구석구석에 광택이 생길 수 있으며, 버프로 인한 불량품이 감소되고 고속도 도금과 액관리가 용이한 점 등 광택제의 성능에 따라 장점이 많아지게 된다. 또한, 우수한 광택제는 버프 연마면 이상으로 광택이 생기는 특징이 있어서 황동소지 등에도 광택 니켈을 도금하고 다시 황동도금을 하여 이 표면의 광택을 향상시킨 예도 있다.

표 5.11 광택 니켈도금액 조성과 작업 조건

도금액 조성	일반법	다이아 브라이트법 (上村工業)	소디악 220법 (HARSHAW)	나이졸80법 (CANNING)	유딜라이트법 (#66)	슈퍼륨 II법 (M&T)
황산니켈(g/ℓ)	260	280	340	225~300	300	300
염화니켈(g/ℓ)	45	45	60	50~60	45~90	52
붕산(g/ℓ)	45	40	45	35~40	40~50	45
광택제1 (mℓ/ℓ)	1,3,6 또는 1.5나프탈렌, 술폰산소다 7g/ℓ	G-1 10	ZD-A 7.5	80(1) 10	#63 10 #61 5	Green Label-II (SL-21 30) 20~40
광택제2 (mℓ/ℓ)	부텐디올 0.2g/ℓ 프로파길알콜 0.03mℓ/ℓ	G-2 2~3	ZD-100 40 ZD-220 0.75	80(M) - 보충용	#63J(아연다이 키스트시 63대 신)	SA-1 10~20 MSL-II, 2 (SL-22)
피트방지제 (mℓ/ℓ)			NP-A 필요량	웨터 0.3	#62 3~5	Y-17 1.5
온도(℃)	40~55	45~70 (55)	50~70	55~65	55~70	50~65
전류밀도 (A/dm²)	2~6	1~15(4)	4.3~6.5	4.0~6.5	1~12	1~12
pH	4.0~4.8	4.0~4.6	3.5~4.5	4.0~4.8	3.5~4.5	3.5~5.0
교반	공기, 기계	공기, 기계	공기, 기계		공기	공기
여과	연속	연속	연속	연속	활성탄연속	연속
도금속도	4A/dm²로서 13분에 10μ					

(가) 조성

우리나라에서 사용되고 있는 광택 도금액은 와트형 고속도액에 여러 가지 광택제를 가한 것인데 표 5.11에 각 도금액을 나타냈다. 광택제의 우수성은 단시간의 광택과 평활성(홈을 메우는 힘)이 크고, 불순물에 둔하고, 전류밀도의 범위가 높으며, 각 부분에 완전 광택이 생기고, 관리가 용이하여 과량에도 도금에 지장을 주지 않는 것에 있다.

(나) 니켈 광택제

대개의 니켈 도금액에서는 두 가지 종류의 유기광택제를 첨가한다. 첫 번째 종류를 제1차 광택제라 하며, 이 자체는 광택을 주지 못하지만, 다음의 2차 광택제의 광택범위를 넓혀 주며, 광택도금의 결점인 내부 응력의 증가를 감소시키는 역할을 한다. 제2차 광택제는 도금면을 유리알같이 좋은 광택을 만들어주지만, 제1차 광택제가 없을 때에는 도금층이 취약하고, 강(내부응력이 크다)하다. 따라서 두 개의 광택제가 서로 상승작용을 해서 좋은 도금층의 성질을 주도록 하고 있다.

① **제1차 광택제** : $-C-SO_2-$의 화학식을 가진 것을 말하며, 1,5- 또는 1,3,6- 나프탈렌, 술폰산소오다(DNS), 사카린, 술폰아미드, G-1, 그리인라 벨-II, SL-21, #63등이 이에 속한다.

② **제2차 광택제** : 젤라틴, 부텐디올(2부텐-1, 4-디올), 쿠마린, 포르말린 및 G-2, MSL-II, SL-22, #61등이 이에 속한다. 또한, 제1차와 제2차의 구별이 안 되고 , 양쪽의 성질을 겸한 것도 있다.

(다) 관리

① **도금액의 농도** : 물건에 묻어 나오는 양과 니켈 양극의 용해 부족 등으로 농도가 낮아지므로 매일 보오메 비중계로 측정해서 황산니켈을 보충해야 한다. 1주일에 한 번은 분석에 의해 조정한다. 니켈 농도의 감소는 광택 범위를 좁혀 주며, 평활작용이 적어지고 균일 전착성이 나빠진다.

② **염화물** : 염화물은 묻어 나오는데서 감소하며, 분석에 의해 보충한다. 염화물이 적으면 양극용해가 나쁘고, pH가 낮으면 평활작용, 유연성이 적어진다.

③ **pH완충제** : pH는 매일 pH시험지, pH Meter로 측정한다. pH가 작업 중에 높아지면 양극의 용해가 좋은 것을 의미하며, pH가 저하되면 양극의 용해가 나쁜 것을 의미한다. pH가 높으면 구름이 끼기 쉽고, 도금이 취약하게 되기 쉬우므로 붕산, 황산, 염산(염화물이 적을 때)으로 조정한다. pH가 낮으면 피트가 생기고, 평활작용이 저하되므로 탄산니켈, 4%의 가성소다로서 높인다. 주 1회는 분석해서 붕산을 보충해야 한다. 붕산은 완충제로 작용하는 이외에 광택범위를 넓히면, 전착물의 내부응력을 감소시키므로 40g/ℓ 이상이 좋다. 붕산은 과량을 넣어도 나쁜 영향은 없으나 너무 많으면 액온이 내려갔을 때 침전해서 여과기에 의해 제거 소모된다. 또한, 붕산이 부족하면 광택의 저하가 생기고 균일전착성이 나빠져서 때로는 저전류밀도 부분이 검게 타는 현상이 생길 때가 있다.

(라) 광택제 및 기타 첨가제

묻어 나오는 것, 분해, 전착, 활성탄 처리 등에 의해 소모된다. 분석이 가능한 것은 분석을 하고 분석이 힘든 것은 헐셀시험이나 도금되는 것을 관찰하면서 보충해 준다. 대체로 제2차 광택제는 분해, 전착에 의해서 소모되므로 흘린 전류량(Ah)에 의해서 규정량씩 보충해주면 된다. 또한, 활성탄처리를 했을 경우에는 활성탄의 양과 각 광택제의 성질(광택제에 따라서는 활성탄에 전혀 흡수되지 않는 것이 있고, 일부만 흡수되는 것, 또 전부 소모되는 것 등이 있다)에 따라서 보충을 해 주어야 한다. 또한 광택제가 과량으로 들어가면 광택제에 따라서 검게 나오거나 도금이 벗겨지는 현상이 있다. 이 때에는 활성탄, 과산화수소, 과망간산칼륨 등을 첨가해야 한다. 니켈도금을 현재는 높은 전류밀도로 작업하기 때문에 수소의 발생이 많아져서 피트가 생기는 경향이 많다. 따라서, 이 피트의 발생을 방지하기 위해서 계면활성제 계통인 피트 방지제를 넣게 되어 있다. 이것은 많이 넣어도 해로울 것은 없지만, 적당한 양이 있는가를 알기 위해서는 그림 5.3과 같이 지름 125㎜의 철사로 둥근 고리를 만들어 액에 담갔다가 수직으로 꺼내서 물의 막이 깨지지 않고 꺼낼 수 있을 있는 정도면 충분한 양이 있는 것으로 간주한다.

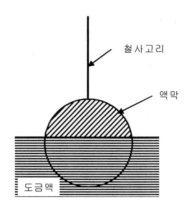

철사고리

액막

도금액

그림 5.3 피트방지제 측정용 철사고리

(마) 유기불순물

광택 니켈도금액은 우수한 광택제일수록 불순물에 대한 둔감도가 크다. 미량의 유기 불순물의 혼입은 광택, 피복력, 밀착, 내부응력 등에 영향을 준다. 또, 불순물의 허용량은 불순물의 종류에 따라 다르고, 사용하는 광택제에 따라서도 상당히 다르다. 광택제 내에는 될수 있는 한 불순물의 혼입이 없도록 부단의 주의를 해야 한다. 이러한 유기 불순물의 혼입은

① 버프 연마제
② 탈지제 내의 계면활성제
③ 콤프레서로부터 공기교반용 공기와 더불어 윤활유의 혼입
④ 기타의 방법에 의한 방청제 또는 기계유

등이 탈지, 수세 등의 부족으로 들어오게 된다. 또한, 도금액 내에서도 광택제의 분해 등으로 생긴 유기 불순물이 생겨 나오기도 한다. 이들은 철저히 활성탄 처리에 의해서 제거해야 한다.

(바) 고체부유물

공기 중 먼지, 전처리 불량, 양극이 용해할 때 생긴 찌꺼기, 수돗물 등에 의해 혼입된다. 이것들은 도금을 시험관이나 비이커에 떠서 햇

빛에 비춰 보면 부유물이 떠 있는 것을 볼 수 있다. 광택 도금액은
시험관에 떠서 볼 때 부유물이 없어야 좋은 도금이 된다.

(사) 금속불순물

액 내에 아연, 철, 납, 구리(구리와 아연은 특히 구리나 황동의 길이
및 황동제품 등이 용해되어 들어가기가 쉽다)가 있을 때는(0.5A/dm^2
(0.5V))로 전해하면 그림 5.4와 같이 니켈의 일부 전착과 동시에 흠
부(저전류 밀도부)에 구리, 돌기부(고전류 밀도부)에 아연, 그 중간에
철, 납, 니켈 등이 석출하게 된다. 만일 이들 불순물이 모두 제거되
었을 때는 흰색(니켈색)이 나오게 된다. 또한, 금속불순물 중에 구
리, 납, 철, 아연은 시판의 불순물 제거제를 사용하여 장시간의 약전
해가 필요 없고, 첨가 후 20~30분간 교반한 후 활성탄처리를 하면
불순물의 반응생성물을 제거할 수 있다.

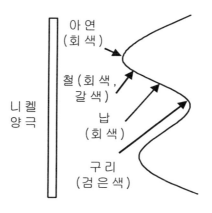

그림 5.4 파형음극에 의한 금속불순물의 제거

(아) 불순물의 허용값과 고장대책

불순물을 총괄적으로 표 5.12에 나타내어 이들 불순물의 허용량, 불
순물이 들어갔을 때에 나타나는 고장, 혼입되는 원인, 이들 불순물이
들어갔을 때의 제거방법을 수록했다.

표 5.12 니켈도금액 중의 불순물의 영향, 허용량 및 대책

불순물	허용량(g/ℓ)	고장	원인	대책
알루미늄	0.008	구름이 끼고 전류밀도가 높은 곳이 된다.	소지(알루미늄, 아연 다이캐스트)나 여과 보조제에서 혼입	pH 0.5 이상에서 방치, 여과
크롬산	0.006	피복력 불량, 음극 효율 저하	크롬액의 물방울걸이의 수세 불량	탄산납으로 제거한 후 납을 제거(약전해로서)
칼슘	-	거친 도금	브러쉬용 탄산칼슘, 짠 물, 도금약품, 탈지액, 수세불량	여과
구리	0.007	피복력 불량, 구름 낌, 걸이접촉부나 흠부가 검은 빛깔	구리 도금액 수세불량, 약품, 음양극봉 용해, 구리도금제품 낙하	0.02~0.03A/dm^{2}로 약전해로 제거, EDTA 0.1 g/ℓ의 첨가도 효과
철	0.006	피복력 불량, 구름 낌, 경하고 취약, 내부 응력큼	물, 약품, 양극판, 철제품 낙하, 철탱크 파손, 기타	pH 5.0 이상으로 하고, 공기로 산화해서 여과
납	0.008	취약	납탱크, 납관, 납으로 만든 펌프, 여과기	0.2A/dm^{2}로서 약전해로 제거
아연	0.008	피복력 불량, 구름 낌, 취약	소지(아연 다이캐스트)황동 제품의 용해, 약품	0.5A/dm^{2}로서 약전해로 제거
질산근	-	피복력 불량, 구름 낌, 취약	산세액 물방울, 약품	pH 1.0에서 0.1A/dm^{2}연속전해
과산화수소	-	피복력 불량, 구름 낌, 취약	과산화수소 사용에 의한 잔존	활성탄을 가하고 70℃에서 분해
유기물(광택제 이외의 것)	-	피복력 불량, 구름 낌, 취약	탈지 후 수세불량, 먼지 광택제 분해 생성물, 약품	활성탄 처리
과잉의 광택제 및 표면활성제	-	구름 낌, 취약	약품	활성탄 처리, 술폰산염은 과산화수소로 가열 분해한 후 과산화수소를 활성탄처리로 제거

(d) 반광택 니켈도금(2중 니켈도금)

일반적인 장식 니켈도금인 Cu-Ni-Cr의 도금 공정을 Ni-Ni-Cr으로 변경하는 방법이다. 이것은 단순히 니켈도금을 이중으로 하는 것이 아니고, 하지니켈인 A층은 대단히 좋은 평활성과 연성을 갖고 있는 황성분이 없는(Sulfur free)반광택 니켈도금을 하고, 상층인 B에는 일반 광택 평활성 니켈도금을 하여 내식성을 향상시키자는 것이 목적이다. 도금층을 그려보면 그림 5.5(a)와 같으며, 그림 (b)는 단층 니켈도금층의 부식, 그림 (c)는 2중 니켈도금층의 부식을, 그림 (d)는 3중 니켈도금층의 부식을 나타낸다. 2중 니켈도금층이 내식성을 주는 이유는 다음과 같다.

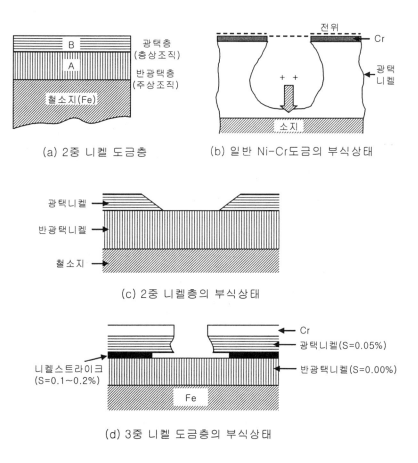

(a) 2중 니켈 도금층

(b) 일반 Ni-Cr도금의 부식상태

(c) 2중 니켈층의 부식상태

(d) 3중 니켈 도금층의 부식상태

그림 5.5 각종 니켈 도금법에 의한 부식상태

(i) 반광택 니켈(A층)은 전기 화학적으로 상층의 광택니켈(B층)보다는 귀한 전위를 가지고 있으므로, 광택 니켈에 부식이 일어나면 부식은 그림 5.5(c)와 같이 A층에서 저진된다. 이것은 철소지상의 아연도금의 방청기구(자기 희생)와 동일하다. (ii) 황을 함유하지 않은 니켈은 황이 있는 니켈보다는 화학적 용해도가 작다. 이 현상은 광택 니켈이 엷을 때는 옥외 노출시험이나 가속 부식시험에서 핀홀이 매우 많아진다는 것과 현미경 측정을 하고자 에칭을 시키면 광택 니켈층이 속히 부식된다는 것을 알 수 있다.

(가) 2중 니켈도금 방법

A층인 하지반광택 니켈도금층은 전니켈 50 ~ 75%(주로 75%), B층인 광택 니켈도금층은 50 ~ 25%(주로 25%)를 행하고 있다. 반광택 니켈도금과 광택 니켈도금 사이에는 수세 1회 또는 수세 없이 할 때가 있으며, 도금시간이 양분되므로 실제 도금 탱크 두 개가 있으면 도금액은 총광택 니켈도금액을 도금의 두께 비율로 분할한 액을 사용하면 된다는 이론이 된다. 또한 반광택제는 전혀 S분이 없는 유기물이며 시판 광택제 외에는 1.4부텐디올 0.2g/ℓ, 포르말린 1mℓ/ℓ, 쿠마린 0.1g/ℓ, 쿠마린 0.1g/ℓ+포르말린 1mℓ/ℓ, 쿠마린 0.1g/ℓ+1.4부텐디올 0.05g/ℓ을 첨가하는 방법도 있다.

(나) 3중 니켈도금 방법

3중 니켈도금법은 반광택 니켈도금층과 광택니켈도금층의 중간에 0.3 ~ 0.8μ의 엷은 니켈 스트라이크 도금을 하는 것을 말하며, 기본적인 액의 성분은 광택 니켈도금액(와트욕)과 거의 같으며, 이것을 트리(Tri)니켈이라고 한다. 이 법은 유딜라이트(Udylite)사 등에서 판매하고 있으나, 근년에는 많이 사용하고 있지 않고 있다. 이것은 그림 5.5(d)에서와 같이 S분이 광택 니켈 광택제보다 현저히 많으며, 따라서 이 층이 부식하면서 반광택 니켈층의 부식을 방지해 주고 있다.

Tri-Ni도금법의 조성 및 조건은 다음과 같다.

황산니켈	250 ~ 350g/ℓ
염화니켈	60 ~ 110g/ℓ

붕 산	30~40g/ℓ
트리라이트	10~25㎖/ℓ
pH	2~3.5
온 도	40~50℃
음극전류밀도	3~4A/dm²
여 과	활성탄을 사용할 수 없음

(e) 전주용 니켈도금(술파민산니켈도금)

미국에서는 고속도, 고광택, 저내부응력, 높은 평활성의 여러 가지 특징의 술파민산니켈 도금을 하고 있다. 우리나라에서도 레코드 제조용 모판의 전주에 고속도, 저내부응력 때문에 이 도금법을 실시하고 있다. 이 도금법을 보통 니켈도금액에서부터 전환하려면, 계속 이 액에 술파민산니켈만을 보충해 주면 되므로 현존 일반 와트욕에도 사용할 수 있어 편리하다. 전주에 사용되는 조성을 보면 다음과 같다.

술파민산 니켈	(A액)	(B액)
고체	350g/ℓ	600g/ℓ
액체(60%Ni)	450㎖/ℓ	
염화니켈	0.5g/ℓ	5g/ℓ
붕 산	30g/ℓ	40g/ℓ
라우렐 황산소다 (또는 피트 방지제 약간)	0.3g/ℓ	
pH	4.0	4.0
교 반	음극진동	음극진동
온 도	50℃	60~70℃
여 과	상시	상시
전류밀도	10A/dm²까지	40A/dm²까지

(f) 특수 니켈도금

  (가) 흑색 니켈도금

    검은 니켈은 장식구 등이 번쩍거리는 것을 막고, 은은한 감각을 주기 위해서 또는 군대용으로 빛의 반사를 방지하기 위해서 검은 색의 니켈도금을 한다. 이 방법은 두 가지가 있으며 이 중에서 염화욕이 더 좋다고 본다.

① **황산니켈욕**

황산니켈	75g/ℓ	황산니켈암모늄	45g/ℓ
황산아연결정	40g/ℓ	로당소다(NaCNS)	20g/ℓ
pH	5.6～5.9	온도	20～35℃
전류밀도	0.05～0.2A/dm²	전압	0.5～1.5V

② **염화물욕**(미국 International Nickel Co. 특허)

황산니켈	75g/ℓ	염화암모늄	30g/ℓ
염화아연	30g/ℓ	로당소다(NaCNS)	20g/ℓ
pH	5.0	온도	20～35℃
전류밀도	0.15A/dm²		

②의 경우에 밀착과 검은색의 상태가 다음 액에서의 양극-음극 전처리를 하면 한층 더 향상할 수 있다.

염화니켈	180g/ℓ	염산	85mℓ/ℓ

이들 검은색 니켈도금은 내식성이 적고, 두꺼운 도금은 타격을 받으면 부스러져 떨어지기 때문에 일반적으로 광택 니켈도금 후에 엷은 검은색 피복을 입히고 있다. 검은색 니켈의 검은색은 니켈과 아연의 합금이며, 여기에 황이 작용된 것이다. 따라서, 아연염과 로당소다, pH, 농도 및 온도로 잘 관리해야 한다.

(나) 니켈 스트라이크액

이것은 3중 니켈도금용이 아니라, 니켈도금의 밀착을 좋게 하기 위해서 하는 도금액이다. 특히, 스테인레스 위에 도금할 때 전처리로서 좋은 방법이다.

염화니켈	240g/ℓ	온도	실온

염산(비중 1.18)   120mℓ/ℓ   전류밀도   5~10A/dm^2

(다) 경질 니켈도금

황산니켈   170g/ℓ   염화암모늄   25g/ℓ

붕산   30g/ℓ   pH   5.0~6.0

온도   45~60℃   전류밀도   2.5~5A/dm^2

이 액에서 비커스경도 450 이상의 단단한 도금을 얻을 수 있다. 이
것의 용도는 크롬도금보다는 연하거나 모양이 복잡한 물건이 내식,
마모된 부분의 재생용으로 사용되고 있다.

(g) 니켈양극

(가) 전해 니켈양극

도금용으로 시판되는 니켈양극으로서 우리나라에서는 현재 전기 니켈
판뿐이지만, 외국에서는 여러 가지가 있다. 또, 형태도 판, 타원형, 동
전형, 소각괴(小角傀) 등이 있고, 동전형이나 소각괴는 티탄바스켓에
넣어서 사용하게 되어 있다. 판도 티타늄선으로 달아 놓으면 구리가
액에 혼입될 염려가 없고, 티타늄선은 전연 용해하지 않으므로 니켈판
전체를 액 속에 담가서 사용할 수 있어 니켈판도 전면적을 효과적으
로 사용할 수 있다. 약간의 코발트도 함유되어 있고, 순도는 99.98%
이상이며, 불순물로서 철분이 0.005% 이하, 구리분이 0.005% 이하,
납분 0.001% 이하, 탄소 0.004% 이하, 황은 0.001% 이하이다. 전기
니켈은 양극 용해가 좋지 않으므로 양극 전류밀도를 2A/dm^2 이하로
해야 하므로 극판을 여러 개 사용할 필요가 있다.

(나) 카보나이즈드 니켈양극

전기 니켈을 용해하고 이곳에 소량의 탄소(0.3~0.39%)와 규소(0.
3~0.35%)를 넣어서 주조하거나 다시 주조 압연한 것이다. 이 양극
은 용해가 빨라 양극 전류밀도는 5~6A/dm^{2}로 해도 좋으나, 슬라임
(Slime, 양극 흙)이 액 중에 부유하지 않도록 특히 주의해야 한다.

(다) S니켈 라운드(Round)양극

S니켈 라운드 양극은 International Nickel Co.에서 SD니켈양극(황이 함유된 소각괴)을 개량한 것으로 황이 0.02%정도 함유된 지름 25mm 정도의 큰 단추모양을 한 것이다. 이 양극은 취급하기가 편하며, 접촉이 좋고 염화물에 관계없이 용해가 잘 된다는 점 외에도 바스켓의 수명을 길게 하고, 슬라임이 적게 생기며, 황의 성분은 액 중의 구리 제거의 역할을 하는 잇점이 있다.

(2) 크롬 도금

(a) 보통 크롬도금

금속크롬은 외관이 보기 좋고, 대기 중에서 변색이 없으며, 또한 염산 이외의 산에 대해서 부식되지 않은 성질을 갖고 있으나, 전착에 의한 크롬층은 핀홀이나 균열이 생기기 쉽고 소지를 완전히 피복하기가 힘들다. 그렇게 때문에 구리, 니켈 등의 핀홀이 없는 다른 금속을 사용하고, 그 위에 극히 얇게 전착시키는 것이 보통이다. 즉, 변색방지가 주목적이다. 근래에 와서 대전류, 고온에서 행하는 경질크롬도금이 내마모성이 강하므로 기계공업 부문에도 널리 이용되고 있다. 경도는 약간 떨어지나, 균열이 없는 크롬도금, 미소균열 크롬도금, 미소다공성 크롬도금법이 발표되어 내식성이 강한 도금을 할 수 있고, 또한 무균열 위에 광택 크롬을 도금하는 등 2중 크롬도금이 최근에 실시되기 시작하여 한층 내식성이 큰 도금을 할 수 있게 되었다. 크롬도금이 다른 도금과 다른 것은 양극이 불용성인 것을 사용한다는 것이다. 크롬산-황산욕은 크롬도금액의 기본이 되는 것이며, 현재 가장 널리 사용되는 것으로 Sargent욕 또는 보통욕이라고 한다. 도금액의 조성을 보면 표 5.13와 같다.

이상과 같으나 현재는 크롬산 100g/ℓ의 저농도에서부터 500g/ℓ의 고농도까지 사용되고 있다. 최근 미국에서는 장식 크롬에 400g/ℓ전후의 고농도를, 공업용(경질)크롬에는 250g/ℓ전후의 중농도를 사용하고 있다. 이것은 장식 크롬에는 액의 변동이 적은 것을, 공업용에는 전착속도가 빠른 것을 중점으로 둔 것과 같다. 전류효율에 대해서는 그림 5.6과 같고, 조건의 효과는 표 5.14과 같다.

표 5.13 크롬산-황산욕의 조성

	저농도	표준액	고농도
무수크롬산 (g/ℓ)	150	250	400
황　　산 (g/ℓ)	0.8~1.5	1.3~2.5	2~4
(또는 황산크롬)	(1~1.8)	(1.5~3)	(2.5~5)
비중　　(Bé)	13.5	22	32
온도　　(℃)	45~55	45~55	30(45~55)
전류밀도(A/dm²)	10~80	10~80	7~100(10~80)
비　　교	경질크롬용으로 전류 효율과 피복력이 좋다.	가장 사용하기 쉬우므로 모든 크롬에 좋으며 황동을 침식한다.	액의 변동이 적고 피복력이 좋지 않으며, 광택 범위가 넓고 묻어나는 양이 많다.

표 5.14 Sargent욕의 조건과 효과(장식용 크롬도금)

조건	범위	구멍 수	균열수	광택	도금속도	균일전착성
CrO₃ 농도	170~470 g/ℓ	340g/ℓ때 최저	농도 증가와 더불어 감소	농도 증가와 더불어 감소	농도 증가와 더불어 저하	농도 증가와 더불어 저하
CrO₃ : H₂SO₄	80:1~195:1	155:1때 최저	비가 클수록 감소	비가 클수록 저하	비가 클수록 저하	비가 클수록 양호
액온	32~55℃	155:1액에서 50~55℃일 때 최저	온도가 높을수록 감소	높을수록 저하	높을수록 저하	높을수록 저하
전류 밀도	10~80 A/dm²	무관계	거의 무관계	증가와 더불어 향상	증가와 더불어 커짐	증가와 더불어 양호
도금의 두께	0.25~7.5μ	두껍게 될수록 감소	두껍게 될수록 증가	두껍게 될수록 약간 저하	-	-

온도와 전류밀도의 관계는 온도의 상승에 따라 전류밀도는 높게 한다. 일반적으로 45℃에서는 10~20A/dm², 50℃에서는 15~40 A/dm², 55℃에서는 25~60A/dm², 60℃에서는 40~100A/dm²로 작업할 수 있으며, 액의 상태나 사용목적에 따라 전류밀도를 결정한다. 그림 5.7은 온도와 전류밀도 및 광택범위를 나타낸 것이다.

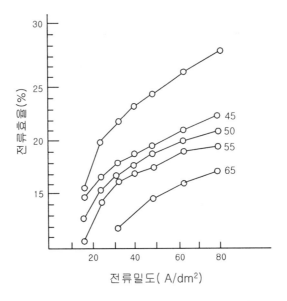

그림 5.6 Sargent욕의 전류효율

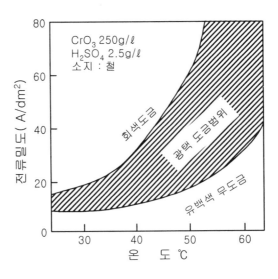

그림 5.7 온도와 전류밀도, 광택범위의 관계

(b) 플루오르(弗)화물 크롬도금액

(가) 일반 플루오르화물 크롬도금

황산대신 촉매근(觸媒根)으로서 플루오르화합물을 첨가하는 것인데, 이것은 상당히 우수한 특징을 지니고 있으며, 보통욕의 황산의 일부 또는 전부를 대치하고 있다. 전자는 장식용과 공업용 크롬에 이용되며, 후자는 배럴이나 망을 사용한 크롬도금 등에 사용되고 있다. 플루오르화물로는 플루오르화소다, 플루오르화칼륨, 플루오르화암모늄, 플루오르산, 붕소플루오르산, 규소플루오르화소다, 규소플루오르화칼륨, 붕소플루오르화크롬 등의 플루오르 화합물은 거의 사용할 수 있다. 잇점으로서는 황산과 병용할 때

① 보통욕의 잇점과 플루오르화물욕의 잇점을 동시에 얻을 수 있다.
② 광택 도금범위가 넓고 고전류밀도에 있어서도 모서리에 돌기물이 생기지 않는다.
③ 전류효율이 약간 높다(약 26%, 보통욕은 동일 조건에서 10~13%)
④ 크롬 위에 크롬을 도금하기가 용이하다.
⑤ 피복력이 크다.
⑥ 저온에서 작업할 수 있다.

그런, 반면에 결점으로서는

① 플루오르화물은 기화하기 쉬우므로 황산에 비해서 안정성이 적다.
② 전착 중 소지가 부식되기 쉽다.
③ 양극의 소모가 빠르다.
④ 액의 노화가 빠르다.

또한, 황산을 전혀 첨가하지 않은 플루오르화물 함유액은 위의 잇점 중 ①과 ②의 잇점은 없으나, 피복이 특히 우수하며 저전류밀도에서 전착이 가능하다. 그러나, 광택도는 약간 저하되는 결점이 있다.

(나) SRHS욕

SRHS는 Self Regulating High Speed를 약자로 표시한 것이며, 미

국의 M&T Chemiclas사의 전신인 United Chromium Co.의 특허법이다. 액조성은 자동적으로 조절이 되며, 전착속도가 빠른 특징이 있다. 이것은 200~500g/ℓ의 크롬산과 용해도보다 많은 황산스트론튬 및 규소플루오르화칼륨 등으로 구성되어 있다. 따라서, 본질적으로 전기의 크롬산-황산-규소플루오르화물욕에 변함이 없으나, 촉매원을 포화한도이상으로 넣어 여분은 침전해 있다가 작업에 따라 촉매가 소모되면 감량만큼 자동적으로 용해하여 보충하게 되어 있어 자동조정(Self Regulating)이라는 이름이 붙었다. 또한, 액 내에 묻어 들어오는 과잉의 황산근(黃酸根)은 공통이온의 효과가 있는 수산화크롬 또는 크롬산스트론튬, 중크롬산칼륨 또는 소다 등이 첨가되어 있어 황산이 많아지면 자동적으로 황산근이 소정의 양까지 제거되어 항상 규정의 액조성으로 유지해 줄 수 있다.

(다) 액조성

① **플루오르화암모늄욕** : 상온에서 사용할 수 있는 것으로 액조성은 다음과 같다.

무수크롬산   200~300g/ℓ   온도   상온~60℃
황산크롬   1.5~4g/ℓ   플루오르화암모늄   1~4g/ℓ

각 온도에서 광택범위나 균일 전착성이 우수하며, 플루오르화암모늄의 함유량은 위의 범위에서 적을수록 피복력이 좋다.

② **규소플루오르화물욕** : 이 도금액은 외국에서 많이 사용되고 있으나, 앞으로의 플루오르화물욕의 대표적인 것이 될 것이다.
(A)는 구미에서 주로 경질 크롬용에, (B)는 일반 도금용, (C)는 배럴 도금용에 이용되고 이다. 황산+규소플루오르산물은 일정량이어야 하기 때문에 황산이 많을 때는 규소플루오르화물을 적게 해야 한다. 이 중 크롬산 250g/ℓ, 규소플루오르화소다 5g/ℓ, 황산 1.5g/ℓ의 조성은 액은 55℃전후이어서 장식용이나 공업용에도 이용된다고 한다. 여기서, 광택을 중시하려면 황산량을 많게 하고, 피복력을 중시하려면 황산량을 감소시키고, 규소플루오르화물의 양을 증가시킨다. 그림 5.8은 (B)액의 광택범위를 나타낸 것이다.

	(A)	(B)	(C)
무 수 크 롬 산	250~400g/ℓ	250g/ℓ	350g/ℓ
황 산	0.7~2g/ℓ	0.7~1.5g/ℓ	
규소플루오르산	2~10g/ℓ	규소플루오르화소다	규소플루오르산
		5~10g/ℓ	17g/ℓ
온 도	45~55℃	45~55℃	30℃내외

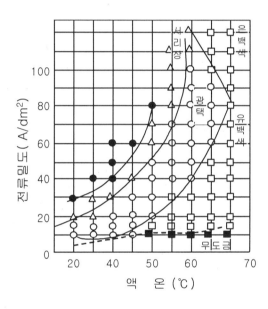

그림 5.8 규소플루오르화욕의 광택범위

③ SRHS욕 : 이들 액은 장식용 크롬, 공업용 크롬, 배럴 크롬 및 균열없는 크랙 프리크롬 등 모든 부문에 이용할 수 있다. 예를 들어 배럴과 같이 피복력이 특히 필요한 곳에는 크롬산 450g/ℓ, 온도 32~33℃, 경도가 필요한 공업용 크롬에는 크롬산 250~350g/ℓ에서 50~60℃, 장식용에는 400~500g/ℓ, 30~50℃, 무균열 크롬에는 425g/ℓ, 55~60℃가 적당하다. 이 액에 사용되는 양극은 주석을 7%함유하고 있는 납판을 사용해야 하며, 순압은 좋지 않다. 전착 중에 가공물이 부식되는 수가 있으며 특히, 저전류 밀도부가 심하다. 표 5.15에 SRHS욕의 조성을 나타냈다.

표 5.15 SRHS욕의 조성

약품	I	II	III	IV	V
무수크롬산	100부	100부	100부	100부	85~95%
황산스트론튬	0.61부	1.47부	3부	2.16부	중크롬산나트륨 2.5~6.7% 크롬산스트론튬 0.6~2.0%
규소플루 오르화칼륨	1.74부	3.5부	8부	5.66부	황산 0.6~1.8% K_2SiF_6 1.5~4.0%

④ 배럴크롬욕

표 5.16 배럴크롬욕의 조성

성 분 \ 욕의 구분	리델	하야시(주)	기시(석)	SRHS
무 수 크 롬 산	345g/ℓ	250g/ℓ	300g/ℓ	340g/ℓ
황 산		0.5g/ℓ		
규 소 플 루 오 르 산	16.6g/ℓ			
규소플루오르화소다		12g/ℓ		22g/ℓ
붕소클루오르화크롬			8mℓ/ℓ	
중 크 롬 산 소 다				20g/ℓ
황 산 스 트 륨 튬				4.8g/ℓ
크 롬 산 스 트 론 튬				13.2g/ℓ

(라) 크롬도금에 미치는 직류전원의 영향

크롬도금에서 전류파형이 미치는 영향은 크며, 그림 5.9과 같다. 즉, 단산반파는 피복력이 업성 거의 실용성이 없고, 적어도 3상반파 이상을 사용해야 한다는 것을 알 수 있다. 또한, 크롬도금의 균열에 관해서는 그림 5.10와 같이 단상반파에서는 나타나지 않으나, 단상반파에서는 나타나기 시작하며, 평행적으로 심하지 않다. 3상이 망상으로 많아지며 전지를 사용하면 가장 많아진다.

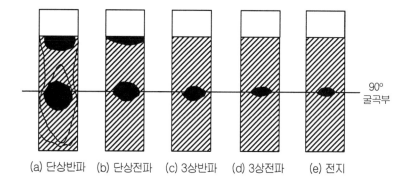

(a) 단상반파 (b) 단상전파 (c) 3상반파 (d) 3상전파 (e) 전지

검은 부분은 도금되지 않는 곳, 빗금친 부분은 도금된 곳

그림 5.9 전원의 차이에 의한 크롬도금의 피복력 차이
(60°굴곡음극으로 도금한 상태)

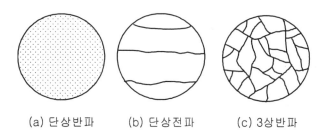

(a) 단상반파   (b) 단상전파   (c) 3상반파

(a) 균열 없음, 무광택, 경도는 작음
(b) 평형 균열, 반광택, 경도는 중간
(c) 망상 균열, 광택, 경도는 큼

그림 5.10 전원의 차이에 의한 크롬도금의 균열 비교

(마) 양극

양극은 항상 불용성 양극을 사용하게 되는데, 그 이유는 다음과 같다.

① 금속크롬보다 크롬산의 값이 싸다.
② 크롬 양극의 제조가 곤란하다.
③ 만일 크롬금속을 양극으로 사용하면, 음극과 양극의 전류효율이

다르므로 3가 크롬이 과잉으로 된다.

이상의 이유로서 금속크롬을 양극으로 사용하지 않고 있다. 또, 철양 극을 사용할 경우가 있으나, 이것은 3가 크롬과 철이 증가해서 액의 노화가 빠르다. 납 양극을 사용하면 이러한 결점이 없고, 음극에서 생성된 3가 크롬이 다시 산화되어 평형상태로 보존하는 작용이 있다. 납은 순납보다는 납-안티몬의 합금이 사용되며, 크롬산-황산욕 에서는 안티몬 2~5%, 플루오르화물 함유욕에는 5~8%이며, 안티 몬 20%를 품은 합금도 사용할 때가 있다. 최근 플루오르화 함유욕 에는 주석 7%를 품은 납합금들이 좋다고 한다.

양극의 형체는 장식도금에서는 평판 또는 원형, 파형이 사용되며 두께 3~7mm, 폭 450~70mm 가량이 편리하다. 양극과 음극의 면적비는 일 반적으로 1:1을 기준으로 하고, 3가 크롬의 증감에 따라 적당히 조절 한다. 양극 표면은 항상 흑갈색의 과산화납이 생성되어 있으며, 이 피 막은 양극의 부식을 방지해 주는 외에 전착에 큰 영향을 준다. 따라 서, 작업이 끝나면 꺼내서 그냥 놓아 두거나 약간 솔질을 해서 건조 시킨다. 만일 통전을 하지 않으면서 도금액 내에 방치하면 황색의 크 롬산납으로 변화한다. 이것은 통전이 잘 되지 않으므로 철 브러쉬로 제거해야 한다. 소요전압이 특히 상승할 때는 양극의 표면층이 두꺼워 진 증거이므로, 꺼내서 가성소다 $70g/\ell$ 또는 소다회 $7g/\ell$을 가한 용 액에서 납 양극을 음극으로 해서 6V로서 몇 분간 전해한다. 또한, 납 판과 구리고리(Hook)와의 접착부가 크롬산에 의해 도금 도중 녹색이 되기 쉬우므로 이 접착부는 용착 등으로 완전을 기해야 한다.

(바) 걸이(Rack)와 보조음극

걸이의 굵기가 가늘면 도금 중 길이가 과열되어 전력 손실은 물론, 전 류 분포가 나빠서 도금이 되지 않는 물건이 생긴다. 부스바(Busbar)와 걸이의 접촉은 스프링식으로 하는 것이 좋고, 각각의 걸이의 접촉저항 이 동일하도록 해야 한다. 걸이의 지선의 상호간격은 대략 가공물폭 의 3배 전후가 적당하다. 가공물의 주변부가 불필요하게 두껍게 되 던가 타는 것을 방지하고자 할 때는 보조전극을 그림 5.11과 같이 만들어 준다.

(사) 액관리

① **약품의 소모 및 보충** : 양극은 불용성이므로 소모되는 크롬분은
모두 크롬산에 의해서 보급되어야 한다. 보충량의 결정은 가동시
간, 비중 및 화학분석 등에 의한다. 전착에 의해서 크롬이 소모
되는 양의 계산은 다음과 같다. 즉, 크롬의 이론석출량은 1Ah에
대해 0.323g이며, 전류효율을 15%로 하면 실제 석출량은

$$0.323g \times (15/100) = 0.0485g(1Ah에 \ 대해)$$

로 된다. 하루에 500A로 10시간 연속작업을 하였다면, 크롬산의
소비량은 CrO_3는 52.0+16×3=100이므로

$$0.0485g \times 500 \times 10 \times 9100/52) = 466g(크롬산으로서)$$

즉, 크롬산 466g을 보충해야 하나 이것은 순전한 이론적 석출량
이며, 물건에 묻어 나오는 양과 수소가스와 동시에 비산하는 양
이 많으므로, 플라스틱 볼이나 시판되는 비말방지제(飛沫防止劑 ;
가스에 묻어 나오는 크롬산분을 거품의 층으로 막아 준다) 등을
사용하면 비산과 묻어 나오는 양을 급격히 감소시켜 줄 수 있고,
크롬산에 의한 인체의 공해를 방지해 줄 수 있다.
크롬산과 황산은 균일하게 소모되는 것이 아니고, 항상 크롬산의
감량이 많다. 이 감량의 비율은 작업의 성질에 따라 다르며, 장
식도금과 같이 물건의 출입이 많은 것은 묻어 나오는 양이 많으
며, 경질 크롬도금과 같이 장시간의 전착 작업은 전착에 의한 감
량이 많다. 장식도금에서 묻어 나오는 양은 예상 외로 많고, 전
크롬산 소모량의 80~90%에 달한다. 그러나, 비말방지제를 사용
하여 이 소비량을 약 40%로 감소시킨 예가 있다. 따라서, 회수
조(크롬도금 후 최초의 수세조)를 만들어서 이 회수액에서 탱크
의 물 보충을 하도록 한다. 이것은 비말방지제의 회수에도 절대
적인 역할을 하게 된다. 또한, 대기농축기로 비말과 회수조의 크
롬분을 농축하여 도금액으로 회수하는 방법도 있다. 크롬산 농도
를 일정하게 유지하는 방법으로서 보오메 비중계를 많이 사용하
고 있는데 3가 크롬, 철 및 기타의 불순물이 과잉으로 되면 실제

보다는 비중이 높다. 따라서, 크롬산의 농도를 관리할 때는 불순물이 적은 액이어야 한다. 화학분석에 의하여 약품의 소모를 아는 것이 가장 정확하나, 현장에서는 자주 분석하기 어려우므로 분석과 비중측정을 병용하는 것이 좋다. 즉, 1~2개월간을 최소 10일에 한 번씩 분석하고, 크롬산과 황산의 소보다 3가 크롬의 증감을 파악해서 약품의 보충량을 결정한다. 이 후는 1~2개월에 한 번씩의 부석으로 액은 과히 지장없이 작업할 수 있다. 작업량은 반드시 일정하지 않으므로 약품의 보충이 적절한가의 여부를 확인하는데 비중계를 사용한다.

② **3가 크롬** : 3가 크롬의 함유량은 철 함유량과도 관련이 있으나, 대략 1~5g/ℓ(3g/ℓ가 최적)이 적량이다. 이것이 절절하지 않을 경우에는 피복력, 광택, 도금, 범위 및 전도도 등에 지장이 생긴다. 장식도금에서는 과소로 되는 경향이 있으나, 이것은 묻어 나오는 양이 많은 것이 이 원인의 하나이다. 일반적으로 양극이 음극에 비해 면적이 클 때, 또 황산-플루오르화물의 함량이 적을 때 3가 크롬이 과소가 되는 경향이 있다. 따라서, 이것을 증가시키려면 양극 면적을 축소하든가 촉매기를 증가시킨다. 후자는 크롬산의 비율이 있으므로 동시에 크롬산도 보충해야 한다. 납양극은 3가 크롬을 평형살애로 유지하는 성질이 있으므로, 양극과 음극의 면적비를 1:1~2로 하면 대략 일정하게 되지만, 촉매근의 함유량에 의해서도 다를 때가 있다. 특히, 3가 크롬만을 증가시키고자 할 때는 약전해 등으로 3가 크롬을 만들어 준다. 3가 크롬이 적을 때에는 도금액이 간장색이 아니고 붉은 기가 있다. 따라서, 3가 크롬이 많을수록 짙은 간장색이 된다. 3가 크롬을 만들어 주는 방법에는 다음과 같은 것 등이 있다.

(i) 3가 크롬 자체를 첨가하는 방법

(ii) 약품을 첨가해서 환원시키는 방법

(iii) 약전해에 의해서 환원하는 방법

(i)로서는 황산크롬을 6.2g/ℓ사용하면 0.9g/ℓ의 3가 크롬을 함유하게 된다. (ii)로서는 구연산 7.5g/ℓ이나 주석산 11.2g/ℓ, 옥살산 15g/ℓ, 또는 과산화수소를 사용한다. (iii)의 약전해방법은 음극

면적을 양극보다 크게 함으로써 3가 크롬이 생성되므로 두 극을 납극으로 사용하되 음극에 되도록 많이 매단다. 약전해의 전류밀도는 온도에 의해서 다르나, 상온에서는 $3 \sim 5A/dm^2$, 5℃에서는 $5 \sim 10A/dm^2$이며, 이 상태에서는 음극으로부터 수소가스가 발생하기 시작하는 부근이다. 이러한 전해방식에 의하면 크롬산 250g/ℓ, 황산 2.5g/ℓ의 액에서는 1ℓ당 1Ah에서 대략 $0.5 \sim 1g/ℓ$의 3가 크롬을 얻을 수 있다.

③ **금속불순물** : 액이 함유하고 있는 불순물 중 금속이온으로서는 철, 구리, 아연 등이 있으나 이들의 허용량은 3가 크롬이 적을 때는 허용량의 범위는 비교적 크지만, 3가 크롬이 되었을 때는 소량이라도 상당히 영향을 주는 것이다. 예컨대 철은 3가 크롬이 $7 \sim 15g/ℓ$이 있을 때는 5g/ℓ이라도 크롬의 광택은 나빠지나, 3가 크롬이 1g/ℓ전후일 때는 10g/ℓ전후라도 광택크롬을 얻을 수 있다. 따라서, 일반적으로는 두 가지 합계량으로 판단한다. 그림 5.12는 광택범위에 미치는 3가 크롬과 철의 영향을 나타낸 것이다. 구리와 아연에 대해서도 같다.

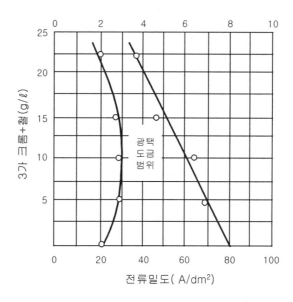

그림 5.12 광택도금범위에 미치는 3가 크롬과 철의 영향

④ **3가 크롬 및 철분의 제거** : 이것을 제거하려면 150~200g/ℓ의 크롬산을 넣은 소연원통(素燃圓筒)을 사용해서(황산은 들어가지 않는다) 이것에 철판이나 납판을 구멍을 크게 뚫고 음극면적을 크게 하기 위해서 2중으로 한다. 구멍을 뚫으면 2중인 내부에 전기가 잘 통한다. 음극면적을 크게 하기 위하여 도금하던 양극판은 반수 가량 빼내고 전해를 한다. 전압은 5~7V정도로 하면 50A 내외로 흘린다. 작업 후 야간만 2~3일간 전해하면 불순물에 따라서 진흙 같은 것이 음극액도 새로운 액으로 교환한다. 소연통 내의 액이 노화되면 불순물을 제거하는 힘이 없어진다. 이 방법은 크롬욕의 정화법으로서 가장 좋은 방법이며, 이것을 충실히 실시하면 액의 노화는 거의 없다. 철분은 허용범위가 10g/ℓ이하이며, 7g/ℓ 이하가 최적이다. 제거율은 철분 21g/ℓ에서 주간 작업 후에 밤새 전해를 거듭하면, 1주일 후에 7g/ℓ 이하로 저하시킬 수 있다. 이때 3가 크롬도 동시에 제거되므로 작업에 의해서 증가시켜 주어야 한다.

⑤ **유기물 및 황산분의 제거** : 크롬욕의 여과도 필요하며, 광택이 불충분하거나 피복력이 나쁠 때는 여과를 한다. 이 때 활성탄을 사용하면 효과적이다. 황산이 과잉일 때는 탄산바륨 등을 가해서 제거한다. 즉

$$Ba(OH)_2 + H_2CrO_4 \rightarrow BaCrO_4 + 2H_2O \cdots\cdots \text{ⓐ}$$
$$BaCrO_4 + H_2SO_4 \rightarrow BaSO_4\downarrow + H_2CrO_4 \cdots\cdots \text{ⓑ}$$

ⓐ의 반응은 첨가와 동시에 즉시 생기며, ⓑ의 반응은 서서히 일어난다. 황산 1g을 제거하는데 탄산바륨은 약 2g, 크롬산바륨은 약 2.5g, 수산화바륨은 약 1.7g을 필요로 한다. 황산바륨의 침전은 미세하여 침전이 완만하므로 되도록 작업 종료 후에 하는 것이 좋다.

(c) 경질 크롬도금(공업용 크롬도금)

(가) 도금준비

도금이 부착해서는 안 될 부분을 피복 절연해야 한다는 것은 특히 중요하다. 질산 섬유계의 도료나 도금용 왁스 등을 사용하며, 도료일 경

우에는 여러 번 발라서 전해 중에 생기는 수소에 의해서 소공(小孔)이 생겨 이 부분에 전착이 되지 않도록 해야 한다. 이것을 방지하기 위해 처음에 비닐 또는 고무테이프를 감고 그 위에 다시 도료를 바르면 결과가 좋아진다. 또한, 도막에 크롬이 먹어 들어가는 경향이 있으므로 경계면을 정확하게 하기 위해서 연박(鉛箔)을 병용할 때도 있다.

(나) 양극에칭

양극에칭은 도금피막의 밀착성을 좋게 하기 위한 것이며, 소지의 산화물, 베일비층(Beilby layer ; 버프연마 등에 의해 생긴) 등을 제거하고 건전한 소지면을 얻고자 하는데 있으며, 공업용 크롬으로서는 불가결한 조작이다. 처리방법으로 주로 크롬산 용액이 사용되며, 황산(30%)에서 행할 때도 있다. 엷은 도금은 단시간(15～30초), 두꺼운 도금은 장시간(10～15분)에칭한다. 크롬도금액 자체 내에서 10～30A/dm^{2}로 도금 직전에 양극 처리를 하는 것이 보통이며, 이로써 도금액의 오탁(汚濁)은 면치 못한다. 황산용액 내에서 상온에서 10～30A/dm^{2}로 하는데, 이때 황산이 크롬 도금액에 묻어 들어가지 않도록 충분히 수세할 필요가 있다.

(다) 각종 금속소지의 전처리

다음은 각종 소지 금속재료에 대한 전처리 방법의 예를 나타냈다.

① **비철금속(구리, 황동, 청동 등)** : (i) 음극 또는 침적청정, (ii) 수세, (iii) 50～100g/ℓ-NaCN액에 침지, (iv) 수세, (v) 5% HCl 또는 황산 중에 침지, (vi) 수세, (vii) 도금, (viii) 215℃에서 1～3시간 굽는다.

② **주철** : 가장 주의할 것은 필요 이상의 탈지, 산세, 에칭 등으로서 표면에 Smut가 생성하면 밀착에 장해가 딘다는 것이다. 다음의 방법이 일반적으로 행해지고 있다. (i) 양극청정(알카리 탈지액에서)을 한다. (ii) 수세를 한다. (iii) 크롬산 내에서 3～5초간 양극처리를 한다. (iv) 140～150A/dm^{2}로 도금조 내에서(철강의 경우 0.5～1분간) 플래시 도금을 한다. (v) 그 후 일반적인 전류밀도 40～60A/dm^{2}로 낮추어 도금을 한다.

(라) 도금액

도금액은 장식용과 동일한 조성인 250g/ℓ크롬산, 2.5g/ℓ황산이 주로 사용된다. 경도를 높이기 위해서 150g/ℓ크롬산의 농도를 사용할 때도 있다.

(마) 도금조건과 작업과정

양극처리를 한 것은 즉시 도금을 하여야 하는데, 가공물과 액온이 같은 것이 좋으므로 미리 가공물을 도금액에 담가 두었다가 도금액 온도까지 상승한 후 도금을 한다. 가공물이 액온보다 낮을 때는 가공물 부근의 액은 냉각되어 전류밀도의 과대 현상이 생긴다. 따라서, 작은 가공물은 1~2분간, 큰 가공물은 30분 이상 방치한다.

전착조건은 공업용 크롬에서도 광택을 중요시할 경우가 많으므로 일반적으로 광택 도금범위에서 행한다. 내식성을 필요로 하는 크롬에는 온도를 올리거나 전류밀도를 낮추어서 약간 유백색에 가까운 조건을 선정하는 것이 유리하다. 전착 표면적은 정확성을 기하는 것이 전류량을 구하는데 좋고, 서리면은 실측값의 2배 정도의 표면적을 가지고 있다고 생각하면 된다.

(바) 경도

전해에 의해서 얻어진 크롬은 경도가 대단히 높고 액의 조성, 액의 온도, 전류밀도, 액 중의 불순물 등에 의해서 정도의 차이가 생긴다. 도금막의 경도는 Vickers나 Knoop식으로 측정하는데 원리는 같다. 이들은 피라미드형의 다이아몬드로 도금막을 눌러서 생긴 홈부의 크기로서 경도를 나타내게 되어 있으며 여기서 홈 깊이의 6~7배 이상의 두께인 도금막이어야 정확하다. 그렇지 않으면 실제보다 큰 값이 나오게 된다. 일반적으로는 비커스경도계로 측정할 만한 도금막의 두께가 되어 있지 않으므로 Vickers나 Knoop의 미소경도계를 사용사면 50g 하중에서 10μ정도까지 측정할 수 있다. 그림 5.13는 온도, 전류밀도와 경도의 관계를 나타낸 것이다.

그림 5.14는 크롬산-황산액에서 황산을 2.5g/ℓ로 일정하게 했을 때의 결과이며, 크롬산 250g/ℓ에서 경도는 저하한다. 또, 그림 5.15은

크롬산 250g/ℓ으로 일정하게 하고 황산량을 가감했을 때의 결과이
며, 광택 크롬도금 범위 내인 크롬산과 황산의 비율이 0.85%일 때
가장 경도가 높다.

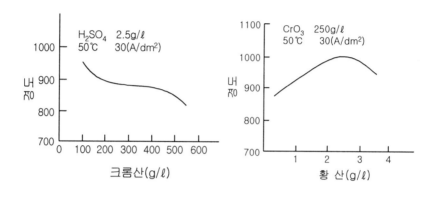

그림 5.14 크롬산과 경도   그림 5.15 황산과 경도

(d) 흑색 크롬도금

흑색 크롬도금은 황산을 전혀 갖고 있지 않은 것도 있고, 약간 함유하고
있는 것도 있다. 예를 들면, 크롬산 350g/ℓ, 황산 0.5g/ℓ, 온도 25℃이
하, 전류밀도 100A/dm²에서 행한다. 대개의 흑색 크롬욕은 개미산, 프
로피온산, 아 세트산 등의 유기물을 품고 있다. 가장 단순한 것으로는
크롬산 250~400g/ℓ, 개미산 5㎖/ℓ를 사용하고 있다. 일반용으로는 다
음이 좋다.

무수크롬산	250~300g/ℓ	온도	32~47℃
아세트산	214g/ℓ	전류밀도	4~9A/dm²
아세트산바륨	7.5g/ℓ		

이 액 중에 황산이 있으면 안되기 때문에 바륨염을 넣어 황산분을 침전
제거한다. 피복력이나 균일 전착성은 일반 크롬 도금액과 동일하며, 전
착물은 75%의 크롬 25%의 크롬산화물로 되어 있다. 흑회색으로 되는데
왁스나 유지를 바르면 색이 짙어진다. 또한 다음 조성도 있다. (A)액에서

아세트산은 전착조건을 확대하고, 액의 수명을 길게 하는 역할을 한다. 은색의 광택있는 전착물을 얻으나, 진한 염산으로 5~20초 침적처리하면 흑색을 얻을 수 있다. (B)액은 전해로써 검은색이 된다. 또, (C)액은 고온, 큰 전류밀도에서는 에나멜 모양의 광택이 있는 흑색 도금이 생긴다.

	(A)	(B)	(C)
무수 크롬산	200g/ℓ	200g/ℓ	200g/ℓ
빙 초 산	5mℓ/ℓ	6mℓ/ℓ	6.5mℓ/ℓ
염 화 니 켈	20g/ℓ	20g/ℓ	-
질산 바나듐	-	2g/ℓ	바나듐산암모늄 20g/ℓ
전 류 밀 도	75~200A/dm²	100A/dm²	100A/dm²
온 도	-	30~35℃	30~35℃

(마) 마이크로-크랙 크롬도금과 마이크로-다공성 크롬도금

　　니켈-크로몰금의 내식성을 개선책으로 현재까지 여러 가지 방법이 시도되어 왔으나, 마이크로-크랙(Micro-Crack)크롬이나 마이크로-다공성(Micro- Porous)크롬도금이 가장 높은 내식성을 얻을 수 있고, 니켈도금의 두께도 감소시킬 수가 있다. 마이크로-크랙이나 마이크로-다공성 크롬도금이 높은 내식성을 나타내는 이유는 이들 크롬도금이 보통 크롬도금에 비해서 마이크로-크랙도은 4~5배의 크랙, 즉 1cm의 직선상에 교차되는 크랙수가 300내외, 마이크로-다공성은 크롬도금에 구멍을 1cm²당 10,000개 내외로 생기게 해서 부식전류를 크랙수 또는 미소공만큼 분산시켜 약화하여 부식을 방지하자는 것이다. 위에서 말한 내식성을 얻고자 하려면, 마이크로-크랙크롬도금일 때는 적어도 0.75μ이상 1.25μ까지의 크롬도금을 해야 한다. 이와 같이 두꺼운 크롬도금을 하려면 니켈도금도 어느 정도 두꺼워야 할 것이고, 크롬도금 시간은 보통 8~15분 정도(전류밀도에 따라)해야 한다. 마이크로-크랙이나 마이크로-다공성 크롬도금을 하는 방법을 보면 표 5.17과 같다.

표 5.17 마이크로-크랙 크롬 및 마이크로-다공성 크롬도금의 방법

크랙이나 구멍이 발생하는 곳	명칭	욕의 종류와 첨가물
크롬도금층	2중 마이크로-크랙 크롬	1) Sargent욕+플루오르화물 첨가욕 2) 플루오르화물 첨가욕+플루오르화물 첨가욕
	단층 마이크로-크랙 크롬	1) 셀렌첨가욕 2) 플루오르화물 첨가욕
	마이크로-다공성 크롬	카아본 등 불용성 미립자를 첨가
니켈도금층	마이크로-다공성 크롬	미립자 첨가
	포스트 니켈 스트라이크	1) 고염화니켈욕 2) 고응력첨가제

① **마이크로-크랙 크롬도금** : 마이크로-크랙 크롬도금에는 보통 다음과 같은 방법이 있다.

(i) 2중 크롬도금을 하는 방법

(ii) 마이크로-크랙을 발생시킬 수 있는 특수한 액 또는 작업조건에 의한 단층크롬도금을 하는 방법

(iii) 고응력의 니켈 스트라이크를 보통 크롬도금(0.25μ)을 하기 전에 하는 방법

위에서 크롬에 의한 크랙을 발생시키고자 할 때는 크롬의 두께가 앞서 말한 바와 같이 0.75μ 이상이어야 하며, 도금 시간도 8~15분이기 때문에 광택이 다소 저하되는 결점이 있다.

ⓐ **2중 마이크로-크랙 크롬도금** : 이 방법은 M&T사가 최초로 상품화한 것으로 그 후 몇몇의 회사에서 상품으로 시판하고 있다. 이 때 하층은 일반 크롬도금이며, 상층은 규소플루오르화스트론튬 등이 들어 있는 크롬도금액을 사용한다.

ⓑ **단층 마이크로-크랙 크롬도금** : 최근에는 2중 크롬도금을 하지않고 단층 크롬도금을 하게 되었으며, 이 액에는 셀렌화물 첨가욕과 규소플루로오르화물 첨가욕이 있다.

ⓒ **포스트 니켈 스트라이크** : 이것은 보통 광택 도금위에 고응

력 니켈 스트라이크를 하고, 이 위에 보통 광택 크롬도금을 함으로써 마이크로-크랙이 생기도록 하는 방법이다(PNS법)

② **마이크로-다공성 크롬도금(Composite 니켈도금)** : 네델란드의 N.V.Research-Holland에 의해 개발된 것으로서, 도금액 중에 균일한 크기의 입자를 분산시켜 비금속입자를 균일하게 전착시킨 composite(2종 이상의 성분)니켈을 도금하고, 그 위에 보통 광택 크롬도금을 하여 미소공이 생기게 한 것이며, 광택 니켈도금 위에 직접 20초에서 4분간 도금을 한다. Post 니켈 스트라이크와 마찬가지로 작업을 한 번 더 하고 수세를 충분히 해야 한다. 표 5.18에 이의 액조성과 작업조건의 한 예를 나타내었다. 미립자로는 산화알루미늄, 석영 및 Kaolinite 등이 있다.

표 5.18 마이크로-다공성 크롬도금용 컴포지트 니켈 도금액

약품 및 조건 \ 액종류	I	II
황 산 니 켈	250g/ℓ	270g/ℓ
염 화 니 켈	60g/ℓ	45g/ℓ
황 산 코 발 트	–	3g/ℓ
붕 산	40g/ℓ	40g/ℓ
사 카 린	2g/ℓ	–
부 텐 디 올	0.15g/ℓ	–
라 우 릴 황 산 소 다	0.3g/ℓ	–
개 미 산	–	20g/ℓ
포 르 말 린 40%	–	4g/ℓ
실 리 카 0.2μ	100g/ℓ	–
탄화규소 0.1~0.2μ	–	140g/ℓ
온 도	60℃	60℃
전 류 밀 도	5A/dm^2	4A/dm^2
시 간	1분(1μ)	30초

③ **다공성 크롬도금** : 이것은 앞에서 말한 미소공에 비해 거시공(巨視孔)이라고 말할 수 있는 육안으로도 볼 수 있는 크기의 구멍이나 균열을 가진 도금을 말한다. 즉, 이것은 앞에 말한 장식용 크

롬도금용이 아니고, 경질 크롬도금에 사용하는 내마모성을 얻으려는 목적으로 도금을 하는 것을 말한다. 일반 경질크롬도금은 표면이 치밀하기 때문에 기름의 보유성이 적고, 고속 또는 고압력이 걸리는 부분에 사용하면 타 붙는 일이 있다. 다공성 크롬은 이 결함을 개량한 것이다. 이 피막은 마치 잉크 흡수지가 물을 흡수하는 것 같이 윤활유의 침투성이 커서 어떠한 조건에서도 타 붙는 일이 거의 없다. 우리나라에서도 피스톤 링이나 내연기관의 실린더에 경질 크롬도금을 하고 있어 사용 수명을 길게 하고 있으나, 주문자측의 인식부족으로 광택있는 일반 경질크롬도금만을 하고 있다. 다공성 크롬도금을 하면 흑회색으로 변하고, 피트형이나 채널형을 눈으로 볼 수 있다. 피트형은 크롬산 250g/ℓ, 크롬산:황산 = 100:1, 50℃에서, 후자는 크롬산 250g/ℓ, 크롬산:황산 = 115:1, 60℃에서 크롬도금을 한 것을 에칭한 것이다. 또, 그림 5.16은 다공성 크롬도금을 한 실린더의 마모 감소를 나타낸 것이다. 다공성인 두 가지 형의 성능의 차이는 별로 없으나, 다

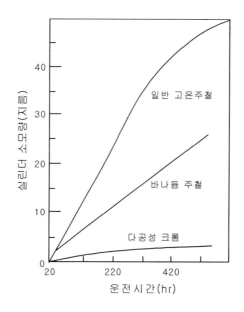

그림 5.16 다공성 크롬을 도금한 실린더 마모의 감소

공성의 대소에 의하여 마모상태에 밀접한 관계가 있으므로 이 정도는 많거나 또한 적어도 좋지 않다. 실린더 크롬도금을 할 때에는 채널형으로는 다공도를 25~40%로 하고 있다. 도금 조작으로는 0.1~0.2mm의 두께로 경질 크롬도금을 하고, 상기의 두 가지 형 중 한가지 조건으로 행하며, 양극처리액(크롬산-황산욕)에 넣어서 전착 도금층의 일부를 전해적으로 용해(에칭)시킨다. 용해속도는 전착과 동일한 전류밀도를 사용한다면 전착속도의 5배 전후이다. 용해시간은 2~10분간이며 용도에 따라 결정된다.

(3) 아연도금

(a) 아연도금피막의 성질

아연은 구리, 니켈, 크롬과 달리 경도도 낮고, 변색이 되기 쉬우며, 백색분이 생기면 녹이 슨다. 또한, 산, 알칼리에 대해서도 약한 금속이지만, 철에 대해서 방식성이 크기 때문에 철의 방청도금으로서 널리 이용되고 있다.

(b) 아연도금의 종류

아연도금 방식으로는 (i) 용융아연 중에 철을 담가서 도금을 하는 용융도금, (ii) 아연분말과 철을 접촉 가열시켜서 아연을 침투시키는 세라다이징(Sheradizing)법, (iii) 수용액을 사용하는 전기도금법 등이 있다. 용융도금은 0.04~0.08mm의 두께로 도금하는 것이며, 전기도금보다는 두껍게 도금이 된다. 종래의 아연도금은 광택이 없는 철의 방청만을 목적으로 한 이른바 백색도금을 하여 왔으나, 최근에는 크로메이트 피막에 착색까지 할 수 있게 되어 미장 도금으로서의 역할을 할 수 있게 되었다.

(c) 아연도금층의 내식성

아연의 단극전위는 -0.76V이므로 -0.44V의 단극전위를 가진 철에 대해서 보호작용을 한다. 즉, 철이 녹슬 환경에서 이 면에 아연이 있으면, 우선 아연이 철 대신 산화하면서 철이 녹스는 것을 방지해 준다. 이 성질이 철의 방식도금으로서 크게 이용되는 이유이다. 아연은 철 대신 녹이 슬며, 아연도금 중에 핀홀이 있어도 철을 보호해 준다. 이때 아연 자신은 산화아연(ZnO), 탄산아연($ZnCO_3$), 염기성 아연[$ZnCO_3 \cdot Zn(OH)_2$]의

흰가루로 되어 소모된다. 따라서, 도장할 때도 아연도금을 한 후 도장하여 아연도금과 도장으로 철을 더욱 보호하도록 하는 경우가 많다.

(d) 전기아연도금의 두께

아연도금의 내식성은 순아연이 도금되었을 때 특히 강하므로 양극 아연의 순도가 되도록 99.99%의 높은 것을 사용하도록 하고, 핀홀이 없는 도금을 할 필요가 있다. 전기도금의 두께는 미국에서는 0.0025~0.13㎜를 추천하고 있다. 이 두께의 아연도금은 다른 니켈-크롬도금에 비하여 옥외 사용에 가장 안전한 방식도금이 된다. 아연도금은 센물보다 단물에 대해 약하고, 탄산수나 산소를 많이 함유한 물에도 약하다.₩

(e) 아연도금의 설비

(가) 도금탱크

아연도금 탱크는 보통 알칼리욕에서는 철제 탱크를 라이니 없이 사용하고 있으나, 전기적으로 과류를 방지하기 위해서 비닐이나 고무라이닝을 행하면 균일 전착성이 좋아진다. 산성에서는 물론 비닐이나 고무 라이닝을 반드시 해야 한다.

(나) 도금액의 여과

도금액의 여과는 현재 상시 여과를 하는 것이 좋으며, 여과용 펌프는 알칼리액에서는 철제, 산성에서는 고무 라이닝을 한 철제, 플라스틱제 또는 스테인레스제를 사용해야 한다.

(다) 정류기

전원은 파형에 대해 특히 주의할 필요는 없고, 직류단파로서도 충분하다. 전원은 300ℓ에 100A, 500ℓ에 300A, 1000ℓ에 600A정도를 생각하면 되는데, 근래에 와서는 고전류밀도, 고속 도금을 채용하기 때문에 전원 전류를 이것보다 크게 하는 수도 있다. 전압은 6V이면 되지만, 대용량은 8V가 좋고, 때때로 15V도 사용한다. 1000ℓ에는 6~8V가 좋다.

(라) 교반 및 양극주머니

교반은 전착성을 좋게 해 주므로 공기 교반을 할 때도 있다. 자동도금기 등에는 도금액의 용량이 크기 때문에 여과와 동시에 교반을 하면 액이 농도의 차가 생기지 않으므로 유리하다. 양극주머니를 사용하거나 극막을 사용하는 것은 부착을 감소시킨다.

(마) 액의 온도

가열은 보통 필요가 없고, 여름에는 오히려 냉각시켜야 한다. 액온은 보통 25~30℃에서 능률이 좋으며, 광택제에 따라서 35~40℃를 사용할 경우도 있으나, 그 이상의 온도에서는 도금액에 의해 도금된 것이 다시 용해되므로 냉각을 생각해야 한다. 겨울에는 도금액을 약간 가열할 필요가 있다.

(바) 크로메이트설비

현재 아연도금을 한 후 거의 전부 크로메이트처리를 하므로 크로메이트의 설비가 필요하다. 설비로는 염화비닐 라이닝 철탱크나 내산성 독을 사용하고 있다. 크로메이트처리를 한 후에는 약 75℃ 이하에서 가열 건조함으로써 크로메이트 막을 고착시킬 수 있다. 75℃ 이상에서 건조하면 크로메이트 피막에 크랙이 생겨 내식성을 현저히 저하시켜 준다.

(f) 산성아연도금

현재까지의 산성아연도금은 염화아연이나 황산아연 도금법이 있으나 황산아연이 주체로 된 액을 사용해 왔으며, 강선, 강판, 주물, 파이프, 고탄소강 등의 광택이 필요하지 않은 곳에 사용되고 있다. 그러나, 최근에 우수한 첨가제가 발명되기 시작하여 산성 아연도금은 각광을 받기 시작했다. 대체로 산성아연도금은 염화아연 도금법도 마찬가지로 전류효율이 알칼리아연도금법에 비해서 대단히 좋으며, 수소취성이 적고, 주물이나 고탄소강 등에서 쉽게 도금이 되는 특징이 있고, 도금액의 전도성이 좋아 전력이 상당히 적게 소요된다. 최근에 우리나라에서도 시안화물의 폐수가 없고, 광택도금이 용이한 염화아연을 주체로 한 광택 아연도금법이 보급되어 에너지 절약과 원가절감의 목적으로 많이 사용하기 시작하였다.

(가) 염화아연도금

① **염화아연욕의 성질** : 염화아연액의 주성분은 염화아연($ZnCl_2$)와 염화암모늄(NH_4Cl)이며, 이들 수용액은 산성에서는 다음과 같은 클로로아연착염으로 되는 것으로 생각된다.

$$ZnCl + nNH_4Cl \rightarrow NH_4[ZnCl_5] \quad \cdots\cdots\cdots\cdots\cdots\cdots\cdots\cdots \quad n=1$$
$$(NH_4)_2[ZnCl_4] \quad \cdots\cdots\cdots\cdots\cdots\cdots\cdots\cdots\cdots\cdots\cdots\cdots\cdots\cdots \quad n=2$$
$$(NH_4)_3[ZnCl_5] \quad \cdots\cdots\cdots\cdots\cdots\cdots\cdots\cdots\cdots\cdots\cdots\cdots\cdots \quad n=3$$

도금액 중에서 $(ZnCl_3)^-$, $(ZnCl_4)^{2-}$, $(ZnCl_5)^{3-}$ 등의 아연착염으로 되는 것으로 생각되며, 이들로부터 순차적으로 Zn^{2+}이 공급된다고 볼 수 있다.

② **염화아연욕의 특징**

(ⅰ) 시안화합물을 사용하지 않으므로 시안폐수가 필요 없다.

(ⅱ) 액의 전도성이 좋으므로 욕전압이 낮으며, 전력이 절약된다.

(ⅲ) 광택, 레벨링 및 균일 전착성이 우수하다.

(ⅳ) 전류효율이 우수하므로 도금속도가 빠르다(그림 5.17)

(ⅴ) 도금액 중에서 수소취성이 거의 생기지 않는다.

(ⅵ) 주물 등에 직접 도금이 잘 된다.

(ⅶ) 가스의 발생이 거의 없으므로 배기장치가 필요 없다.

(ⅷ) 작업 중지 때도 양극의 용해가 적으므로 극판을 꺼내 놓을 필요가 없다.

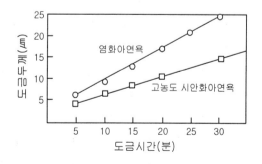

그림 5.17 산성아연 도금법과 염화아연 도금법의 도금속도의 비교

③ 염화아연 도금액의 조성

표 5.19에 염화아염 도금액의 조성과 작업조건을 나타냈다.

표 5.19 염화아연 도금액의 조성과 작업 조건

조성 및 조건	욕구분	래 크 욕 (정지욕) 표 준	래 크 욕 (정지욕) 관리범위	배 럴 욕 (회전욕) 표 준	배 럴 욕 (회전욕) 관리범위
염 화 아 연	g/ℓ	30 ~ 40(30)	Zn^{++}:10 ~ 30	35 ~ 50(40)	Zn^{++}:15 ~ 25
염 화 암모늄	g/ℓ	180 ~ 230(200)	Cl^-:120 ~ 180	200 ~ 250(220)	Cl^-:150 ~ 180
광 택 제 Ⅰ	mℓ/ℓ	적당량	적당량	적당량	적당량
광 택 제 Ⅱ	mℓ/ℓ	적당량	적당량	적당량	적당량
pH		5.5	5.0 ~ 6.0	5.5	5.0 ~ 6.0
액 온 도	℃	25	15 ~ 35	25	15 ~ 35
음극전류밀도	A/dm^2	2	1 ~ 3	1	0.5 ~ 2.0
양극전류밀도	A/dm^2	2	1 ~ 2.5	4	3 ~ 5
욕 전 압	V	3	2 ~ 4	7	6 ~ 8
아 연 순 도	%	99.99	99.99	99.99	99.99

④ 액작성법(건욕법)

(i) 도금조에 물을 반 가량 넣고 40 ~ 50℃로 가열한다.

(ii) 염화암모늄의 계산량을 용해한다(이때 냉각하면서 용해한다).

(iii) 염화아연을 계산량 용해한다.

(iv) 아연분말 0.5 ~ 1g/ℓ 및 1 ~ 2g/ℓ의 활성탄으로 처리한다.

(v) 소정의 물을 채우고, 광택제 Ⅰ을 계산량을 넣고 잘 교반한다.

(vi) 광택제 Ⅱ의 계산량을 넣는다.

(vii) 2 ~ 5시간 약전해를 한 후 pH와 온도를 조정한다.

⑤ 액관리

(i) 염화아연 : 분석에 의하여 20 ~ 80g/ℓ으로 보존한다. 적어졌을 때는 고전류 부분이 타기 쉽다. 너무 많을 때는 광택범위가 고전류 부분으로 옮겨진다.

(ii) 염화암모늄 : 분석으로 190 ~ 220g/ℓ의 범위로 보존한다. 적어 졌을 때는 전도도가 나빠지며, 피복력도 다소 나쁘다. 너무 많으면 액이 혼탁해지기 쉽다.

(iii) 1차 광택제 : 도금의 전착면을 좋게 하며 광택범위를 넓혀 준다.

(iv) 2차 광택제 : 도금면에 광택을 준다. 양이 적으면 광택이 나 빠지며, 너무 많으면 도금이 경해진다.

(v) pH : 5.0~6.0으로 보존한다. pH미터 또는 pH시험지로 측정 한다. 너무 높을 때는 액이 혼탁하게 되기 쉽다. 너무 낮을 때는 광택범위가 좁아진다. 높을 때는 염산으로 낮춘다. 낮을 때는 농암모니아수로 높인다(시약 1급을 사용할 것).

(vi) 온도 : 20~40℃로 보존한다. 높을 때는 저전류밀도부의 광택 이 나빠진다. 너무 낮을 때는 액이 혼탁하게 되기 쉽고 고전 류부가 타기 쉽다.

(vii) 교반 : 완만한 공기 교반을 하면 고전류밀도로 도금을 할 수 있으나 약간 피복력이 나빠진다.

⑥ 관리상의 주의사항

(i) 염화아연욕은 시안화욕과 같은 자기선정작용은 없으므로 전처 리를 충분히 할 필요가 있다.

(ii) 염화아연욕은 고농도의 염화물을 함유하고 있으므로 부식성 이 강하다. 장치의 방식을 고려해야 한다. 특히, 극봉이 액의 부착으로 부식되어 이것이 액 중에 혼입될 우려가 있으므로 양극걸이의 접촉 개소 이외에는 비닐 테이프 등으로 피복시 키면 좋다.

(iii) 동, 납, 크롬, 철 등은 금속불순물로서 도금에 영향을 주게 된 다. 이들의 불순물이 있으면 아연미처리, 약전해처리가 효과 적인 방법이다. 따라서 이러한 불순 금속이 혼입되지 않도록 주의해야 할 필요가 있다.

(iv) 아연미처리는 동이나 아연 등이 혼입되었을 때 특히 효과적이 다. 건욕(健浴)했을 때 다량의 약품을 보급했을 때 또는 정기 적으로 아연미처리를 하면 액의 정화와 피복력이 뛰어나게 개 선된다. 아연분말 0.5~1g/ℓ을 묽은 염산에 씻어서 활성화시 킨 후 여과기에 코팅시켜 2~3시간 순환여과를 시킨다. 그 후 여과기를 세척하여 아연분말을 제거한다.

(v) 배럴도금의 경우 물건의 형상에 따라서 배럴의 구멍자국이 생

길 때가 있다. 이 때는 그림 5.18와 같이 배럴의 내벽을 세공하면 효과적이다.

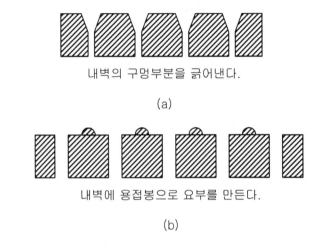

내벽의 구멍부분을 긁어낸다.

(a)

내벽에 용접봉으로 요부를 만든다.

(b)

그림 5.18 배럴 내벽의 형상

⑦ **염화아연욕의 표준도금공정** : 염화아연욕은 시안화물욕과 같은 자기 세정작용이 없으므로 전처리를 충분히 할 필요가 있다. 수세 횟수는 물건의 현상, 수량 등에 따라 적당히 횟수를 늘린다. 산은 염산을 사용한다.

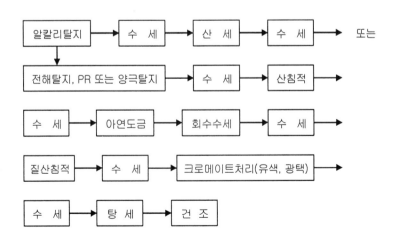

⑧ 도금불량과 대책

결함	원 인	대 책
광택불량	1) 광택제의 부족 2) 온도가 높다. 3) 불순물의 혼입	1) 광택제의 적당량을 보충 2) 40℃이하에서 도금 3) 불순물 제거 　 아연분말처리 또는 약전해
액의 혼탁	1) 온도가 낮거나 높다. 2) pH가 낮거나 높다. 3) 액 중의 염화암모늄의 농도가 높다 4) 여과 불충분	1) 20~40℃를 맞춘다. 2) pH값을 적절히 맞춘다. 3) 분석으로 표준값으로 보존한다. 4) 정밀 여과를 한다.
구름낌	1) 전류가 너무 크다. 2) 염와아연의 농도가 낮다. 3) 온도가 낮다.	1) $10A/dm^2$ 이하로 도금한다. 2) 분석하여 표준 조성으로 조정한다. 3) 20℃ 이상에서 도금한다.
피복력 저하	1) 염화아연의 농도가 높다. 2) 금속불순물의 혼입(구리, 납) 3) 광택제 부족 4) 온도가 높다.	1) 분석하여 표준 조성으로 조정한다. 2) 불순물 제거, 아연분말처리 또는 　 약전해 3) 적당량을 첨가한다. 4) 40℃ 이하로 한다.
크로메이트 에서 검은 얼룩	금속불순물이 혼입	아연분말처리 또는 약전해, 과산화수소 처리
더덕부착(도금면이 깔깔함)	1) 양극의 슬라임 2) 약품이 녹지 않음 3) 전류가 높다.	1) 여과를 충분히 한다. 2) 약품을 완전히 녹인다. 3) $10A/dm^2$ 이하로 도금한다.
밀착 불량	1) 전처리 불량 2) 흑피(黑皮)스케일 3) 도금액에 기름이 혼입	1) 전처리를 한다. 2) 미리 제거한다. 3) 활성탄처리를 한다.
배럴도금 에서 생긴 반점	1) 온도가 낮다. 2) 전류가 높다. 3) 염화아연의 농도가 낮다. 4) 광택제의 부족 5) 물건이 납작하다. 6) 철분의 혼입, 0.2% 이상	1) 25℃이상으로 한다. 2) 전류를 낮춘다. 3) 분석하여 표준조성으로 조정한다. 4) 적당량을 보충한다. 5) 배럴 내벽을 제공한다. 6) 과산화수소 처리 후 여과를 한다.

⑨ **장치**

(i) 전원 : 염화물은 욕전압이 낮아도 되므로 신설의 경우에는 이 점을 고려한다. 파형의 영향은 많지 않다.

(ii) 여과기 : 플라스틱제 또는 고무라이닝을 한 것을 사용한다.

(iii) 가열, 냉각 : 동기에는 가열, 하기에는 냉각이 필요하다. 석영히터 또는 티탄열교환기, 테프론 코일 등을 사용한다. 티탄코일일 때는 음극에 접촉되지 않도록 한다.

(iv) 배기장치 : 일반적으로 가스의 발생이 거의 없으므로 필요 없다. 주물의 경우는 약간 가스가 발생하므로 필요할 때도 있다.

(v) 탱크 : 고무, PVC 등으로 라이닝한 것을 사용한다.

(vi) 양극걸이, 케이스 : 티탄이 좋다.

⑩ **사용약품 및 양극**

(i) 약품 : 사용하고자 하는 약품인 염화아연은 99% 이상, 염화암모늄은 98% 이상의 것으로 고순도의 공업약품 즉, 전기도금용을 사용할 필요가 있으며, 용융아연도금용이나 기타의 플럭스용 순도가 낮은 약품을 사용해서는 안 된다. 따라서, 이 약품은 신용있는 회사에서 전기도금용이라는 것을 확인하고 구입하여 사용하는 것이 바람직하다. KCl의 경우도 마찬가지로 고순도의 것을 사용해야 한다.

(ii) 양극 : 양극에 사용하는 아연도 99.99%의 고순도의 아연을 사용해야 도금의 광택과 크로메이트가 좋은 것을 얻을 수 있다. 이 고순도 아연을 국산으로 특별히 만든 것이 출품되고 있다. 만일, 이를 재용해하여 사용할 경우에는 불순물의 혼입이 없도록 특히 주의를 해야 한다.

(g) 알칼리 아연도금

피복력이 좋고 또한 후처리로서 광택이 있으며, 색체는 주석, 크롬도금 등과 구별하지 못할 정도로 예쁘게 보인다. 또한, 광택제를 사용하면 직접적으로 크로메이트를 하지 않고도 광택이 있는 예쁜 도금을 할 수도 있으나 근년에는 폐수와 에너지 절약문제로 그 수요가 감소되었다. 광택이 필요로 하지 않는 도금에는 산성아연도금의 백색 내지 청백색의 맑은 도금이 되므로 알칼리 아연도금보다 제품의 가치가 더 있다.

(h) 징케이트(Zincate) 아연도금액

최근에 시안분의 공해를 없애기 위한 목적으로 사용되기 시작했으며, 산화아연과 가성소다만을 사용한 도금액으로써 저농도 크로메이트가 가능하며, 전치리가 까다롭고, 도금 후에도 시안욕보다 나쁘나, 액관리가 매우 간단하고, 공해가 적은 특징이 있다. 액의 전도성은 좋으나, 배럴도금에서는 8~15V, 정지도금에서는 4~8V로 작업을 해야 한다.

(i) 크로메이트처리

아연도금은 도금한 상태로는 변색이 되기 쉽고 지문이 묻기 쉽다. 특히, 습기가 있는 공기 중에서는 백색반점이 생기기 쉽다. 또한, 우수한 광택제를 사용하지 않는 한 광택도금이 되기 어렵다. 크로메이트처리를 하면 내식성이 수 배로 증가하며, 광택있는 미려한 도금면을 얻을 수 있다. 이것을 유니크롬(Unichrome)이라고도 하며, 우리나라에서도 아연도금의 거의 전부를 크로메이트처리로 하고 있다. 크로메이트에는 광택용과 피막용의 두 가지가 있고, 광택용 크로메이트도 유색과 무색의 두 가지가 있다. 피막용도 유색과 무색이 있으며 유색의 것은 오렌지색, 청록색, 황색 등이 있고, 무색인 것은 청색과 백색(염색이 가능함)이 있다. 어느 것이나 이 처리를 하면 아연도금만 한 것보다 내식성이 증대하며, 일반적으로 수배에서 수십 배로 된다.

(가) 크로메이트 처리액

크로메이트 처리액을 대별하면 고농도와 저농도의 두 가지가 있다. 고농도는 화학 연마용이 있으나 저농도는 이러한 작용이 적으므로 광택 크로메이트를 얻고자 할 때는 광택이 좋은 도금을 해야 한다. 또한, 광택이 없는 착색 크로메이트를 얻고자 할 때는 저농도를 사용해도 좋다. 고농도를 사용하면 도금비용이 높아지고, 공해가 크다. 액조성을 보면 다음과 같다.

① **광택처리용**

　i) 크롬산 300~250g/ℓ, 황산 5~25g/ℓ, 질산 10g/ℓ
　ii) 위의 액에 아세트산 5g/ℓ을 넣는다.

② **착색 및 피막**

　　i) 크롬산 50~75g/ℓ. 황산 5~10g/ℓ

　　ii) 중크롬산소다 200~250g/ℓ, 황산 5g/ℓ

(나) 크로메이트피막의 성질

크로메이트처리의 원리는 아연도금면의 일부를 용해시키고, 크롬산아연을 함유한 피막을 생성시키는데 있다. 일반적으로 이 처리로서 2~4μ정도의 아연막이 녹아서 엷어진다. 따라서, 5μ 이상의 도금이 필요하다. 아연이 침적에 의해서 녹는 양은 30℃, 1초당 광택처리에는 1.2~1.6μ, 착색처리에서 0.5~1.0μ이라고 생각된다. 피막용에서는 용해량이 극소하다. 따라서, 광택용은 아연을 강하게 녹여내므로 액이 약간 강산성이며 진한 액을 사용하나 착색용이나 피막용은 약산에 약한 액에서 처리하고 있다.

이 처리액은 크롬산과 중크롬산소다($Na_2Cr_2O_7$)를 주체로 한 것이며, 여기에 황산 및 질산을 가해서 사용하고 있다. 청색 광택의 처리에는 아세트산을 가하는 경우도 있다. 이 작업에 있어서 액의 온도(작업 중 점차 상승), 침지시간, 공기 중 방치시간, 수세방법, 건조방법에 의해서 광택도, 착색도 및 피막의 밀착력이 좌우된다. 크롬산의 농도가 높고 황산, 질산을 첨가했을 때는 아연은 화학연마를 받아서 광택면이 생긴다. 이 때 황산, 질산의 양이 낮으면 착색피막이 되기 쉽다. 중크롬산소다를 사용하면 착색 피막을 얻기 쉽다. 크로메이트욕의 pH가 0~1.5일 때는 엷은 색, pH 1.0~3.5에서는 착색피막이 된다. 침지온도는 23~40℃가 좋고, 고온은 작용이 심하며 아연의 용해가 빠르므로 작업하기 힘들다. 저온일 때는 약간 시간이 걸린다. 침지시간은 3~15초가 좋고, 엷은 액에서는 40초까지도 행해지며 고농도, 고온에서는 단시간에 행한다. 침지 후 액으로부터 꺼내서 수세를 하는데 공기 중에 노출되는 시간이 있다. 이 공기 방치 시간의 장단은 피막의 생성, 착색정도, 내식성, 밀착성 등에 영향이 있다. 크로메이트 피막은 크롬산크롬($Cr_2O_3 \cdot CrO_3 \cdot H_2O$)이라 생각되며, 피막의 색상은 6가 크롬의 함유량과 피막의 두께에 따라서 여러 가지 색이 된다. 크로메이트 처리한 것을 알칼리액(가성소다 5% 또는 탄산소다 60g/ℓ, 온도 30~60℃)에 담그면 탈색되어 금속색의 피막을 얻는데, 이것은 6가 크롬이 알칼리액에 의해서 녹아 없어졌기 때문이다. 6가 크롬은 특히 알칼리성 온액에 용해하기 쉽다. 또한, 공기 중에 방치하는 시간이 길면 6가 크롬의 양이 많아지며 피막이 두꺼워지므로 내식성이 커진다. 그러나, 피막이 두꺼워지면 밀착력이 저하해서 피막이 떨어지는 경우가 있으므로 주의해야 한다. 피막의 밀착력은 다음과 같다.

(ⅰ) 저농도 크로메이트액에 장시간 담그면 밀착력이 약해진다.
(ⅱ) 빙초산(아세트산) 30mℓ/ℓ를 크로메이트액에 첨가하면 밀착력이 강해진다.
(ⅲ) 과망간산칼륨을 크로메이트액에 첨가하면 밀착력이 좋아진다.
(ⅳ) 크로메이트액 중에 아연이나 카드뮴의 양이 많아지면 밀착력이 나빠진다.

또한, 내식성에 있어서는 피막이 생긴 직후는 약하나 시간이 경과하는데 따라서 강해진다. 이것은 내식성뿐만 아니라 경도, 밀착력도 같은 결과를 얻는다. 따라서, 크로메이트 피막의 내식성 시험은 적어도 24시간 후에 해야 한다. 또한, 60℃ 이하에서 가열 건조하면 단시간에 내식성이 증가한다.

(다) 건조온도와 내식성

크로메이트처리 후의 건조 온도는 내식성에 크게 영향을 미치는데 60℃ 부근에서 건조하는 것이 안전하다. 70℃ 이상에서는 내식성이 감소하며, 80℃에서는 내식성이 심하게 나빠지고, 크로메이트 효과가 상당히 적어진다. 이 원인은 건조온도가 70℃ 이상이 되면 크로메이트 피막에 금이 가서 이 금간 것이 많으면 내식성을 떨어뜨린다. 금이 가는 원인은 크로메이트 피막에는 수분이 들어 있는데 이것이 피막으로부터 방출하기 때문이다.

(라) 저농도 크로메이트액

저농도액은 크롬산 80g/ℓ 이하의 것을 말하며 최근에는 10g/ℓ 이하의 액이 많이 사용되고 있다. 이러한 액을 사용하게 된 것은 폐수처리를 용이하게 하기 위한 것과 자동 도금장치로써 크로메이트를 할 수 있게 하기 위한 것이다. 저농도 크로메이트 약품은 시판되고 있는 것이 있으며, 이것을 사용하면 간단하게 된다. 저농도 크로메이트 액의 성질을 보면 다음과 같다.

(i) 화학연마작용이 없으므로 광택 크로메이트를 얻고자 할 때는 아연도금액에 광택제를 넣어서 광택 아연도금을 할 필요가 있다.

(ii) 크로메이트 후 즉시 건조시키지 않으면 백색의 부식생성물이 생기므로 건조시설을 완비시킬 필요가 있다.

(iii) 피막 생성에 시간이 걸리므로 생산성이 약간 떨어진다.

(iv) 피막의 내식성은 고농도 크로메이트피막보다 나쁘다.

(v) 아연도금의 용해량이 적으므로 도금이 엷어도 상관 없다.

(vi) 침지시간이 길고 짧은데 대한 피막의 영향이 없으므로 자동도금에 적합하다.

(vii) 크롬산이 적으므로 폐수처리가 용이하다.

(viii) 고농도 크로메이트 후에 알칼리 처리한 제품은 땜납이 잘 먹지 않으나 이것은 잘 먹는다.

(4) 카드뮴도금

(a) 용도 및 내식성

카드뮴은 아연과 성질이 비슷한 금속이며, 색도 아연과 비슷하지만, 아연보다 은색에 가깝다. 철에 대한 냇힉성은 건조된 공기 중에서는 아연보다 높다. 또한, 식염수에도 강하므로 해양 선박용품의 도금, 통신기, 항공기용 부품의 도금에 사용된다. 건축 철물, 전기 기구 등에 도금을 해도 좋으나, 도금 가격이 아연의 약 10배 이상 고가이다. 식기에는 카드뮴이 해로우므로 사용을 금하고 있으며, 의료 기구에도 사용되지 않고 있다. 카드뮴은 습기가 있는 곳에서나 공장 지대에서는 아연도금보다 내식성이 떨어진다. 카드뮴도금은 거의 모두 시안화욕에 한정되어 있으며, 산성욕은 사용되지 않고 있지 않으나, 수소취성이 적다고 한다. 카드뮴도금은 아연도금과 거의 동일한 방법으로 행하여지고 있으며, 후처리로 질산 및 크롬산 침적도 행해지지만, 아연도금 때보다는 용이하다. 액 조성 및 작업조건은 표 5.20에 나타냈다.

표 5.20 액 조 성 및 작업조건

g/ℓ	1	2	3	4	5	6
산화 카드뮴	23	32	–	20~32	23~39	–
시안화카드뮴	–	–	45	–	–	24~35
시안화 소다	85	105	49	66~110	86~13	150~65
가 성 소 다	–	–	20	–	–	30~40
pH	12.6~13			12.6~13		
온도(℃)	20~30			20~35		
전류밀도(A/dm²)	1~5			0.5~2.0		
전압 (V)	1~4			7~12		
용도	정 지 욕			배 럴 욕		

(b) 도금액의 관리

  (i) 액조성의 허용범위는 상당히 넓고, 관리는 용이하나, 착염의 형태가 불명하므로 다음의 R비로 관리한다.

$$R비 = 전 시안화소다(g/ℓ)/금속카드뮴(g/ℓ) = 3~4$$

  R비는 3.75±0.4가 제일 좋다고 하면 2.3~6.0의 넓은 값에도 지장이 없다고 한다.

  (ii) 액온도는 상온이 좋고, 고온이 되면 회색조잡한 전착이 되며, 저온이면 도금면에 부풀음이 생기기 쉽다.

  (iii) 금속카드뮴양은 20~25g/ℓ이 표준이며, 금속량이 많을수록 높은 전류밀도를 흘릴 수 있는데, 50g/ℓ일 때는 10A/dm²로도 도금할 수 있다.

  (iv) 유리 시안화소다의 양이 적어지면 도금면은 더덕부착이 되고, 회색과 검은색이 되어 피복력이 나빠진다. 이 때는 간단한 헐셀 시험이 효과적이며, 광택범위가 넓어지도록 시안화소다를 첨가해서 고치면 된다.

  (v) 카드뮴은 양극 전류효율은 100%에 가깝고, 음극 전류효율은 90%가량이므로 액 중의 금속카드뮴분은 차차 증가한다. 따라서, 양극에 불용해성 스테인레스판이나 철판을 사용해서 조정할 때가 있다. 철판 양극을 사용할 경우 표면에 녹과 같은 막이 생길 때가 있는데 이것은 전도를 나쁘게 하므로 닦아서 제거해야 한다.

(vi) 전류밀도는 양극이 음극보다 면적이 작아도 되며, 양극은 2A/dm²정도가 좋다.

(vii) 양극은 되도록 고순도의 것을 사용해야 한다. 아연, 철, 납, 은, 마그네슘, 탈륨 등의 불순물이 들어가기 쉬운데 이것들은 변색, 다갈회흑색 줄, 피복력 불량, 스폰지 도금 등의 원인이 된다.

(viii) 첨가제(광택제)는 도금의 광택을 주며, 전착하는 결정립을 미세화하여 치밀하게 되므로 피복력을 좋게 하기 위해서 가한다. 많은 첨가제의 사용이 제안되어 있으나, 일반적으로 사용되는 것은 젤라틴, 덱스트린, 펩톤, 티오요소 등이며, 젤라틴일 때는 0.005~0.01g/ℓ, 덱스트린일 때는 0.3~0.4g/ℓ을 첨가한다. 또한, 상품으로 판매되는 유기 광택제가 있다.

(5) 납도금

납의 전기도금은 내식성이 주목적이며, 때에 따라서는 내마모성의 향상을 위해서 베어링 메탈 등에 도금할 때도 있다. 납은 질산과 같은 강한 산화력을 가진 산, 아세트산과 같은 유기산, 염산과 같이 염소를 갖고 있는 것들에 대해서는 침식을 당하나, 그 외에 대해서는 매우 큰 내식성을 갖고 있다. 특히, 황산에 대해서는 강하며, 이것은 납 표면에 공기 중의 산소와 화합해서 PbO_2를, 황산 중의 SO_4^{2-}과 화합해서 $PbSO_4$를 만들어서 그 이상의 부식을 방지해 주기 때문이다. 또한 플루오르산에도 침식되지 않는다. 질산염, 규소플루오르화염, 술폰산염 등의 수용액을 사용할 수 있으나, 현재 가장 널리 사용되는 것은 다음의 두 가지이다.

(a) 규소플루오르화염욕

(가) 규소플루오르화납   131.5g/ℓ   젤라틴   0.5g/ℓ
규소플루오르산(유리산)   61.5g/ℓ

(나) 납   180g/ℓ   아교   5.4g/ℓ   전규소플루오르산   140g/ℓ

(b) 붕소플루오르화염욕

(가) 염기성 탄산납[2(PbCO₃)·Pb(OH)₂]   150g/ℓ

플루오르산 240g/ℓ   붕산   105g/ℓ   아교   0.2g/ℓ

(나) 염기성 탄산납   300g/ℓ   플루오르산   105g/ℓ
　　　붕산   212g/ℓ   아   교   0.2g/ℓ

(5) 주석도금

주석은 아름다운 광택을 갖고 있으며 장시간 동안 변색하지 않는 금속이므로 식품을 담아 두는 깡통이나 금속 인쇄의 하지도금으로서 사용되고 있다. 다른 용도로는 주석이 연해서 윤활유와 같이 내마모성을 향상시키고 자리를 잘 잡아주므로 알루미늄 합금제의 자동차 피스톤 위에 이 도금을 하고 있으며, 때로는 피스톤 링에도 도금할 때가 있다. 또한, 미싱 고장에서 니켈도금을 할 부분품에 주석도금을 하여 미싱이 가볍게 동작될 뿐 아니라 소리가 작아졌다는 예도 있다. 또 강의 질화방지에도 사용한다. 전기도금을 한 주석도금은 두 배의 두께로 용융도금한 것과 동일한 유공도를 갖고 있으므로 깡통제조에 있어서는 극히 유리한 조건이다. 또한, 용융도금에서는 할 수 없는 두께의 자유로운 조절과 철판 양면의 두께를 달리할 수 있다는 점이 또한 전기도금이 유리한 것을 나타내고 있다. 전기도금의 광택은 주로 도금 후 재용융(Reflowing)에 의해서 얻어진다. 첨가제에 의한 완전 광택도금이 공업적으로 시작되었다. 근래에 와서 도금액의 종류로는 산성액과 알칼리성액이 있는데 산성액이 첨가제에의한 광택도금을 하기 쉬우므로 근래에는 이 방법이 많이 쓰여지고 있다. 또한, 금, 카드뮴, 아연도금에 대신하여 땜납을 할 필요가 있는 전자부속품에 많이 도금을 하게 되었다.

(a) 산성주석도금

(가) 황산주석도금

대표적인 조성은 표 5. 21에 나타내었다. 황산액으로부터의 주석도금은 첨가제가 없으면 대단히 거칠고 모래알같은 주석의 석출이 되므로 보통 3종류 이상의 첨가제를 사용하는 도금액들이다.

무광택 도금액은 표 5.21이외에 크레졸, 레조르신올 및 아로인 등을 가한 액도 있다. 젤라틴은 냉수에 충분히 불린 후 온수 중에 용해시켜서 사용한다. β-나프톨은 에틸알콜에 일시 용해시킨 다음 젤라틴

용액과 혼합해서 크림상태로 된 것을 도금액에 첨가한다. 과포화(침전한)의 β-나프톨은 액을 만든 후 24시간 정치시킨 용액을 여과해서 제거하는 것이 좋다. 또한, 액 중의 Sn^{2+}은 산화해서 Sn^{4+} 즉, $Sn(SO_4)_2$로 되어 침전하므로 여과하여 제거해서 사용해야 한다. 또한, Sn^{2+}이 Sn^{4+}으로 되어 침전하는 것을 상기의 안정제를 넣으면 급격히 감소한다.

표 5.21 황산주석 도금액의 조성과 작업조건

약품 및 조건 \ 액조성	무광택액	광택액
황산제일주석($SnSO_4$)	40g/ℓ	40g/ℓ
황 산(H_2SO_4)	60g/ℓ	100g/ℓ
크레졸술폰산	40g/ℓ	30g/ℓ
젤 라 틴	2g/ℓ	
β-나 프 톨	1mℓ/ℓ	
포 르 말 린(37%)		5mℓ/ℓ
광 택 제*		10mℓ/ℓ
분 산 제**		20mℓ/ℓ
안 정 제***		약간
온 도 (℃)	20	17
음극전류밀도(A/dm²)	1.5	1.5
양극전류밀도(A/dm²)	2이하	2이하
양 극 순 도 (%)	99.9	99.9
교 반(m/min)	적당	2

* 2%탄산소다용액 중에서 280mℓ의 아세트알데히드와 106mℓ의 o-톨루이딘을 15%에서 10일간 반응시켜 얻어진 침전물을 이소프로판올에 용해시켜서 20%용액으로 만든 것

** 1몰의 노닐 알콜에 15몰의 에틸렌옥사이드를 부가한 생성물

*** 안정제로는 크레졸술폰산을 첨가한다.

(나) 붕소플루오르화주석도금

붕소플루오르화주석 도금액으로부터 도금한 것은 황산액으로부터 도

금 한 것보다 결정입자가 미세하며 평활한 도금이 되기 쉽고, 넓은 전류밀도 범위로 피복성이 좋은 도금이 되며 $Sn^{2+} \rightarrow Sn^{4+}$로서 산화도 적으므로 고속도 도금용으로 많이 사용하고 있다. 액 조성과 작업조건을 표 5.22에 나타냈다.

(b) 알칼리주석도금

이 액은 가장 일반적인 도금 조건에 적합한 것이며, 액 조성이 단조롭고 관리가 용이하며, 균일 전착성이 대단히 우수하다. 소다욕과 칼륨욕이 있는데, 성질은 대체적으로 동일하지만, 칼륨욕이 전류밀도 범위도 크고, 침전물도 적게 생기므로 좋다. 때로는 혼합욕도 사용하고 있다. 또한, 양극에서 Sn^{2+}이 적은 양이라도 SnO^{2-}_2으로 혼입하여 침전하는 것을 생각하여 항상 0.5g/ℓ정도의 과산화수소를 품게 해서 작업을 할 때도 있다. 또한, 양극은 항상 황록색의 피막이 있는 상태가 좋은 상태이며, 이 피막이 없어지면 2가 주석이 용해되어 나오게 되고, 액은 검은 색을 띠게된다. 이때 위와 같이 과산화수소를 넣어서 4가로 산화시키면 되지만, 요컨대 양극전류밀도를 항상 주의해서 황록색을 유지하도록 한다.

⑹ 합금도금

합금도금은 근년에 와서 점점 중요하게 되었는데 이것은 단일 금속의 도금으로서는 얻을 수 없는 성질이 있기 때문이다. 합금도금의 입자는 대개 미세하며 색 조나 광택이 좋고 경도도 비교적 좋으며, 합금의 조성을 변화시키면 색상을 여러 가지로 변화시킬 수 있는 등의 잇점이 있다. 더 한층 중요한 것은 합금도금에서는 피트나 핀홀이 적고 내식성도 비교적 좋은 피막을 얻기 쉽다. 합금도금은 비교적 귀한(잘 녹지 않는)금속과 비교적 천한(녹기 쉬운)금속의 합금이 되는 수가 많아 국부전지현상에 의한 도금면의 부식이 평면적으로는 일어나기 쉽고, 소지를 부식시키는 입체적인 방향은 적으므로 소지의 방식상에도 좋은 것이다.

합금으로서는 Cu-Zn, Cu-Sn, Zn-Cd, Ag-Cd, Ni-Co, Sn-Ni, Sn-Co, Co-Ni-Zn 등이 있으나, Cu-Zn, Cu-Sn, Pb-Sn이 일반적이며, Fe-Ni, Sn-Zn, Fe-Ni-Cr, Cu-Pb-Sn등도 하게 되었으며, 여러 가지 합금도금이 계속 시도되고 있다. 합금도금이 되려면 다음과 같은 조건이 필요하다.

표 5.22 붕소플루오르화주석 도금액의 조성과 작업조건

약품 및 조건 \ 액조성	무 광 택	광택고농도	광택저농도
붕소플루오르화제일주석 [Sn(BF$_4$)$_2$]	200g/ℓ	100g/ℓ	50g/ℓ
제 일 주 석 Sn^{2+}	81g/ℓ	81g/ℓ	20g/ℓ
유리 붕소플루오르산 (free HBF$_4$)	100g/ℓ	100g/ℓ	100g/ℓ
유리붕산(Free H$_3$BO$_3$)	25g/ℓ	25g/ℓ	25g/ℓ
젤 라 틴	6g/ℓ		
β - 나 프 톨	1g/ℓ		
포 르 말 린(37%)		10mℓ/ℓ	10mℓ/ℓ
광 택 제*		40g/ℓ	20mℓℓ
분 산 제**		20g/ℓ	10g/ℓ
온 도 (℃)	20	20	17
음극전류밀도(정지) (A/dm^2)	3	3	2
음극전류밀도(배럴) (A/dm^2)	1	1.5	1
양 극 순 도 (Sn%)	99.9	99.9	99.9
교반(음극이동) (m/min)	적당	2	2

*, ** 황산액과 같음

i) 전착하는 각 금속의 단극전위가 서로 접근해 있을 것

ii) 단극전위가 떨어져 있을 때는 전해 조건을 선택해서 전류-전압곡선을 접근시킬 것

i)의 조건을 가진 금속에서 비교적 용이하게 합금도금을 얻을 수 있다. 이것의 예로서 Ni-Co합금도금(Ni의 단극전위 -0.23V, Co는 -0.29V), Sn-Pb합금도금(Sn -0.140V, Pb -0.126V)이다. 다음에 단극 전위가 떨어져 있는 경우, 예를 들면 Cu-Zn합금도금에서는 구리는 +0.34V에 대해서 아연은 -0.76V로서 대단한 차이가 있다. 이 때는 두 금속을 동시에 석출시키는데 있어서 시안화물 착이온 용액에서 석출전류가 서로 접근해 있으므로 이 착이온 용액에서는 합금도금이 용이하다.

(a) 동도금

황동도금은 다음의 두 가지 목적으로 널리 사용되고 있다. 첫 번째는 아

연, 황동, 주철상에 황동의 외관을 주고자 할 때이다. 이러한 경우는 황동의 색이 주 목적이며, 석출면의 성분이나 성질은 그리 문제가 되고 있지 않다. 도금의 두께는 보통 얇으며 예를 들어 5μ 이하에서는 부식에 대해서 별로 저항이 없다. 따라서, 보통 황동도금 후 투명한 래커 도장을 해서 내식성을 향상시키고 있다. 또한, 같은 성분의 황동판과 비교해보면 8:2황동의 조성으로 도금색이라야 7:3황동판의 색과 동일하게 된다. 그러나, 근래에 와서 시중에서 판매되는 황동도금용 시판 솔트(Salt)는 7:3황동판을 사용하고 있으며, 광택제도 넣게 되어 있고 색도 고르게 낼 수 있다. 두 번째 목적은 철에 대한 고무의 부착력을 좋게 하기 위해서 하는 도금이다. 이 때는 황동의 석출조성이 특히 엄밀하며 25~33%아연을 유지할 필요가 있고, 도금층의 두께는 보통 얇으며 2.5μ 이하이다.

① 액조성

성분 \ 욕구분	황동	황동	브론즈 (Bronze)	고속도욕	배럴욕
시안화제일구리	30g/ℓ	52.5g/ℓ	52.5g/ℓ	75g/ℓ	45g/ℓ
시 안 화 아 연	9.0	30	30	ZnO 3~9	15
가 성 소 다		90	90	45~75	
시 안 화 소 다	56	30	30	90~135	90g/ℓ
탄 산 소 다	30	5~10mℓ/ℓ	0~5mℓ/ℓ	15	염화암모늄
암모니아 (28%)	적량				8g/ℓ

② 작업조건

성분 \ 욕구분	황동	황동	브론즈 (Bronze)	고속도욕	배럴욕
유리시안화소다	17g/ℓ	8g/ℓ	4~12g/ℓ	4~1912g/ℓ	
pH(비 색으로)	10.3~10.7	10.3~10.7	10.3~10.7	10.3~10.7	
욕 온 (℃)	35~49	43~60	43~60	12.5	20 이상
D_g (A/dm²)	0.5	0.5~3.5	0.5~3.5	70~95	
E_{ffc} (%)	50	70~90	70~90	2.5~15	
양 극 : 음 극	2 : 1	2 : 1	2 : 1		
양극 Cu : Zn	80 : 20	70 : 30	90 : 10		6 이상
조 전 압	2~3V	배럴도금			
	(6V 이하)	9~12V			

이들 액에서

i) 액의 온도는 상온에서도 잘 되나, 40℃부근에서 작업하면 균일한 색을 얻기가 쉽다.

ii) 같은 조건에서 구리의 색을 진하게 하고자 할 때는 전류밀도를 작게 하거나 유리 시안화소다를 적게 하거나 액의 온도를 높게 하면 된다.

iii) 액의 교반은 음극을 서서히 움직이는 정도가 좋다.

iv) 여과는 정기적 방법으로 충분하다. 여과 조제로서는 활성탄을 사용한다.

v) 암모니아수를 사용하면 도금의 얼룩이 없어진다.

(b) 백색 황동도금(White bronze)

① 욕조성

시안화제일구리	17.25g/ℓ
시안화아연	60g/ℓ
시안화소다	60g/ℓ
가성소다	60g/ℓ
황화소다	3.75g/ℓ

② 조업조건

pH(비색)	13 이상
액온	$20 \sim 40℃(25℃)$
D_K	$1.08 \sim 4.32A/dm^2$
전류효율(E_{ffc})	$60 \sim 90\%$
양극 : 음극(면적비)	3 : 1
양극구리 : 아연(%)	6V 이하

(c) 주석-아연합금도금

이 합금은 철에 대해서 양극적으로 작용을 하며, 부식속도는 주석이 있기 때문에 아연보다도 늦고, 핀홀이 적으므로 철에 대해서 방식피막으로 매우 좋다. 아연의 함유량은 20%가 좋으며, 25% 이상이 되면 좋지 않다. 거꾸로 주석이 많아도 핀홀이 생기므로 좋지 않다. 도금액으로는 알칼리

시안화욕, 피로인산염욕, 붕소플루오르화물욕 등이 있다. 용도는 내식성이 좋으며, 7μ이 용융아연 70μ에 해당한다는 설이 있다. 플럭스 없이도 납땜이 되며, 전기 접촉저항이 적으므로 전기 부품에 많이 사용한다.

(d) 니켈-철 합금도금

최근 광택 니켈도금의 대용으로서 각광을 받기 시작하였으며, 미국에서 개발된 것이다. 철분이 15~35%있으므로 니켈보다 경제성이 클 뿐만 아니라, 광택도 좋고, 유연성과 내식성도 좋으며, 크롬도금도 잘 받으므로 니켈이 점차 부족해지는 이 때 주목할 만한 것이다. 표 5.23에 조성을 나타냈다.

표 5.23 니켈-철 합금도금욕의 조성

	범　위	최　적
황산니켈($NiSO_4 \cdot 6H_2O$)	80~130g/ℓ	105g/ℓ
염화니켈($NiCl_2 \cdot 6H_2O$)	40~80g/ℓ	60g/ℓ
붕　산(H_3BO_3)	40~50g/ℓ	45g/ℓ
황산제일철($FeSO_4 \cdot 7H_2O$)	5~20g/ℓ	10g/ℓ
광택제	약간	약간
pH	2.8~3.5	3.2
온도	55~70℃	63℃
음극전류밀도	2~10A/dm^2	
양극	고순도 철과 황 함유 니켈(SD 등)	

(d) 주석-니켈도금

이 도금은 장식과 내식성이 크고, 스테인레스의 색을 가진 도금으로서 니켈-크롬의 2중도금에 해당한다. 도금조작도 간단하며 원가도 싸게 든다. 이 도금은 외국에서는 가정기구, 전기기구, 냉장장치, 과학기구 등에 널리 이용되고 있다. 표 5.24에 조성을 나타냈다. 전류밀도 2.5A/dm^2로서 15분간 12μ의 도금을 할 수 있으며, 음극전류효율은 100%에 가깝다. 그러나, 2μ이상에서는 광택이 없어지는 결점이 있다.

표 5.24 주석-니켈도금의 도금욕 조성

	I	II
염화제일주석($SnCl_2 \cdot 2H_2O$)	50g/ℓ	50g/ℓ
염화니켈($NiCl_2 \cdot 6H_2O$)	300g/ℓ	250g/ℓ
플루오르화소다(NaF)	28g/ℓ	
산성플루오르화암모늄(Ni_4HF_2)	35g/ℓ	40g/ℓ
암모니아수(35%)		35g/ℓ
온도	65℃	70℃
음극전류밀도	2.5A/dm^2	

(e) 납-주석합금도금(땜납도금)

Sn함량 5%인 Pb-Sn합금은 철강의 방식상 최적이라하며, Sn함량 7% 전후의 것은 베어링 메탈로서 적합하다. Sn함량 55~60%의 것은 납땜 합금이다. 이러한 도금이 보급되고 있으며, 보통 붕소플루오르화욕을 사용한다. 욕 중의 아교의 함량 또는 교반의 정도에 의해서 조성이 대단히 변화하기 쉽다는 것에 주의할 필요가 있다. 붕소플루오르화욕의 관리는 비교적 용이하다. 또한, 최근에 납땜이 우수한 Sn 95%, Pb 5~7%의 합금도금으로 알킨을 슬품산욕과 페놀술폰산욕을 사용하고 있으며, 이들은 합금 비율과 액 관리가 용이하다고 한다.

① 욕조성

성분 \ 액의 종류	베어링메탈합금용 (Sn 7%, Pb 93%)	납땜 합금용 (Sn 6%, Pb 40%)
전 Sn함량	7g/ℓ	60g/ℓ
Sn^{2+}(욕 중 붕소플루오르화물로서 존재)	6g/ℓ	55g/ℓ
Pb^{2+}(욕 중 붕소플루오르화물로서 존재)	88g/ℓ	25g/ℓ
유리 HBF_4	40g/ℓ	40g/ℓ
유리 H_3BO_2	25g/ℓ	25g/ℓ
아교	0.5g/ℓ	5.0g/ℓ

② **작업조건**

온도	$25 \sim 40℃$
음극전류밀도	$2 \sim 3.5 A/dm^2$
양극전류밀도	음극전류밀도보다 적게 한다. 즉, 양극면적은 음극의 2배에 가까운 것이 좋다.
욕교반	음극을 천천히 일정 속도로 움직이게 하는 것이 좋다. Sn^{2+}의 산화가 일어나기 쉬우므로 공기교반은 금물
양극재질	음극에 전착되는 합금과 같은 조성의 것을 주조해서 사용한다.

5-2-4 진공증착

진공 중에서 금속, 금속화합물 또는 합금을 가열 증발시켜서 증발 금속 또는 증발 금속화합물을 목적 물질의 표면에 붙게 하여 엷은 피막을 형성시키는 방법을 진공증착법(또는 진공도금법, Vacuum metallizing)이라고 한다. 도금 물체는 금속이든 비금속이든 좋으며, 그 작업조작은 장치만 완전하면 매우 간단하다. $10^{-2} \sim 10^{-3} Pa$정도의 고진공중에서 금속을 증착하여 피도금체의 위에 도금한다. 이 방법은 오래 전부터 알려져 왔지만, 최근에는 고진공기술의 발달로 공업적로도 중요하다. 실험실적으로는 각종 도금금속을 이용하지만, 공업적으로는 주로 Zn과 Al이고, 피도금금속은 철강에 한정되어 있다. 증발을 위한 가열은 고주파유도 또는 전자빔에 의한 경우가 많다. 압연강판스트립에 Al을 증착하는 경우에는 탈지, 선정한 강판은 몇 단계의 차압실을 통과하여 고진공에 넣고, 573 $\sim$ 673K(200 $\sim$ 300℃)로 가열하여 소정의 두께(0.5 $\sim$ 2.0μm)까지 Al을 증착한다. 균일하게 증착하기 위해서는 Al증착원의 배치와 강판의 간극이 중요하다.

진공증착은 보통 전기도금과는 달리 다음과 같은 특징이 있다.

① 비전도체에 도금된다. 예를 들어, 플라스틱, 천, 종이, 유리, 목재, 가죽, 도자기 등에 도금이 가능하다.

② 전해액에 담그지 않고 고진공중에서 증착시킬 수 있다. 즉, 건식이며 일이 깨끗하여 공해가 없다.

③ 단원자층, 단분자층과 같은 매우 얇은 두께로부터 수 μ에 달하는 두께까지 임의로 만들 수 있다. 보통 0.01~0.1μ의 두께가 많다.

④ 균일한 반사율의 높은 막이 생긴다. 래커 등에 의한 평활한 전처리가 행해지면 버프연마가 필요 없이 고광택의 도금이 된다.

⑤ 가공비가 싸다.

이상과 같은 잇점이 있는 동시에 다음과 같은 결점이 있으므로 플라스틱의 전기도금이 행하여지기 시작했다.

① 다른 도금법에 비해서 막의 내마모성, 내식성이 나쁘다. 때로는 도금 후 투명 금속래커로 도금막을 보호시키고 있어서 내마모성은 이 래커의 내마모성에 좌우되고 있다.

② 증발물은 증발원으로부터 광선과 같이 직진하므로 증발원에 면한 곳에는 도금이 잘 되지만, 이면이나 측면은 도금이 잘 되지 않는다. 이 때문에 피증착면의 지지 방법은 목적에 따라 회전등의 고안을 해야 한다.

진공증착을 할 때 필요한 진공도는 10^{-4}~10^{-5}mmHg라는 매우 고진공이며 이것보다 진공도가 나쁘면 증발 금속이 피증착물의 표면에 달할 때까지 서로 충돌을 반복해서 입자가 커지든지, 잔류공기 중의 산소분자와 충돌해서 산화를 받든지 하여 좋은 박막을 얻을 수 없다. 이 진공을 얻으려면 회전진공펌프만으로는 10^{-3}mmHg정도밖에 얻을 수 없으므로 다시 유확산펌프(Oil Diffusion pump)를 병용해야 한다. 이 펌프는 회전펌프와 직렬로 결합해서 사용하며, 회전펌프로서 10^{-1}~10^{-2}mmHg의 진공도를 얻은 다음에 확산펌프를 작동한다.

보통 증착조작은 매우 단시간(15~30초)에 완료하나 도금탱크 내의 배기에는 상당히 시간이 걸리며, 소형의 진공장치에서도 10~30분의 시간이 걸린다. 따라서, 증착 작업시간의 대부분은 진공을 얻는데 소비하고 있다. 또한, 배기시간은 피증착 물질의 차이에 의해서도 다르다. 특히, 진공도를 증가시켜 가면 플라스틱의 종류에 따라 피증착 물질의 표면으로부터 다량의 가스가 방출되어 적당한 진공도에 도달하기 힘들다. 이와 같이 피증착물에 따라서는 증착에 적합하지 않는 물건이 있으므로 피증착물의 종류에 따라서 피증착물 표면의 청정처리, 도금탱크, 증발물, 피증착물, 지지구의 예비가열 및 증착물의 후처리 등을 할 필요가 있다. 따라서, 증착피막의 성질에 밀접한 관계가 있는 피증착물의 처리법은 다음과 같다.

일반적으로 피증착물에는 적당한 약품을 사용해서 화학적 청정을 한다. 피증착물의 표면이 거칠 때는 증착물의 광택도를 높이기 위해서 연마하든가, 합성수지도료(아세트산 섬유소, 폴리스틸렌, 폴리우레탄 수지 등 일반적으로 레커라고 하고 있다)를 하지 도장하든가 해서 표면을 매끈하게 해 준다. 또한, 플라스틱, 종이 등과 같은 가스를 방출하는 물질은 증착 전에 진공탱크 내에서 가열하여 충분히 건조시키고 배기 능률을 높여주어야 한다. 진공도금 후에는 도금의 변색방지, 마모로부터의 보호, 염색 등의 목적으로 다시 래커 코팅을 한다. 이 래커 코팅의 견고도에 따라서 도금의 수명이 좌우된다.

5-2-5 무전해도금

적당한 환원제를 함유한 금속염욕중에 피도금체(금속 또는 비금속)를 침적하고, 그 위에 금속을 환원 석출시킨 것으로 외부에서 전류를 주지 않는다. 이런 무전해도금을 행하기 위해서는 ① 환원제가 충분히 강력하고, ② 환원반응은 도금액 그대로에서는 생기지 않고, 피도금체의 표면에서만 이 촉매작용에 의해 진행하고(석출한 금속도 촉매작용을 만든다), ③ 반응속도는 액의 온도, pH, 착화제 등에 의해 쉽게 제어할 수 있는 것이 필요하다.

무전해도금이 가능한 금속은 현재 Ni, Co, Pd, Cu, Au, Ag 및 이들의 합금에 한한다. 환원제의 종류는 금속종에 따라 변하고, Ni 및 Co도금에는 환원력이 강한 차아인산염, 수소화브롬산화물히드라진, Cu, Au, Ag의 도금은 환원력이 약한 포름알데히드, 록셜염 등을 이용한다. 욕의 pH의 조절에는 Br산, 탄산, 초산 등의 유기산 및 무기산계의 완충제, 금속이온농도의 조절에는 주석산, 크렌산, 글리신, 트리에타놀아민, EDTA등의 각종 착화제가 사용된다. 이 외의 기타 용액의 안정제, 도금광택제 등을 첨가한 것도 있다.

무전해도금의 특징은 피도금체가 복잡한 형상이나 비금속이나 균일하고, 동시에 핀홀이 적은 도금막을 형성시켜 최근 전자부품제조공업 기타의 분야에서 급속히 응용범위가 확대되어 있다. 다만, 액의 관리가 다소 번잡하고, 도금가격이 비싸므로 대형의 것을 대량생산하는 것은 불가능하다.

Ni도금을 예로서 설명해보자. $NiCl_2$, 초산, NH_4Cl의 적당량을 순수한 물에 용해하고, 여과하여 먼지를 제거한 후, 차아인산나트륨의 농후액을 추가하여 도금액(pH4.5〜5.6)을 조제한다. 도금에 따라 도금층의 밀착성을 높이기 위해 피도금체의 표면의 청정화 및 활성화처리를 필요로 한다. 도금은 372K(99℃)에서 행했다. 반응은 전체적으로

$$Ni^{2+} + H_2PO^-_2 + H_2O \rightarrow Ni + H_2PO^-_3 + 2H^+$$

으로 나타낼 수 있지만, 본질적으로는 피도금체 표면에서 다음의 전지반응으로 진행한다.

음극반응 $Ni^{2+} + 2e^- \rightarrow Ni$

양극반응 $H_2PO^-_2 + H_2O \rightarrow H_2PO^-_3 + 2H^+ + 2e^-$

도금층에서는 항상 소량의 P가 고용하고 있지만, 이것은 아연인산에 유래하고 있다. 도금층은 도금조건에 따라 결정성의 정도가 다르고, 목적에 따라 무정형(아몰퍼스)을 생성한다.

5-2-6 용사

압축된 공기를 용융된 금속에 보내어 금속을 분무상으로 물체의 표면에 분사하여 금속의 피복층을 만들어주는 방법을 금속용사법(Metallizing)이라 한다. 이 용사는 기계적으로 행하여지므로 전기도금이나 용융도금보다는 조작이 간단하다. 또한, 용사피복되는 물체는 반드시 금속 제품이 아니라도 좋으며, 비전도성물질, 예를 들면 유리, 도자기, 목재, 죽재 등에도 적용되며 건축장식, 미술품, 방식용 등 용융범위가 매우 넓다. 금속용사법의 장점은 다음과 같다.

① 금속용사는 그 가공물의 크기에 관계없이 할 수 있으며 두께는 용사횟수를 거듭하면 얼마든지 두껍게 할 수 있다.

② 대부분의 고체 물질인 유리, 목재, 플라스틱, 종이, 콘크리트 등에도 피복이 가능하며 임의의 금속 합금인 알루미늄합금, 스테인레스강등의 어떠한 합금 성분이라도 단시간에 두꺼운 도금을 할 수 있다.

③ 금속 용사는 다공성의 피막이며, 산화물을 품고 있으므로 윤활유 침투가 잘 되어 윤활성이 좋고 내마모성이 크다.

④ 용사장치는 소형이며 이동이 간단하고, 설비비가 많이 들지 않으며, 기술적으로도 단시간에 숙련될 수 있으므로 비교적 용이하게 기업화된다.

금속용사법의 단점은 다음과 같다.

① 물체의 표면과 피막과의 결합이 기계적이고, 용사입자도 상호 용착되어 있지 않으므로 떨어지기 쉽다.

② 피막층은 용사 중에 산화된 입자의 누적이라고 생각되면, 다공성이므로 방식효과는 어느 조건에만 국한되고, 일반 금속보다는 기계적, 화학적으로 약하다.

③ 전처리에 비산금속을 사용하므로 비위생적이다.

④ 용사 시공 중에 금속의 비산 소모가 크다.

전술했듯이 용사는 금속을 용융시키고, 이것을 분무하여 목적 물체에 부착시켜 피복층을 만들어 주는 것이다. 따라서, 이 방법하고자 하는 금속 재질의 종류에 따라서 선식, 분말식, 용탕식으로 분류할 수 있고, 용융 열원에 따라서 가스식, 전기식으로 분류할 수 있다. 용사설비는 금속이 용융장치와 분무장치로 대별할 수 있다. 예를 들어 우리나라에서는 주로 가스식 용사가 쓰여지고 있으며 이에 요하는 장치는 용사피스톨, 공기 압축기, 공기 탱크, 공기 건조장치(탈유 탈습여과기), 산소 및 아세틸렌, 프로판가스 봄베, 철사 감는 스탠 등이 있다.

(1) 가스용선식 용사기

용사하고자 하는 선재가 연속적으로 노즐부에 송출되어 산소 및 연료가스의 연소에 의하여 이 선재를 녹여서 압축공기로 분무하게 되어 있다. 연료가스는 아세틸렌, 프로판, 산소, 수소 등을 사용하고 있다. 연료 소비량을 크게 하면 상당히 지름이 큰 선재라도 신속하게 용사할 수 있으며, 전체의 용사 코스트를 인하시킬 수 있다. 또한, 연소가스의 금속입자의 산화를 억제하며, 용사층 중의 산소함유량을 감소시키므로 층의 성질도 양호하게 된다. 그러나, 이 방법은 압축공기압력의 변동에 따라 용사속도가 좌우되므로 항상 공기량, 연료가스 및 산소량을 가감해야 하는 결점이 있다.

(2) 분말식 용사

분말식 용사는 분말을 사용하는 용사법이다. 연료로는 산소와 아세틸렌 또는 산소와 프로판, 도시가스와 공기 등의 가스를 사용하며, 가스식의 경우에는 선재 대신 금속분말의 송출장치가 있다. 금속분말을 노즐부에서 연소가스로 용해하여 동시에 압축공기로 분무시킨다. 선재로 만들기 힘든 취약한 금속이나 편석으로 균일 합금이 힘든 켈멧(Kelmet, 구리와 납의 합금) 같은 것도 이 피스톨을 사용하면 임의로 이들 금속분말을 분사할 수 있다. 또한, 비금속 물질 예를 들어 합성수지, 법랑 및 Al_2O_3, ZrO_2와 같은 초내화성 물질도 용사가 가능하다. 이 방법으로 로켓, 인공위성, 제트엔진, 특수 엔진의 부분품에도 피복할 수 있게 되었다. 최근에는 플라즈마 전호용사기의 이용으로 한층 이와 같은 내화성 물질의 용사가 가능하게 되었다.

(3) 사전처리방법

금속용사의 용사층은 전기도금과 같이 화학적으로 결합해 있는 것이 아니라 물체 표면의 요철에 용사입자가 부딪쳐 단순히 얽혀서 기계적 결합이 된 것에 지나지 않는다. 따라서, 이 용사층의 밀착성을 좋게 하기 위해서는 목적 물체의 표면을 세정하여야 하는 것은 물론이나 미리 물체의 표면을 적당한 요철로 만드는 것이 또한 중요하다. 이와 같은 적합한 요철을 가진 조표면(粗表面)을 만들기 위한 전처리로 종래부터 행사는 샌드블라스크법, 쇼트블라스트법, 조각법, 용착법 및 몰리브덴합금 용사법이 있다.

(4) 용사방법

정치해 있는 가공면에는 용사피스톤을 손에 쥐고 용사하는 것이 보통이지만, 용사할 때 용사 피스톨로부터 분무되는 금속입자가 가공면에 대해서 직각으로 충돌하도록 하고, 어떠한 경우가 있더라도 45°이하로 향해서는 안 된다. 용사각도가 45°이하로 되면 밀착력이 극히 나빠진다. 또한, 용사피스톨은 가공면과 용사기(노즐의 선단)와의 간격이 항상 동일하도록 하면서 이동시킨다. 이 간격은 각 금속에 따라 다소 다르나 보통 10~25cm이며, 납, 주석, 아연, 구리합금, 알루미늄, 철, 스테인레스의 순으로 크게 한다. 용사피스톨의 이동속도를 일정하게 하고, 동일 장소를 연속적으로 용사하지 않도록 주의한다. 동일 장소를 연속적으로 용사하면 그 부분이 가열되어 산화해서 금속면이 산화피막으로 덮이게 되므로, 밀착성과 용사층의 성질이 나쁘게 된다.

5-3 비금속피복

　　"유기재료를 주로 이용한다"는 도장, 플라스틱라이닝, 고무라이닝과 "무기재료를 이용한다" Glass라이닝, 및 세라믹라이닝으로 분류된다. 모두 금속의 표면에 피복처리를 하지 않고, 금속과 환경을 차단하여 방식효과를 얻는 것으로 처리 후의 표면은 금속재료의 것과는 상당히 다른 특성을 갖게 된다. 즉, 이상적으로는 재료의 성질은 그 특성에 따라 지배되는 금속재료가 단순히 구조재료로서의 강도만을 받게 된다.

　　피복을 의미하는 Painting, Coating 및 Lining이라는 말의 구별은 아무래도 명확하지 않다. 일반적으로 라이닝은 두껍게 하는 경우(보통 약 500㎛이상)를 말한다. 코팅, 페인팅의 순으로 얇게 되지만, 그것도 일정한 막두께가 규정되어 있지는 않다. 예를 들어, 높은 내구성을 목표로 하는 중방식도장의 경우 등 두께가 500㎛을 초과하는 것도 적지 않다. 따라서, 관습적으로 어감에 따라 용어가 선택하는 것이 좋을 듯하다.

5-3-1 방식도장

　　도장은 금속의 방식대책으로 제일 일반적인 것으로 일본에서는 방식대책비에 점하는 도장의 비율은 60%를 초과한다. 도장은 보통 다음과 같이 3가지 성분으로 이루어진다.

① Vehicle : 유지, 수지 등 피막을 형성하기 위한 성분으로, 부식환경에서 금속을 전단하는 역할을 맡는다.
② 안료(Pigment) : 전기화학적으로 금속의 방식을 제어하는 방청제로서의 역할 이외에 착색성분으로서의 역할도 갖는다.
③ 용제(Solvent) : Vehicle의 용해나 안료의 분산을 좋게 함과 동시에 도장의 시공성을 양호하게 한다.

　　Vehicle로서 자아마인유 등의 가공건성유를 이용한 유성도료는 제일 오래전부터 알려졌지만, 현재는 합성수지계의 Vehicle이 대부분을 점하게 되었다. 1960년과 1982년에 일본에서 각종 도료의 생산고를 대비하여 표 5.25에 나타냈다. 합성수지도료는 단일의 수지를 Vehicle로 하는 것은 어떤 종의 수지를 조합한 것이 일반적이고, 표에 주가 되는 성분에 의해 분류되어 있다. 이 표는 유성도료의 사용량이 20년 사이에 반감하였고, 합성수지도료가 압도적인 양을 점유한다는 것, 도료의 종류가 매우 풍부하게 되었다는 것을 나타내고 있다. 방청안료에는 연화합물, 아연분말 및 그 화합물, 크롬산염류 등이 주로 이용되지만, 공해 등의 문제로 납 및 크롬산염계의 안료의 사용을 감소시키는 움직임이 있다. 그러나, 대체안료로 이들과 동등한 성능을 얻도록 하면 사용량을 대폭 증가하게 될 것이다. 용제는 사용하는 Vehicle 및 안료와 관련하여 선택하므로 각종 용제를 혼합하여 사용하는 경우가 많다. 여기서도 위생상의 문제로 그 종류 및 사용량에 대한 고려가 있어야 한다. 용제로서 물을 이용하는 수 계도료의 생산량이 신장하게 되었다거나 용제를 전혀 사용하지 않는 분말도료를 사용한다.

도장의 작업공정은 상당히 종류가 많고, 목적에 따라서도 다르지만, 일반적으로 ① Sand blast, Jet blast등의 기계적 표면처리, ② 탈지, ③ 산세, ④ 인산염, 크롬산염 등에 의한 화성처리, ⑤ 도장의 순으로 이루어진다. 도장의 성능을 충분히 살려 내구성을 향상시키기 위해서는 ①~④가 중요한 공정이다. ⑤의 도장의 단계는 방식도장에서는 적어도 (I) 플라이머, (II) 중도장, (III) 평도장의 3공정을 하는 것이 보통이고, 중방식도장의 경우는 7층 구성되어 있다.

표 5.25 도료의 품종별

			1960년		1982년	
			수량	구성비	수량	구성비
	유 성 도 료		107	31.2	51	3.2
	락 커		31	9.0	49	3.1
	전기절연도료		12	3.5	27	1.7
합성수지도료	알키드수지계	웨니스·에나멜	32	9.3	66	4.2
		조합페인트			90	5.7
	아미노·알키드수지계		28	8.2	113	7.2
	비닐수지계		6	1.7	41	2.6
	아크릴수지계		–	–	107	6.8
	에폭시수지계		2	0.6	75	4.8
	우레탄수지계		–	–	56	3.6
	폴리에스테르수지계		–	–	24	1.5
	녹방지페인트		–	–	89	5.7

			1960년		1982년	
			수량	구성비	수량	구성비
합성수지도료	수성도료	에멀젼계	12	3.5	114	7.3
		골재삽입에멀젼계	-	-	54	3.4
		수용성수지계	-	-	87	5.5
		소계	12	3.5	225	16.2
	분체 도료		-	-	9	0.6
	염화고무계		-	-	28	1.8
	기 타		15	4.4	102	6.5
	계		95	27.7	1055	67.1
주정 도료			10	2.9	3	0.2
기타 도료			22	6.4	61	3.9
신 나			66	19.3	297	18.9
관련 제품			-	-	29	1.8
합계			343	100	1572	100

플라이머로서 제일 잘 알려져 있는 것은 다음의 2종류이다.

(1) 에칭플라이머

웨슈플라이머라고도 불리며, 폴리비닐프틸러수지, 크롬산아연, 인산 및 알콜계 용제로 구성되어 있다. 이것을 이용하면 인산이 금속을 에칭하여 생성하는 금속인산염이 안료와 일체가 되어 한 종류의 화성피막을 형성한다. 비닐브틸룰러는 크롬산과 반응하여 아교구조의 중합체가 되어 안정한 방청피복을 형성한다. 이 수지는 상도장의 안료와의 부착성도 좋다.

(2) 싱크리티플라이머

안료로서 다량의 아연분말을 포함한 것으로 건조도막 중의 함량은 80%이상에 달한다. Vehicle로서는 페놀수지, 에폭시수지 등의 유기계와 알칼리실리케이트(물을 용제로 한다), 알킬실리케이트(유기용제를 이용한다) 등의 무기계가 있다. 이 도료는 철강구조물에 이용하므로 그 방식의 원리는 아연도금 강판의 경우와 상당히 동일하다. 즉, 방식환경하에서는 아연분말이 아노드로서 또 철강재료가 캐소드로 작용하여 도막내 및 하지와의 계면에 아연의 부식생성물을 생성하여 철강표면을 보호함과 동시에 아연의 소모를 작게 한다. 자동차의 차체나 전기제품의 도장에는 이들 플라이머를 시행하는 대신에 화성처리 후의 표면에 그대로 전착도장을 하는 경우도 많다. 전착도장은 일본에서 실용화된 것으로 당초에 도장된 금속을 아노드로서 수용성Anion합성수지를 포함한 용액에 침적하여 수지피막을 전해 석출시키는 방법이었다. 그러나, 이 방법에서는 북미와 같이 동절기의 융설 때문에 다량의 염류를 노상에 산포하고 있는 가혹한 환경에서는 자동차 차체용으로서는 방식상 충분하지 않아 현재 자동차 공업에서는 도장금속을 캐소드로 하고, Cation합성수지를 전착하는 방법으로 변화하였다.

일반적인 도장의 경우 중도장에는 유성녹방지 페인트, 페놀수지계도료, 염화고무계도료 등이 많이 사용된다. 중방식도장의 경우는 이들 이외에 비닐수계도료, 에폭시수지계도료, 에폭시타르수지도료 등이 이용된다.

상도장도료에는 표 5.25의 대부분이 이용되지만, 다음과 같이 크게 분류할 수도 있다. ① 조합페인트, ② 합성수지조합페인트, ③ 부탈산수지에나멜, ④ 셀룰로이스유도체도료, ⑤ 합성수지도료이상 이외에 특수한 기능 및 용도를 갖는 특수도료라 불리는 것도 있는데 다음에 그 몇 가지를 설명한다.

① 선저도료(船底塗料)
　조류가 부착하기 어렵고, 부착한 것이 떨어지기 쉬운 성분을 이용한다.

② 내열도료
　실리콘수지계로 773K(500℃) 이상의 내열성을 갖는 것

③ 측온도료
　시온도료라고도 불린다. 온도에 의해 색이 변화한다.

④ 도전성도료
　은, 동등의 미분말을 다량으로 분산시킨 것

⑤ 절연도료
　전기제품 또는 배선 등의 누전방지용에 이용한다.

⑥ 발광도료

스스로 발생하는 것, 형광성 등 종류가 많다.

⑦ 내약품도료

내산성, 내알칼리성의 것. 멜라신수지계, 불소수지계 등 여러 가지가 있다.

⑧ 스트립버블도료

제품 등의 출하 전 일시적으로 보호할 목적으로 이용되며 쉽게 제거될 수 있는 것

이상 방식도장은 매우 다양하지만, 현재 제일 요구되는 것은 도료 중에서 상당히 유해한 성분을 포함하지 않는 것, 시공할 때 위생상의 문제가 없는 것, 재도장할 때 녹이나 오염을 충분히 제거하지 않아도 시공 가능한 플라이머 및 하도도료의 개발이다.

5-3-2 플라스틱라이닝

전에는 주로 플라스틱의 내산성, 내알칼리성 또는 내용제성을 이용하여 오로지 재료의 내식성을 높이기 위해서 시행하였지만, 최근에는 단열, 내마모성 등의 목적도 겸하여 시행하는 것도 많다. 목적 및 시공법에 따라 이용하는 수지의 상태가 다르며, 아래와 같이 분류할 수 있다.

(1) 액체수지를 도포하는 방법

이것은 도장과 유사한 방법을 이용한 것이 많고, 용제(도료에 비해 소량)에 녹여 수지를 도포하거나 불어넣는 방법이다. 최근에는 무용제에폭시수지 등을 가열 용융하고, 이것을 가압공기로 불어넣는 방법(Hot spray법)이 능률 및 위생상 우수하므로 널리 사용되었다. 폴리에스텔, 에폭시 등의 액상수지를 이용하는 큰 잇점은 피복 층간에 Glass 유리시트를 넣거나(FRP라이닝 ; Fiber reinforced plastic lining), 인편상(鱗片狀)의 Glass를 혼합하여 도포하거나(블레이크라이닝)하고 피복의 강도 및 내식성을 높인다. 또 현장에서 시공이 비교적 용이하도록 액상수지는 저장용 탱크 등으로 이용한다. 탱크의

용량이 500t 정도이면, 열풍건조기의 사용도 가능하므로 열경화형의 수지를 이용하는 경우가 많지만, 3000t급의 대형이 되면 대부분 상온경화형의 수지가 된다. 성능적으로는 열경화형쪽이 우수하다.

(2) 분체수지를 이용하는 방법

시공방법에 따라 2가지로 분류할 수 있다. 하나는 용사법으로 이것은 금속의 경우와 같이 압축공기에 의해 분말수지를 고온의 화염을 통과시켜 용융시키면 동시에 재료에 용착되는 것이다. 액체의 경우와 달리 위생상의 문제가 적고, 현장에서의 시공이 가능하므로 탱크류에도 이용할 수 있지만, 능률적인 관점에서는 Hot spray가 우수하다. 다른 하나는 유동침적법, 디스펜션코팅, 졸코팅, 정전분체 도장법과 같이 어떤 방법에서 재료의 표면을 분말수지로 코팅하고, 이것을 가열 용착시킨 것이다. 유동침적법은 가열한 금속재료를 분말의 유동층에 침적하여 액체로의 침적과 동일하게 표면피복을 하는 것이지만 이외에는 오픈 상태에서 가열 처리하여 피복을 형성한다.

(3) 플라스틱의 선, 테이프, 시트 등을 이용하는 방법

제일 간단한 방법으로 오래 전에 염화비닐 등의 열가소성수지시트를 붙이는 방법으로 대형탱크 등의 라이닝이 이루어졌다. 시트사이의 용접이 목적에 맞는다면 대형기기에 현지에서 시공하기에 편리한 방법이지만, 복잡한 형상에는 적용할 수 없다. 접착재의 테이프에 의한 배관계의 피복도 알맞다. 특수한 것으로 발포성 합성수지선을 배관 등에 묶어 오픈 중에 가열 발포시켜 단열라이닝을 시행하는 방법도 고안되었다.

플라스틱라이닝에서 주의할 것은 특히 (i), (ii)와 같은 방법의 경우, 합성한 피복의 물리, 화학적 성질이 피복제의 수지를 보호하는 특성이 아무래도 동일하지 않다는 것이다. 따라서, 평가는 피복된 상태로 해야한다.

5-3-3 고무라이닝

최근, 고무라이닝에서는 많은 종류의 합성고무가 사용되고 있으므로, 플라스틱라이닝과 구별하기 어렵다. 공법으로는 재료 금속에 접착제로 고무시트를 붙여 시트의 접합부분은 어느 정도의 폭으로 중첩시킨다. 이 재료 전체를 반응기에 넣고 수증기를 이용하여 가열하여 접합부를 접착한다. 따라서, 이 방법은 적용할 재료가 큰 것은 제약을 받는다. 고무라이닝에서는 수mm~10mm정도의 두께를 1공정으로 행하고 두께는 임의로 시행할 수 있다. 일반적인 특징으로는 내약품성, 내마모성이 우수하다.

5-3-4 Glass lining

성형가공 후의 저탄소강재료에 규소산염 Glass나 브롬규소산염Glass분말을 도포하여 1073~1173K(800~900℃)로 Glass를 융착시켜 보호 피복하는 방법이다. 플럭스라이닝과 유사한 것으로 "법랑"이 있지만, 이것에는 소지재료 및 피복의 두께가 아무래도 얇고, 피복의 성분도 다르다.

소지재료로서는 $C \leq 0.01\%$정도의 저탄소강이 좋고, 성형할 때의 용접에는 저수소용접봉을 이용한다. 이것은 고온소성 중에 강 중의 C의 산화에 의한 CO의 발생 및 수소의 방출에 의한 Glass가 발포하는 것을 꺼리기 때문이다. 탄소함량이 많은 강에서는 973K(700℃) 이상에서 소성하면 Fe-C강의 변태 때문에 수축하여 변형이 생기는 문제도 있다. 이 이외에 주철, 티탄첨가강, 고장력강, 스테인레스강 등에 시행하는 경우도 있고, 피복성분으로는 사용조건이 나쁜 것 이외에 SiO_2성분이 많게 된다(보통 60% 이상을 포함). 피복두께는 1mm전후가 보통이다.

Glass lining은 불화수소산, 고온의 농후인한 및 열알칼리를 제거하여 모든내식성약품에 대한 내식성이 있고, 용제에 대해서도 우수한 내성을 갖고 있다. 더욱이 피복에서의 용해성분이 없으므로 식품이나 의약품 등의 저장 또는 제조를 목적으로 기기의 표면처리에 적합하다. 생성한 Glass피막은 소지의 강과의 접착성이 매우 우수하고, 유연성도 있으므로 소지강판의 항복점까지는 동일한 기계적 특성을 유지한다. 결점은 내충돌성이 나쁘지만, 최근에 이점을 개선하기 위해 결정화Glass lining이 개발되었다. 고무라이닝과 같이 적용할 수 있는 물건이 큰 경우에는 제약을 받지만, 현재 화학공업용으로서 100~180㎥급의 탱크가 제조되기도 하였다.

5-3-5 세라믹라이닝

무기화합물 및 금속간화합물을 피복하는 방법의 총칭으로서 세라믹라이닝이라부르는 경우가 많다. 소재금속에 내산화성, 내열성, 내마모성, 내식성 등을 부여하기 위해 행한다. 방법으로는 다음과 같이 3가지가 있다.

(1) 용액세라믹법

법랑이나 Glass lining의 기술과 동일하지만, Glass질을 형성하는 성분(유약이라 부른다)에 Al_2O_3, BaO, CeO_2, Cr_2O_3, TiO_2, ZrO_2등의 내열, 내산화성 재료를 가하여 피복을 형성하는 방법이다. 피막의 두께는 수십μm정도이고, 법랑에 비해 1/10정도 얇다. 이 방법은 주로 스테인레스강이나 내열합금의 내산화성을 증가시키기 위해 사용하고, 1173K(900℃)정도까지 사용할 수 있다.

(2) 용사법(Spraying)

용액세라믹법으로 얻어진 것보다도 더욱 고온에서 내산화성 및 내마모성을 목적으로 행한다. 용사재료에는 산화물(Al_2O_3, ZrO_2, TiO_2 등), 탄화물(WC, TiC, Cr_3C_2 등), 브롬산화물(CrB_2, Mo_2B, ZrB_2 등), 규소화물($MoSi_2$, Ti_5Si_3 등), 질화물(TiN, ZrN 등), 금속간화합물(NiAl, CrAl 등) 및 이들의 혼합물을 분말 또는 봉상으로 가공한 것을 이용한다. 사용목적 및 용사재료에 따라 가스용사법, 아크용사법, 플라즈마용사법, 폭발용사법이 있다. 일반적으로 세라믹과 금속은 그 물리, 화학적 성질이 매우 다르고, 소지금속과 피복과의 밀착성을 어떻게 하여 크게 얻을 것인가가 제일 큰 문제이다. 이 때문에 무기화합물과 금속간화합물을 혼합한 것을 용사하거나 이런 복합 성분층을 중간층으로 하여 개재시키는 것으로 금속소지와 세라믹층의 밀착성을 향상시키는 방법이 행해지고 있다. 세라믹용사는 완성된 기술은 아니어서 아직 많은 연구의 여지가 남아있다.

(3) 기상법

증기증착법, 이온플레이팅법, 스퍼터링법 등의 물리적인 피복형성법(PVD : Physical vapor deposition이라 부른다)과 반응성스퍼터링법, 수소환원법, 열분해법 등의 화학적 피복형성법(CVD : Chemical vapor deposition이라 부른다)의 2가지가 있다. 모두 소형의 특수부품이나 공구에 적용되는 구조재료의 표면처리에는 사용하지 않는다. 이 분야에서는 실용화된 기술도 몇 가지 있지만, 아직 널리 사용되지는 않는다.

5-4 양극산화·화성처리

금속재료의 표면 위에 금속의 산화물 또는 난용성염의 피막을 형성하고, 그 내식성, 내마모성, 전기절연성 등을 향상시키기 위한 처리이다. 전기화학적 방법에 의해 시행되는 것을 양극산화처리, 화학적 방법에 의한 것을 화성처리라 부른다. 방식을 목적으로 하는 양극산화처리는 공업적으로는 주로 알루미늄에 대해 행하고, "알루마이트피막처리"이라고도 부른다. 또, 생성한 산화물피막의 유전성 및 전기절연성을 이용한 것으로 알루미늄 및 탄탈의 양극산화에 의한 전해콘덴서가 제조되고 있다.

화성처리는 주로 방식을 목적으로 한 도장하지처리를 위해 행하고, 피처리 금속은 철강, 스테인레스강, 알루미늄, 아연 등이다. 구별하여 인산염화성처리 및 크로메이트화성처리의 두 가지가 있다.

양극산화 피막은 전해액의 종류, 농도, 전압, 전류의 성질(직류, 교류 등), 전류밀도, 온도, 전해시간, 액의 신고(新古) 등에 따라 다르며 Al의 재질, 가공상태(압연, 주조 및 표면상태)에 적합한 조건을 선정해야 한다. 또한, 도금의 전후처리의 정도, Rack의 적절 여부 등에 영향을 받는데 그 중 전류밀도, 시간, 액온을 가장 정확하게 지켜야 한다. 현재 공업화되고 있는 양극산화법은 대략 표 5.26에 나타냈다.

표 5.26 주요 양극산화법

조건 ＼ 종류	옥살산법	황산법	크롬산법
농　도 (wt%)	$H_2C_2O_4$ 1) 3~5% 2) 10%	H_2SO_4 10~20%	CrO_2 3%
온　도 (℃)	1) 20~30 2) 15~60	1) 15~22 2) 옥살산 첨가하면 35℃까지	40±20

조건＼종류	옥살산법	황산법	크롬산법
전　압 (V)	1) AC 40~80 2) DC 25~30	1) DC 12~20 2) AC 15~25	DC=0V로부터 서서히 상승해서 40V로 하고, 최후 5분간 50V로 한다.
전류밀도 (A/dm²)	1) AC 1~3 2) DC 1~3	0.5~1.5	0.3~0.4
시　간 (분)	10~60	5~100	60
피막두께	$H_2C_2O_4$ 5%, 30±2℃ AC 3A/dm², 40분간에 10~12μ	H_2SO_4 20%, 30±5℃ DC 1.0A/dm², 20분간에 5~7μ	15분간 3~3.5μ
특　징	특히, 순 Al에 대해서는 경도, 내식성 등 최우수한 피막을 얻는다. 탈지력이 좋고, 저질 Al에도 광택이 좋다. 결점으로는 전력, 약품비가 많아진다.	설비비가 많이 드나 유지가 용이하고, 유지비가 적으므로 보급이 많아지고 있다. 탈지력은 작으나 Al합금 및 착색용 양극산화에 적합하다.	듀랄루민계에 적합한 양극산화법이며 내식성이 있고, 회색 도자기와 같은 표면의 피막이며, 강도가 약하다. 착색에는 적합하지 않다.

5-4-1 양극산화

(1) Al의 양극산화처리

"알루마이트처리"는 瀬藤, 宮田등에 의해 개발된 방법으로 알루미늄제품의 내식성, 장식성 등을 향상시킬 때의 처리법이다. 처리공정은 일반적으로 전처리(탈지, 연마) → 양극산화 → 착색 → Sealing(봉공처리)이지만, 전처리를 제외한 3가지 공정에 대해서 설명해보자.

(a) 양극산화

이용할 수 있는 전해욕은 유산(硫酸), 취산(臭酸), 인산, 크롬산의 각 용액, 이들의 혼합용액 및 이들과 적당한 유기산의 혼합용액이다. 유산욕은 값싸고, 욕전압이 낮으므로 제일 많이 사용한다. 표 5.27에 주 욕과 전해조건을 나타냈다.

표 5.27 Al양극산화의 예

명칭	전 해 욕		온도(K)	전압(V)	전류밀도 (kA/㎡)
유산법(硫酸法)	H_2SO_4 $Al_2(SO_4)_3$	5~25% ~50gkg/㎥	288~298	15~20(DC)	0.08~0.3
취산법(臭酸法)	$H_2C_2O_4$	3~5%	293~303	25(DC) 80(AC)	0.1 0.05
유·취산법 (硫·臭酸法)	H_2SO_4 $H_2C_2O_4$ $Al_2(SO_4)_3$	10~20% 1% ~100kg/㎥	293~303	15~20(DC)	0.08~0.3
경질피막법 (硬質皮膜法)	H_2SO_4 $H_2C_2O_4$ $Al_2(SO_4)_3$	10~20% 1% ~100kg/㎥	273~278	25→60(DC)	0.2→0.4
Kalcolor법	H_2SO_4 슬포서리틸산	50kg/㎥ 100kg/㎥	295~298	25~70(DC)	0.2~0.3

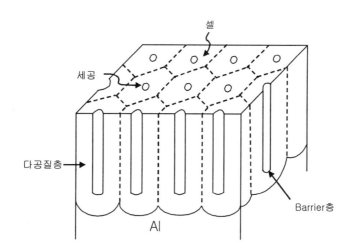

그림 5.19 다공질 아노드산화피막의 구조
(구멍의 직경 r, 셀의 직경 R, Barrier층의 두께δ, 구멍 벽의 두께 δ)

이들의 전해욕중에서 알루미늄 및 그 합금을 양극산화하면 그림 5.19와
같이 규칙적인 구조를 갖는 다공질산화피막(알루마이트피막)이 생성된다.

피막은 반경 r의 미세한 구멍을 갖는 육각주상셀(반경 R)이 병행으로 배열된 것으로 구멍의 밑은 얇고, 치밀한 산화물층(Barrier층, 두께 δ_b = 1nm×V)이 존재한다. 양극산화 시에는 이 Barrier층을 통하여 전류 i_a가 흐르고, 그 곳에서 i_a에 비례한 속도로 산화물이 생성하지만 구멍의 밑부분에서는 생성한 산화물이 동시에 동일 속도로 용해하므로 양 사이트의 녹아 남은 부분이 공벽층(두께 δ = $R-r$)을 형성하여 만든 피막이 전체적으로 두껍게 된다. i_a = 100A/m²이 되면, 피막생장속도는 그것에 비례하여 $\frac{dH}{dt_a}$ = 3~5nm/s의 값을 얻는다. 이 값은 시간 t_a에 의해 변화하지 않지만, 온도가 높거나 산의 피막용해성을 크면 감소하는 경향이 있다. 피막생성의 전류효율 η은 보통 60%정도이고, 생성한 Al^{3+}은 피막형성에 관계없이 용출하지만, 이 용출은 다공질피막의 성장에는 필요한 것으로 생각된다.

더욱 i_a값은 주어진 전해전압(양극전위) E_a순으로 대응하여 증대하지만, 어떤 E_a값을 줄 것인가는 용액의 종류나 온도에 따라 달라진다. 유산, 취산, 인산의 각 용액에 대해 상온에서 i_a=100A/m²을 주면, E_a을 10, 40 및 100V정도가 된다. Barrier층의 두께 δ_b은 E_a에 비례하여 증가하고, $R-r$ 및 $2r$도 δ_b와 항상 같은 정도의 값을 가지므로, E_a의 증대되도록 세공수 N이 감소한다(예를 들어 E_a=10→100V, N=10¹⁵→10¹³/m²). 이때 피막의 다공도 α(구멍의 체적비율)도 작게 된다는 것을 알았다.

피막은 주로 무정형 알루미나로 이루어졌고, 소량의 전해질 Anion 및 결합수를 포함한다. 예를 들어, 유산용액 중에 화성한 피막은 SO^{2-}_4로 하여 10~15%포함하고, 이 값은 i_a이 높은 쪽, 온도가 낮은 쪽이 크다. 함수량에 대해서는 $Al_2O_3 \cdot xH_2O$의 x값으로서 0.1~0.3의 범위에 있다. 전해질 Anion 및 물은 Barrier층 및 공벽층의 외층 부분에서만 존재하고, 내측 부분은 순수한 Al_2O_3로부터 된다. 산화물의 밀도는 ρ=2.9~3.5이고, i_a의 증대와 함께 감소한다.

(b) 착색

취산용액 중에 얻어진 Al의 양극산화피막이 담황색을 나타내는 것이 좋다는 것은 잘 알려져 있지만, 어떤 종의 유기산용액 중에 Al 또는 Al합금을 양극산화하면, 회백색, 청동 색, 검은 색 등의 각종 색을 갖는 피막이 얻어진다. 이것은 자연발색피막이라 부르고, Kalcolor법 등 많은 특허가 있다. 이 착색기구는 먼저 확실하지 않지만, 최근의 연구에 의하면 피막 중에 둘러싸일 수 있는 전해질Anion이 아노드 전장에 의해 중합하여 착색물질을 형성한다고 생각된다.

유산용액 중에서 얻어질 수 있는 양극산화피막은 무색 투명하지만, 내표면적이 매우 크고, 산성염료, 함금속착염염료, 산성매염염료 등의 Anion 염료에 의해 물들인다. 이용할 수 있는 염료는 아소염료가 제일 일반적이지만, 기타로 프타로시어닌염료, 트리페닐메탄염료, 언트라키논염료 등이 있다.

양극산화처리 후, 시료를 금속염을 포함한 용액 중에 이동하여 교류를 주어 전해하면, 다공질 피막의 세공의 저부에서 금속입자 또는 금속산화물 입자가 석출하여, 피막이 착색된다. 이 방법은 천전법(淺田法), 전해착색법 또는 2차 전해법이라 부르고, 브론즈, 흑색, 황색 등 각종 색으로 착색이 가능하다. 이 방법으로 착색한 피막은 염료로 착색한 피막에 비해 내광성이 우수하고, 건재 등에 많이 이용되고 있다.

(c) Sealing(봉공처리)

전술한 바와 같이 양극산화피막은 다공질이며, 흡착성이 있다. 이 때문에 피막은 더러워지기 쉽고, 손에 들러붙는 성질이 있으며, 구멍 내부에 황산 등의 잔류물이 있어서 후에 부식의 원인도 되고, 염색을 했을 때는 염료가 우러나거나 퇴색되기 쉬우므로 반드시 Sealing(봉공처리)행해진다. 이것은 시료를 비등수 또는 과열수증기에 접촉시킨 공정으로 이 처리로 피막의 내식성, 내오염성, 내후성이 각 단계에서 향상된다.

Sealing의 반응은

$$Al_2O_3 + xH_2O \rightarrow Al_2O_3 \cdot xH_2O \ (x=1 \sim 2.5)$$

이것은 무정형의 알루미나가 고온의 물과 반응하여 결정수의 수화산화물

에 변질하는 반응이고, 이 때 체적팽창에 의해 피막의 세공이 막히게 된
다고 생각된다(그림 5.20).

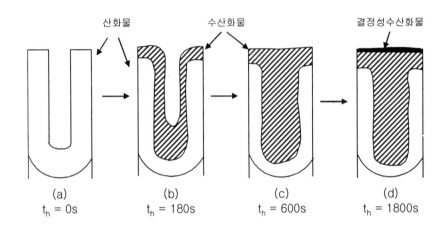

그림 5.20 열수에 의한 다공질 Al산화피막의 Sealing

수화산화물에 의한 세공의 폐색(閉塞)은 비등수처리에서는 약 0.6ks(10min)
분에서 완료되지만, 이 후에도 표면에서 서서히 물이 침투하여, 수화·결
정화반응이 진행하여 피막의 견뢰성(堅牢性)이 증가한다. 그러나, 장시
간 처리를 연속하면 결정화가 진행되지 않게 되고, 분말화가 보이게 된
다. 가압 수증기처리는 비등수처리에 비해 처리시간가 짧고, 피막의 내
식성과 내마모성을 현저히 향상시키지만, 연속적인 처리는 할 수 없다.
피막이 분말화가 일어나기 쉽다는 단점이 있다.
Sealing할 때, 중크롬산소다, 초산니켈, 몰리브덴산소다. 규산소다 등의
금속염을 가하여 처리를 하는 경우도 많다. 이들 금속의 수산화물 또는
규산알루미늄의 생성에 의해 세공의 폐색이 촉진되므로 염료에 의한 착
색의 후처리에 많이 이용되고 있다.

(가) 증기시일링
    특히, 옥살산법피막은 이 방법에 의한 내식성의 향상에 효과가 크지
만, 황산피막에는 다공질층이나 접합부분 내의 황산을 축출해 주지

못하므로 이 점식의 원인이 되기 쉽다. 또한 비내식합금(예 : 듀랄루민) 등은 오히려 내식성을 해치므로 주의할 필요가 있다. 설비로서는 3~5기압의 고압증기에서 20~60분간 시일을 하도록 해야 한다. 만일 고온증기를 사용하지 않을 경우네는 염색한 물건에는 전해액이 접합부 등에서 흘러내려 시일링 도중 탈색되는 경향이 있다.

(나) 순수시일링

증기 처리의 간편법으로서 많이 이용하고 있고, 시일링 효력 자체는 불충분해도 증기 처리의 결점은 없어진다. 방법으로서는 일반 수돗물이나 우물물은 좋지 않고 증류수나 이온 교환수를 사용해야 한다. 80~100℃에서 10~30분간 침지해서 시일링한다.

(다) 아세트산니켈-코발트 시일링

염색한 것을 수증기나 비등수처리하면 염료가 우러나서 염색이 엷게 되는 경우가 있다. 이러한 경우 Ni-Co염의 수용액에서 시일링을 하면 염료가 빠지는 예가 없고 시일링 속도가 빠르므로 이것을 사용하는 예가 많다. 즉 조성은 다음과 같다.

아세트산니켈	5~5.8g/ℓ	붕산	8~4g/ℓ
아세트산코발트	1g/ℓ	15~20분,	70~100℃
pH	5~6		

(2) 전해콘덴서

알루미늄을 붕소산염, 인산염 등을 포함한 중성의 전해질 용액에 양극산화하면 얇고 치밀한 Barrier형의 산화피막이 생성한다. 이 피막의 두께 δ는 화성전압 E_a(V)에 비례하고 다음과 같이 성립한다.

$$\delta = (1.3~1.6)\times10^{-9}\times E_a (m)$$

이 피막을 도전체로서 이용하는 Al전해콘덴서의 축전용량 C는 피막두께δ(m)와 다음과 같은 관계가 있다.

$$C = 8.855 \times 10^{-6} (\frac{\epsilon S}{\delta})(\mu F)$$

여기서, ϵ 은 산화피막의 유전율(8~10), S 는 표면적(m^2)이다. 즉, 전기용량 C 는 표면적 S 에 비례하므로 양극산화에 우선하여 Al박을 에칭하여 S 을 증가시키는 것이 보통이다. 또, 피막두께 δ 가 작은 쪽이 용량 C 가 증가하지만, 위 식에서 알 수 있듯이 콘덴서의 내전압(E_a 에 상당)이 감소하게 된다.

Al전해콘덴서는 페이스트상 전해질을 넣어 "에칭하여 양극산화피막을 형성한" Al박과 평활 Al박을 대향시킨 구조를 갖고 있지만, 다른 타입(세라믹콘덴서, 탄탈콘덴서 등)에 비해 소형으로 대용량이 얻어지고 또, 피막 결함부를 자기 복귀한다는 잇점도 있어 최근에 널리 사용되고 있다. 일반적으로 Al만이 아니라 Ta, Nb, Zr등 벌브금속(Valve metal) 위에 생성한 양극산화피막은 전류의 정류작용을 갖는다. 즉, 양극산화시료를 양분극한 경우에는 전류는 거의 흐르지 않지만, 음분극할 때에는 큰 캐소드전류가 관측되었다. 이것은 "음분극할 때 피막 사이를 H^+가 통과하여 산화물/금속계면에 있거나 H_2가스를 발생하므로 피막 내의 결함수가 증가하고, 양 분극에서는 H^+의 이동은 없이 피막의 결함부가 역으로 복귀 되어버린다"라고 설명할 수 있다. Al전해콘덴서도 당연히 위에서의 조정작용을 갖고 있으므로 사용에 따라서는 피막화성극이 항상 양극으로 되도록 배치하지 않으면 안 된다.

Al전해콘덴서는 두께 50~100μm의 Al박을 이용하여 전처리→에칭→양극산화→전해질의 함침→조립 공정에 의해 제조된다. 먼저 탈지 등의 전처리를 시행하고, HCl, NaCl, NH_4Cl용액 중에 직류, 교류 또는 교직중첩전류를 주어 에칭한다. 에칭에 의해 표면적은 겉보기 면적의 20~90배에 달하고, 배율은 저전압용 시료가 크게 된다. 에칭한 시료를 충분히 수세하여 부착하고 있던 Cl^-이온 및 분상 Al을 제거한다. 다음에 양극산화는 브롬산, 브롬산암모니움 등의 중성 전해질용액을 이용하여 정격전압(수 V~수 100V)의 130~200% 의 값인 E_a를 준다. 피막화성한 박을 재단하여 리드선을 부착하고, 세퍼레이터종이, 대극 Al과 함께 묶어 전해질을 함침시킨 후 케이스에 넣어 완성품으로 한다. 전해질에는 예를 들어, 에칭글리콜, 글리세린 등의 용매에 브롬산암모늄을 용해한 것을 이용한다. 이 조합이 끝난 것을 케이스에 양극간에 미소량 전류를 주어도 어떤 E_a값을 회복시킨다. 이것은 박의 재단부분에 피막을 화성한 것 및 피막의 함부(陷部)의 보수를 목적으로 행한 것이다.

탄탈고체전해콘덴서는 탄탈 배소체의 표면 위에 양극산화피막을 형성한 것을 유전체로 하고, MnO_2를 고체전해질로 이용한다. 고체전해질을 사용하므로 온도특성에 우수하다. 피막의 유전율(≈ 25)는 Al산화피막의 유전율(8~10)베 비해 크고, 콘덴서로서는 소형으로 대용량이 얻어지지만, Al전해콘덴서에 비해 내전압이 낮다(E_a~50V)는 결점이 있다.

5-4-2 화성처리

(1) 철강의 인산염처리

Fe^{II}, Zn^{2+}, Mn^{2+}, Ca^{2+} 등의 2가의 금속이온(M^{2+}로 생략)의 인산염 중 제1염 $M[H_2PO_4]_2$는 물에 가용되지만, 제 2염 $MHPO_4$ 및 제 3염 $M_3[PO_4]_2$는 불용성이 많다. 이 성질을 이용한 것이 인산염처리이다. 즉, 인산산성의 $M[H_2PO_4]_2$용액중에 철강을 침적하면 먼저 철이 용해하고(아노드반응), 이에 대응하여 수소가스발생반응이 일어난다(캐소드반응). 이것은 하나의 전지반응으로 진행한다.

$$Fe \rightarrow Fe^{2+} + 2e^- \text{(아노드반응)}$$
$$2H^+ + 2e^- \rightarrow H_2\uparrow \text{(캐소드반응)}$$

그때 시료표면 부근에서는 수소가스발생반응으로 pH가 상승하고, 인산의 산해리가 진행한다.

$$H_3PO_4 \rightleftharpoons H^+ + H_2PO^-_4 \rightleftharpoons 2H^+ + HPO^{2-}_4 \rightleftharpoons 3H^+ + PO^{3-}_4$$

생성한 HPO^{2-}_4 또는 PO^{3-}_4이온은 M^{2+}와 불용성의 염을 형성하고, 철강표면에 석출한다.

$$M^{2+} + HPO^{2-}_4 \rightarrow MHPO_4$$
$$3M^{2+} + 2HPO^{3-}_4 \rightarrow M_3[PO_4]_2$$

이 석출물이 퍼져 철강표면을 충분히 덮으면 피막화성이 완료한다. 이렇게 얻어진 화성피막의 두께는 수~십 수μm에 달한다.

더욱 철강표면 위에 인산아연피막이나 인산망간피막을 화성한 후 이것을 $SnCl_2$용액중에 침적하면, Sn^{2+}가 Zn^{2+} 또는 Mn^{2+}로 치환한다. 즉,

$$M_3(PO_4)_2 + Sn^{2+} \rightarrow Sn_3(PO_4)_2 + 3M^{2+}$$

$Sn_3(PO_4)_2$는 $M_3(PO_4)_2$층에 존재하는 핀홀을 막으므로 피막의 내식성이 현저히 크게 된다. 이런 처리로 얻어진 것을 Endurion이라고 부른다.

(2) Zn의 Chromate처리

Chromate피막화성처리는 주로 Zn, Al, Mg등의 금속 표면처리에 이용되지만, 여기서는 Zn의 처리에 대해서 기술한다.

처리액의 화학조성은 주로 CrO_3용액에 광산(H_2SO_4, HNO_3, HF, HCl, H_3PO_4, H_2SiF_6 등)을 배합한 것으로 필요에 따라 각종 유기산이 첨가된다. Zn을 처리액 중에 침적하면, Zn은 용해하고, Cr^{6+}가 일부 Cr^{3+}로 환원되고, $mCr_2O_3 \cdot nCrO_3 \cdot xH_2O$가 표면체 침전석출한다.

$$Zn \rightarrow Zn^{2+} + 2e^-$$

$$(2m+n)CrO^{2-}_4 + 6me^- + xH_2O \rightarrow mCr_2O_3 \cdot nCrO_3 \cdot xH_2O$$

용액의 조성, 온도, 교반조건을 변화시켜 용해 및 피막생성의 속도를 조정한다. 이렇게 하여 광택 또는 브론즈색의 피막을 화성할 수 있다. Chromate용액중에 은이온을 첨가하면, 피막중에 흑색의 산화은이 석출하므로, 흑색 Charomate피막이 얻어진다.

(3) Al의 베이마이트처리

Al의 화성처리법 중 제일 일반적인 방법은 Chromate화성처리이지만, 폐수에 의해 공해의 문제가 있으므로 Chromate을 이용하지 않는 하나의 방법으로 베이마이트처리가 이루어지고 있다. 이것은 Al을 363~373K(90~100℃)의 열수 중에 침적하고, 의베이마이트($Al_2O_3 \cdot xH_2O$, x=1~3)이라는 결정성의 수산화물피막을 생성하므로 그 반응은

$$2Al + (3+x)H_2O \rightarrow Al_2O_3 \cdot xH_2O + 3H_2$$

이다. 암모니아, 카세이알칼리, 각종 아민 등을 첨가한 용액 중에 처리하면 베이마이트피막의 두께는 증가한다. 또, 후처리로서 가압증기처리를 하면, 피막의 내식성이 현저히 향상하는 것으로 알려졌다. 베이마이트피막은 도료 또는 폴리에칠렌막과의 밀착성이 좋고, 물에 대해 "젖음성"도 양호하므로 베이마이트처리는 열교환기용 부품에 많이 시행한다.

5-5 표면경화법

철강을 기계부품이나 공업설비, 장치로 사용할 때 표면손상이나 마모를 막기 위해 표면경화의 처리를 하는데 이것은 금속침투 외에 침탄, 질화 기술이 알려져 있다.

5-5-1 침탄

저탄소강 및 합금강의 표면에 탄소원자를 확산 침입시켜 표면층을 경화시키는 방법으로 분상목탄을 이용하는 고체침탄 및 CO, 메탄, 프로판, 천연가스를 이용하는 가스침탄, 용융 NaCN 등에 침적하는 액체침탄(동시에 질화)등의 방식이 있다.

(1) 고체침탄법

공기에 존재하는 탄소분말로 목적하는 강재를 메워 1270K(1000℃)로 가열한다. 침탄반응은 기본적으로 다음과 같이 설명된다. 먼저, 탄소의 산화에 의해

$$C + O_2 = CO_2, \; C + CO_2 = 2CO$$

과 같이 $CO + CO_2$의 혼합가스를 생성하고 이들 CO가 침탄한다.

$$2CO + \gamma\text{-Fe} = \{Fe\text{-}C\} + CO_2$$

이 온도에서 Fe는 면심입방의 γ구조를 하고 C를 고용할 수 있지만, 1173K 이하에서는 α-Fe(체심입방)의 구조가 되므로 C를 흡수하지 않는다. 혼합가 스중의 CO_2분율이 증가하면 산화성 분위기로 되고, Fe에서의 탈탄 및 Fe의 산화(FeO, Fe_3O_4 피막형성)이 일어난다. 이들 반응의 형태를 그림 5.21의 Fe-C-O계의 평형상태도로 이해할 수 있다. 즉, 이 그림은 C와 평형인 혼합 가스 중의 CO분율과 온도와의 관계에서 γ-Fe, α-Fe, Fe_3C(Cementite) 및 FeO+ Fe_3O_4Wustite)의 안정영역을 나타내고, Fe_3C영역과 다른 성분의 환경 근방의 곡선 ipqj는 CO분율의 온도변화를 나타내고 있다. γ-Fe영역에서는 각종 고용 C%에 대해 CO분율~온도곡선이 기입되어 있다. C%는 온도가 낮고, CO분율이 큰 쪽(CO_2분율이 작은 쪽)이 크게 된다는 것을 알았다.

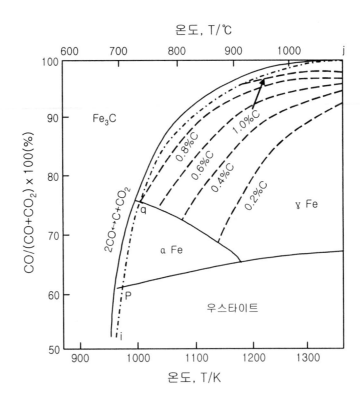

그림 5.21 Fe-C-O평형상태도

일반적으로 고체침탄법에서는 경화층이 두껍고, 침탄처리의 열효율이 낮지만, 설비, 조작은 간단하다. 피처리재는 탄소강(C<0.2%), Cr강, Cr-Mo강, Ni-Cr-Mo강(Ni 2~5%, Cr<2%, Mo<0.5%) 등이다. 침탄이 필요하지 않은 부분은 미리 Cu도금하거나 내화점토 등을 도포한다. 침탄제는 목탄(60~70%)에 촉진제로서 $BaCO_3$, Na_2CO_3 등을 가한 것을 이용한다. 침탄층의 두께는 강종, 침탄제의 조성, 온도, 시간 등에 따라 다르지만, 보통 1~1.5mm정도이다. 표면의 탄소농도는 0.85%정도가 좋고, 이 이상이 되면 Fe_3C가 석출하여 깨지기 쉽게 되어버린다. 이 과잉 침탄을 막기 위해서는 ① 침탄온도를 낮춘다, ② 침탄제에 침탄완화제로서 SiO_2, Al_2O_3, 골회(骨灰 $(NH_4)_2HPO_4$)) 등을 가한다, ③ 침탄 후에 강재를 가열하여 탄소를 내부로 확산시킨다 등이 필요하다. 침탄촉진제의 작용기구는 불분명하지만, 완화제의 거동은 BaO·SiO_2를 만드는 등 촉진제를 불활성화하기 위한 것으로 생각된다.

(2) 가스침탄법

강재를 넣은 노 안에 천연가스, 도시가스, 프로판 등을 변성하여 만든 침탄용가스(CO, H_2, N_2에 소량의 CO_2, H_2O, CH_4가 혼재한 것)를 통과시킨다. 다음과 같이 각종 잇점이 있어 일반적으로 보급되어 있다. 도달한 경도는 H_v=800정도이다.

① 가스조성의 조절로 침탄량 및 침탄속도를 자유롭게 조절할 수 있다.
② 침탄이 균일하여 열효율이 크다.
③ 자동화가 용이하고, 대량처리가 가능하며, 작업이 확실하다.
④ 침탄 종료 후에 동시에 장치에 탄소의 확산소둔이 가능하다.

그러나, 설비비가 비싸고, 작업에는 전문적인 지식을 필요로 한다.
침탄용 가스의 각 성분의 거동에는 다음과 같다. CO가 많게 되면 침탄, CO_2가 많게 되면 침탄의 억제(탈탄)이 일어난다. O_2는 강 중의 C와 반응하여 탈탄할 때에 표면에 산화물을 만들어 침탄을 막는다. H_2에서는 O_2 및 산화피막을 환원제거하는 작용을 하고, H_2O(수증기)는 역으로 H_2와 O_2로 분해하여 O_2에 의한 탈탄을 촉진한다. CH_4는 소량이어도 좋은 침탄작용을 한다. N_2는 불활성이고, 가스의 조절을 위해 이용한다.

5-5-2 질화 · 침탄질화

(1) 가스질화

탄소강은 NH_3와 반응하지 않지만, Al, Cr, V, Mn, Si을 포함한 합금강은 이들과 질화물을 만들므로 경화한다. 보통은 가스침탄용의 노에서 피처리강재를 놓고, 6.7~10.7kPa(50~80Torr)의 NH_3가스를 흘려 773~798K(500~525℃)에서 36ks(10h)정도 가열한다. 질화층의 두께는 0.2~0.3mm로 경도는 H_v 1000이상이 된다. 이렇게 질화한 강은 내마모성이 크고, 동시에 처리온도가 낮으므로 변형이 적다. 또, 873K(600℃)까지는 소둔에 의해 경도의 저하가 작아지는 특징이 있다. 질화를 막고 싶은 부분에 Ni 또는 Sn을 도금하거나 이들의 페이스트를 도포한다.

(2) 가스침탄질화법

침탄용가스에 NH_3를 첨가하여 가열하고, 강표면층에 C와 N을 동시에 침입시킨다. 소입에 의해 높은 경도를 갖는다. NH_3첨가량은 10%이하, 처리온도는 873~1173K(700~900℃), 시간은 1.8~10.8ks(30~180min)이고, 온도가 높은 쪽이 짧다. 경화층의 두께는 0.3~1mm이다. 가스침탄에 비해 처리온도가 낮고, 소입에 의해 균열이 어렵다는 잇점도 있다.

5-5-3 붕소화

철강을 대상으로 행해지는 것으로 표면에 붕소를 확산침탄시켜 FeB/Fe_2B와 같은 붕소화층을 생성하는 방법으로 변형이 작고, 표면균열이 일어나기 어렵다. 경도는 매우 커 전체적으로 H_v 1200~1400에 이른다. 내식성, 내열산화성이 크다는 우수한 특징을 갖고 있지만, 침탄, 질화 등과 같이 일반적이지 않다.

붕소화에서는 가스, 액체, 고체에 의한 것이 있다. 가스붕소화법은 피처리재를 수소+지포란, 수소+3염화보론 등의 가스 중에 1023~1223K(750~950℃)로 가열하고, 고체붕소화에서는 보론+탄화보론, 또는 페로보론+알루미나+염화암모니아의 혼합분말 중에 1270K(1000℃)정도로 가열한다. ltrks은 아무래도 10.8~

18ks(3~5h), 경화층의 두께는 0.05~0.3mm이다. 액체붕소화는 제일 일반적으로 이것은 용융붕소화법과 전해붕소화법의 두 가지가 있다. 전자는 예를 들어 $Na_2B_4O_7$, B_2O_4, $NaBF_4$, $NaCl$, $BaCl_2$ 등의 혼합 용융염중에서 973~1273K(700~1000℃)에서 가열하는 방법이고, 후자는 동일한 용융염중에서 피처리재를 캐소드로 하고 전해하여 캐소드환원에 의해 생긴 붕소를 강중에 침입시킨다. 이 방법은 붕소화 속도가 크고, 전해조건이나 온도의 조절에 의해 붕소화속도를 자유롭게 제어할 수 있다는 장점이 있다.

일반적으로 붕소화층은 외층의 FeB(H_v 1800~2000), 내층의 Fe_2B(H_v 1400)이 되지만, 전자는 현저히 깨지기 쉬우므로, 붕소화층이 두꺼우면 경도의 차에 의해 균열이 생기기 쉽다. 전해붕소화법의 장점은 붕소화처리 후 붕소화층의 확산처리를 쉽게 행할 수 있다는 것으로 이것은 전해액에 침적한 미소량전류로 전해를 계속할 수 있다. 이것으로 표면의 취약층이 쉽게 소실되어 내마모성이 향상된다.

전해붕소화의 단점은 용융염이 전해조의 금속이나 내화물을 침식하므로 이 때문에 붕소분말 등의 전해욕 소재는 충분히 탈수하지 않으면 안되고, 욕중에 상시 NH_3가스를 송입하여 O_2를 제거함으로서 중성, 환원성 분위기를 유지할 필요가 있다.

5-6 음극스패터링, 기상도금 및 이온도금

5-6-1 음극스패터링(Cathode spattering)

음극스패터링은 음양 두 극간에 글로우방전을 행하는 것이므로 음극으로부터 음극물질이 뛰어나와서 부근에 있는 물질에 부착한다. 음극스패터링의 현상은 일찍이 알려져 있었으나 현재까지의 이 현상의 충분한 이론적 설명을 하지 못하고 있다. 이 이론적 설명은

① 글로우방전시 가스로 된 양이온이 음극에 충돌해서 이 때문에 음극이 국

부적으로 고온이 되어 이 충돌점으로부터 음극금속이 증발하여 양극 위
에 있는 가공물질에 부착한다.
② 가스로된 양이온이 음극에 충돌할 때 음극금속원자에 에너지를 주어서
이로 인해 음극의 금속원자가 뛰어나와서 가공면에 부착한다.

음극으로부터 방산되는 원자의 수는 충돌한 가스이온의 수의 증가에 따라
증가하면 전류에 비례한다. 또한, 일정한 전류하에서 방출되는 원자의 수는 충
돌 가스이온의 에너지의 증가에 따라 증가한다. 금속에 부착하는 양은 전압에
비례하며, 착공도(着空度)나 음극과 양극간의 거리에 비례한다. 또한, 가스이온
및 음극금속의 종류에 따라 매우 다르다.

5-6-2 기상도금

기상도금(CVD ; Chemical Vapor Deposition)이라는 것은 금속할로겐화물 등
의 열분해 또는 수소환원에 의해서 금속피막을 얻는 기술이다. 넓은 의미에서 증
착법이지만, 스패터링법과 같이 물리적 방법을 총칭할 수 있으나, 여기서는 전자
의 화학적 방법만을 취급한다. 이 방법은 1893년 De Lodyguine가 최초로 육염화
텅스텐으로부터 텅스텐을 필라멘트에 환원 석출시킨 것으로 시작되었고, 최근에는
사염화실리콘의 수소환원법의 발표에 이어 반도체 박막기술의 개발에 기상도금의
기술을 연구하기까지에 이르렀다.

(1) 기상도금의 방법

기상도금은 가열한 소지상에 화합물을 열분해 또는 수소환원을 시켜서 결정
성장시키는 방법이며, 피막은 고온에서 이루어지지만, 이 금속의 융점보다는
상당히 낮은 온도에서 얻어진다. 이 피막은 저온에서 얻어지는 동종의 도금
피막보다는 안정하며, 이 때문에 크롬이나 니켈의 기상도금피막이 내열성 물
질로서 사용된다. 기상도금은 반응용기를 외부로부터 차단해서 주위로부터의
오염을 방지할 수 있으므로 순수한 물질로 만드는데 사용된다. 또한, 결정생
성조건을 잘 조절하면 상당히 두꺼운 피막을 용이하게 얻을 수 있다.
이와 같이 기상도금은 금속피막의 생성, 순금속의 제조, 조금속의 정제에 응

용되며, 또한 적용되는 금속은 융점이 높고, 난휘발성인 것으로서 이의 화합
물은 용이하게 생성되며 또한 고온에서 쉽게 분해되는 것이 필요하다. 즉,
이 금속 및 소지금속의 융점 이하의 온도에서 분해 또는 환원되어 가열표면
에 도착하기 전에 분해, 환원되지 않을 정도의 안정한 화합물이 생성되는 금
속이어야 한다.

(2) 기상도금의 이론

기상도금이 되는 이론은 다음과 같다.

(a) 열분해법

이 방법에는 i) 할로겐화물의 고온열분해와 ii) 카아보닐이나 수소화물의
저온열분해가 있다. 이들의 한 예로서

$$SiX_4 \rightarrow Si + 2X_2 \quad\text{ⓐ}$$
$$2SiX_2 \rightarrow Si + SiX_4 \quad\text{ⓑ}$$
$$Ni(CO)_4 \rightarrow Ni + 4CO \quad\text{ⓒ}$$
$$SiH_4 \rightarrow Si + 2H_2 \quad\text{ⓓ}$$

여기서, X : 할로겐

식 ⓐ, ⓑ는 i)의 고온열분해에 속한다. 이 열분해에 사용되는 금속화합
물은 할로겐화물이며, 요오드화물은 규소, 게르마늄, 티탄, 지르코늄, 하
프늄, 토륨, 바나듐, 크롬, 우랑, 탄탈, 붕소, 철, 구리, 베릴륨의 석출에
사용되고, 취화물은 붕소, 염화물은 니오븀, 탄탈, 몰리브덴, 텅스텐 등
의 석출에 사용되고 있다. 플루오르화물은 생성열이 크므로 부적당하다.
ii)의 저온열분해에는 식 ⓒ에 속하는 것으로서 니켈, 철의 석출이며, 식
ⓓ에는 이 밖에 게르마늄(GeH_4)의 분해가 있다.

(b) 수소환원법

수소가 강력한 환원제라는 것을 이용해서 할로겐화물의 수소환원에 의한
기상도금을 옛부터 행하고 있다. 수소나 할로겐화물은 정제가 용이하며,
또한 이 방법은 비교적 도금속도가 크므로 고순도 도금을 얻는데 적합하
다. 사염화규소의 수소환원법이 고순도규소피막의 생성법으로서 제안된
이래 특히 반도체공업에서 이 방면의 응용이 주목되고 있다.

5-6-3 이온도금

1970년대에 들어와서는 습식도금의 대체 수단으로 되는 이상에 가까운 무
공해도금으로서 종래 플라스틱이나 광학공업이나 반도체공업에서 널리 사용되어
오던 진공증착이나 스패터링 등의 수단이 진지하게 검토되기 시작했다. 특히,
이온도금은 장래성 있는 대체 수단으로서 많은 사람들에게 주목을 끌어 왔다.
이온도금이라는 것은 증착물질(금속이나 합금 또는 무기화합물 등)의 이온이나
가스의 이온을 피도금면에 증착시키는 방법이다. 이온도금은 Mattox EL에 의해
시작되었는데 처음에는 가스의 산란이 생기는 10^{-2}Torr의 압력에서 행해졌다. 그
러나, 압력이 크면 증착막의 건전성의 저하 때문에 10^{-3}Torr이하의 압력에서 도
금을 하는 방법을 생각하게 되었다. 여기서, Torr는 mmHg이다.

증발물질의 이온이 증착물질의 원자(분자)와 더불어 소지에 입사할 때 어떠
한 효과를 증착막에 주는지를 알 필요가 있다. 각각 극단적인 예를 들면 증발물
질의 이온만을 모아서 증착하는 이온빔증착법이 있다. 그러나, 증발물질의 원자
와 이온이 적절하게 혼합된 상태에서 증착막에 현저한 효과를 줄 수 있을 것이
라는 것은 스패터막과 진공증착막과의 비교로서 추측할 수 있다. 즉, 진공증착
중의 증발원자는 1/10eV의 평균에너지를 가지고 소지에 입사한다. 증착물질의
이온을 다량으로 만드는 것을 목적으로 할 때는 이온화에 충분한 정도의 전자빔
의 가속전압으로 또한 대전류의 전자빔을 이용할 필요가 있다.

증발물질의 이온의 수를 다량으로 만드는 수단으로는 Hollow Cathode
Discharge ; HCD)법이 제일 좋다. 많은 물질에 대해서 이온화 확률의 최대값은
전자에너지가 50~150eV의 범위에 있을 때이며, kV의 범위에서는 이온화 확률
이 10~100분의 1로 떨어진다. 즉, Mocley와 Smith는 30kW의 전력으로 증발시
키는데 10kV×3A를 사용하는 것과 100V×300A를 사용하는 것과를 비교해 보면
후자는 단위시간당 표면을 때리는 전자의 수는 전자에 비해 10^2배 많다. 이것과
전리확률이 10~100배 더 많다는 것을 같이 생각할 때 50~150V에서의 동작이
10kV에 비해서 10^3~10^4배 이온이 많다는 계산이 된다. HCD방전을 이용한 전
자빔을 증발원으로 사용하는 것은 이러한 원리 때문이다.

이 밖에도 ARE법(Activated Reactive Evaporation, 활성화반응증착법)이
1972년 R.F.Buhshah에 의해서 발표되었다. ARE법은 전자빔 증발원과 도금될
기판과의 사이에 설치한 Probe전극에 의해서 방전공간을 만들고, 이것을 이용해

서 화합물(TiN, TiC, ZrC, HfC)을 만드는 방법이며, 이것은 CVD법보다 낮은 온도에서 밀착성이 좋고 내마모성, 내식성이 모두 좋은 막을 코팅할 수 있다.

또, 中村은 정 EH는 교류전압을 직접 기판에 인가해서 방전하는 LPPD법(Low Pressure Plasma Deposition)에 의해서 Ti-C, Ti-N의 증착을 하고 있다. 이들과 같이 활성가스를 도입해서 화합물을 만드는 방법을 활성화이온도금 또는, 반응성이온도금이라고 하나 반응기술로서의 진보는 눈부시다. 또, 이온 도금법과 각 도금법과의 비료를 해보면 표 5.28과 같다. 또, 이들의 응용면을 보면 다음과 같다.

표 5.28 각 코팅법의 특징

코팅법		도금물질	기판재료	기판의 형태	증착속도 (mm/h)	밀착도
전기도금		순금속과 합금의 일부	도체	복잡한 형태도 도금가능, 단, 불균일	0.001 ~ 0.025	비교적 양호
CVD법		내열금속과 이의 C, N, Si, B, S 등의 화합물	증착온도(500 ~ 2000℃)에서 증착물질을 부식하지 않는 물질	복잡한 형태도 비교적 균일한 도금	0.01 ~ 2.0	비교적 양호
P V D 법	진공증착	모든 순금속, 금속, 합금, 기타 많은 화합물	가스가 나오지 않는 모든 표면	균일한 피복에는 회전이 필요	0.015 ~ 4.4	비교적 양호
	스패터링	모든 금속과 비금속	가스가 나오지 않는 모든 표면	넓은 면에 균일성이 좋다. 깊은 요철에는 나쁘다.	0.00025 ~ 0.25(고속법은 1mm/h)	비교적 양호
	이온도금	순금속이 가장 효과적, 산화물, C, N 등의 화합물도 된다.	도체는 용이, 부도체도 가능, 화합물의 증착온도는 100 ~ 1000℃	복잡한 형태도 가능, 균일도금에는 회전이 필요	0.005 ~ 4.5	우수함

(1) 초경공구에의 응용

Ti-C, Ti-N의 코팅은 CVD법으로 예부터 행하여지고 있으나 활성화 이온도금 방법으로 급속히 실시하게 되었다. 표 5.28에서 보는 바와 같이 CVD법보다 i)

낮은 온도에서 화합물의 형성, ii) 도금속도가 CVD법의 10〜100배, iii) 무공해의 잇점이 있고, 내마모성에도 CVD법과 동등 이상으로 초경팁의 코팅에 사용할 수 있다. 예를 들어 절삭시의 팁 선단의 온도는 약 700℃의 온도에 이르나 700℃에서의 TiC피막의 경도는 비커스경도로서 약 2100kg/mm^{2}인데 비해서 WC-Co의 경도는 700kg/mm^{2}이다. 또, 이 코팅한 팁은 마찰계수가 적고, 피절삭재와의 용착이 없으므로 이에 의한 마모도 작아서 수명이 매우 길다.

(2) 고속도공구에의 응용

모재가 초경합금(WC-Co)일 때 CVD법의 온도에 견디게 되지만, 고속도강은 550℃ 이상에서는 경화변질되므로 CVD법으로 코팅하면 다시 열처리 등을 해야 한다. 그러나, ARE법이나 LPPD법에 의하면 고속도강이나 기타이 강종에도 Ti-C, Ti-N를 코팅시킬 수 있으며, 이로서 공구의 수명이 3〜10배 길어질 수 있다.

(3) 기타의 응용

(a) 내식용으로서의 응용

이온도금한 막은 밀착이 좋고, 핀홀이 없어서 내식성이 대단히 좋다. LPPD법이나 ARE법으로 도금한 Ti-C피막은 용융금속에 내식성이 크며, 750℃의 용용 Al중에 10시간, 520℃의 용융 아연 중에 50시간 담그어도 거의 침식되지 않는다. 또, HCD법에 의한 Cr, Cr-C는 내마모성과 동시에 고온에서의 내식성이 커서 900℃의 대기 중의 가열에도 견딜 수 있다.

(b) 장식용으로서의 응용

일반적으로 전기도금이 곤란할 때 이온도금에 의하면 쉽게 도금이 되는 각종 장신구에 금, 은의 도금을 한다. 최근에는 활성화이온도금법으로 황금색을 한 Ti-C 및 은백색인 Cr-N을 얻게 되었다. 이들은 색이 좋고, 내마모성도 작으므로 긁히지 않기 때문에 시계 케이스, 밴드, 안경테 등에 응용되고 있다.

(c) 플라스틱에의 응용

습식으로 플라스틱에 도금할 때는 작업 공정이 복잡하고, 유해한 폐수가 많아서 문제가 되고 있으므로 이온도금에 의한 방법을 생각할 수 있다.

(d) 앞으로의 응용과 발전

활성화 이온도금은 낮은 온도로서 경도가 높고 밀착성이 좋은 화합물을 얻을 수 있으므로 초경합금 이외의 소재로서의 응용이 기대된다. 특히, 정밀한 규격이 필요한 공구, 금형, 기계부품, 리드 스위치 등에는 실용화되고 있으나, 기타의 것에도 앞으로 실용화될 것으로 예상된다. 또, 이온도금으로 도금된 철이나 크롬피막은 보통의 상태에서 우수한 내연착성을 가지고 있다고 한다. 이것은 습식도금과는 다른 피막의 성질을 가지고 있기 때문이라고 생각된. 물론, 아직도 원가가 절약되는 방법과 양산적 방법이 연구되어야 할 것이다.

참고문헌

1) 金屬表面處理技術協會編 : 金屬表面處理技術便覽, 日刊工業新聞(1976).

2) 表面處理總攬, 廣信社(1983).

3) 岡本 剛 : 腐食と防食, 大日本圖書, pp.87(昭和50).

4) L.L.Shreir : Corrosion Vol. 2, Newnes-Burrerworth(1979).

5) 電氣化學協會編 : 電氣化學便覽, 丸善(1985).

6) 日本金屬學會編 : 金屬便覽, 丸善(1982).

7) 腐食防食協會編 : 防食技術便覽, 日刊工業新聞(1986).

8) 大谷南海男 : 金屬表面工學, pp.263(1984).

6. 표면물성의 측정법

고체표면물성의 측정기술은 매우 다양하다. 초고진공중에서 청정하고, 잘 규정된 표면의 구조, 조성, 전자상태 등의 기초적인 측정에 제일 잘 이용되는 것은 저속전자회절, Auger전자분광법, 2차이온 질량분석법, 광전자분광법, 전자 에너지손실분광법이다. 또, 초고진공중의 표면원자 및 흡착원자와 분자의 진동 상태는 고분해능의 전자에너지손실분광법으로 측정할 수 있다. 한편, 공업적으로 중요한 전극이나 촉매 등 수용액이나 고압가스 분위기에 있는 표면의 물성측 정에는 전자나 이온을 이용하는 방법이 사용되지 않으므로 협의의 광(저자파)를 프로브로 하여 적외 및 Raman분광법이 제일 유효한 수단이다. 적외 및 Raman 분광법은 초고진공 중의 표면에도 적용할 수 있고, 표면흡착종의 진동상태에 대해 상기의 전자에너지손실분광법보다도 높은 분해능의 정보를 얻을 수 있다.

여기서는 일반적인 측정법을 중심으로 다루지만, 회절현상에 의하지 않는 표면의 원자적 구조를 직접 관찰할 수 있는 전계전자 및 전계이온현미경에 대해서도 간단히 기술한다.

6-1 저속전자회절[1), 2)]

1장에서 기술했듯이 금속표면의 전자상태는 표면을 구성하는 원자의 종류 및 배열구조에 강하게 의존한다. 따라서, 동일한 금속이어도 결정면에 의한 원자, 분자의 흡착등의 전동이 다르다는 것이 각종 계에서 실증되었다. 이런 흡착종을 포함한 표면구조해석에 제일 적합한 수단으로 저속전자회절(Low energy electron diffraction : LEED)이다. 여기서는 LEED의 원리와 측정법을 개략적으로 기술하고, 다음에 LEED의 특징을 실 예로 이용하여 설명한다.

규칙적으로 배열한 원자집단에 전자선을 입사하면, 원자핵의 정전하와 전자의 부전하가 만든 정전적인 포텐셜의 상호작용으로 전자선은 입사방향과는 다른 방향으로 산란된다. 산란된 전자선이 전자의 상호위치관계에 따라 정한 위상차를 만드는 경우에는 서로 간섭하여 합해져 회절상을 만들므로 이 주기에서 원자배열의 주기구조를 추정할 수 있다. X선이나 중성자선도 파동에 의해 다양한 회절현상을 나타내지만, 산란의 기본적인 기구는 전자선과는 다르다. 즉, X선에서는 원자에 구속된 전자가, 중성자선에서는 주로 원자핵이 산란의 모체가 된다. X선이나 중성자선이 달라 전자선은 원자와의 상호작용이 매우 크므로 결정내부에 깊이 침투하지 않는다. 말하자면, 전자회절은 박막이나 표면층의 원자배열구조의 유력한 해석수단이 된다.

전자선의 파장(de Broglie파장)은 Bragg정수를 h, 전자의 운동량을 p로 나타내면 $\lambda = \dfrac{h}{p}$이고, 또 전자의 가속전압을 V, 전자의 질량을 m, 속도를 ν로 하면 $eV = \dfrac{1}{2}m\nu^2$, $p = m\nu$의 관계에 의해 다음 식이 얻어진다.

$$\lambda = \sqrt{\frac{1.604}{V}}\ \text{nm} \tag{6.1}$$

전자회절의 원리에는 전자의 다중산란을 무시하는 운동학적 이론과 다중산란을 고려한 동력학적 이론이 있지만, 간단하게 하기 위해 전자에 따라 설명한다.

LEED의 측정에는 보통 60~100V으로 가속한 전자가 이용되므로 전자는 표면의 수 원자열에 의해 산란된다. 결국, 회절은 근사적으로 2차원 격자만으로 발생한다고 해도 좋다. 2차원 격자의 단위망은 두 가지의 독립적인 기본 벡터 a_1, a_2에 의해 결정되는 평행사변형을 이용하여 기술되고, 이것으로는 그림 6.1에 나타낸 6종류의 형이 있다. 이들을 2차원 Bragg격자라 부른다. 결정에 의한 회절현상을 다룰 때 역격자라는 개념이 이용된다. 2차원 격자에 대하여 정의된 위 벡터 a_1, a_2의 역격자 벡터를 a_1^*, a_2^*로 나타내면, 다음의 관계가 성립한다.

$$a_i a_j^* = \delta_{ij} \quad (i,\ j = 1,\ 2) \tag{6.2}$$

여기서, $\delta_{ij} = 1\,(i = j)$, $\delta_{ij} = 0\,(i \neq j)$이다.

2차원 격자에 전자선이 입사하여 회절이 일어난다고 가정하자. 입사 및 회절파의 파수벡터의 표면에 평행한 성분을 각각 $K_{//}$, $K_{//}^{'}$로 나타내면, 이들 차가 역격자벡터가 되어야 한다는 조건에서

$$K_{//}^{'} - K_{//} = 2\pi (ha_1^* + ka_2^*) \qquad (6.3)$$

의 관계가 얻어진다. h 및 k는 Miller지수(0, ±1. ±2, …)이다(1.1참조). 그림 6.2(a)는 전자선이 표면에 수직으로 입사하는 경우에 일어나는 회절의 모양을 1차원적으로 나타낸 것이다. 그림 6.2(a)에 의해 x방향의 원자열(원자간극을 d로 한다)에 의해 산란된 각각의 전자파의 진로의 차는 산란각 θ에 의해 $dsin\theta$로 나타낼 수 있다. 이 위상의 차가 전자선의 파장의 정수배와 같다면, 서로 위상이 일치하는 회절이 일어나므로(Bragg의 조건) 다음의 관계가 얻어진다.

$$dsin\theta = n\lambda (n 은 정수) \qquad (6.4)$$

이것에 의해 파장과 산란각을 알면, 원자간극이 구해진다. 회절조건과 회절파의 방향을 직관적으로 알기 위해서는 그림 6.2(b)에 나타낸 역격자공간에서의 Ewald작성도를 보면 된다. 그림의 반경 $\frac{1}{\lambda}$의 구를 Ewald구 또는 반사구라 한다.

표준적인 LEED측정장치의 개략도를 그림 6.3에 나타냈다. 전자총에서 발사된 전자선을 초고진공중의 단결정표면에 수직으로 입사하여 후방에 산란회절된 전자를 형광스크린에 충돌시켜 회절상을 관찰한다. 입사전자의 일부는 비탄성산란되므로 회절상의 백그라운드의 원인이 된다. 비탄성 산란전자를 제거하기 위해 스크린의 앞에 반도(反跳)그리드 G_2가 높이게 된다. 보통 이용되는 1000eV 이하의 전자선에서는 회절상이 약하므로 시료에 대하여 스크린의 전위를 수 kV로 유지하여 회절전자의 궤도가 스크린의 전위에 의해 구부러지는 것을 막기 위해 이용한다.

원리적으로 정확한 회절파의 강도의 공간분포를 이론적으로 계산할 수 있지만, 복잡하므로 보통은 회절파에 의해 만들어진 회절패턴을 구하던가 회절강도를 정성적으로 검토하게 된다. 결함이 존재하지 않는 표면에서는 콘트라스트가 좋은 회절상이 보이지만, 전자의 단색성이 불충분한 것과 완전히 평행

한 전자선이 얻기 어렵다는 이유로 회절반점의 폭이 어느 정도 퍼져 관찰되는
것이 보통이다. 표면에 대해 저속전자의 침입깊이가 낮는 것은 전에 기술했듯
이 원자와의 상호작용이 강하기 때문이고, 이는 다중산란이나 비탄성산란의
과정이 무시할 수 없는 문제이다. 1회째 산란만을 고려하여 단순한 원동역학
적 이론의 적용을 곤란하게 하는 것은 이 때문이다.

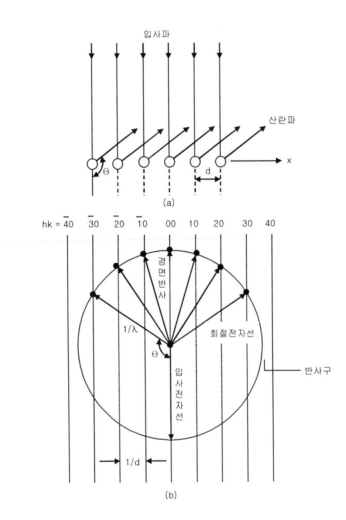

그림 6.2 1차원의 원자열에 의한 전자의 산란(a)와 Ewald작도(b)

6-1-1 LEED와 흡착구조

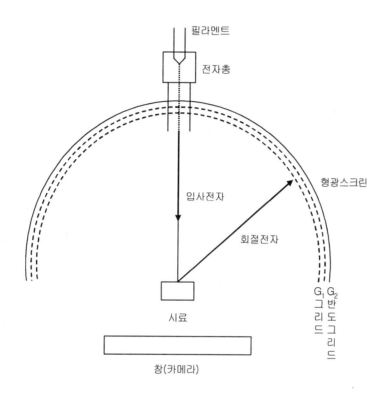

그림 6.3 LEED측정장치의 구성

청정한 금속 단결정표면의 원자배열구조는 많은 경우 벡터의 격자기구에서 예상되는 것과 일치하는 것이 LEED의 해석에 의해 확인되었다. 표면이 청정하여도 표면원자의 재배열에 의한 초격자구조가 형성되는 경우에는 초격자에 의한 LEED상이 새로이 관찰된다. 동일하게 흡착에 의해 표면에 초격자구조가 형성되면 하지격자에 의한 회절상 이외에 흡착격자의 회절상이 관측된다. 이것으로 흡착격자의 크기와 병진대칭성을 알 수 있다. 승온탈리법이나 Auger전자분광법 등을 병행하여 흡착종의 표면피복율을 알게 되면, 흡착구조의 규칙성에 대해 확실한 결론이 얻어진다. 그러나, 회절상의 기하학적 구조만으로 하지표면원자에 대한 흡착종의 위치를 결정할 수 없다. 흡착위치를 결정하기 위해서는 동역학적 이론에 기초하여 입사전자의 에너지와 회절강도의 관계를 알 필요가 있다.

흡착구조에 관해서는 다음과 같은 경험법칙이 있다. 흡착종은 그 표면피복율의 허용범위 내에서 가능한 한 작은 단위망을 갖는 흡착구조를 형성한다 (Close packing법칙) 또, 흡착종은 하지표면원자와 동일하게 회전대칭을 갖는 흡착구조를 만든다(회전대칭성 보존법칙). 그림 6.4와 6.5에 나타낸 것은 각각 FCC(100)과 FCC(111)면에 대한 전형적인 흡착격자와 LEED상이다.

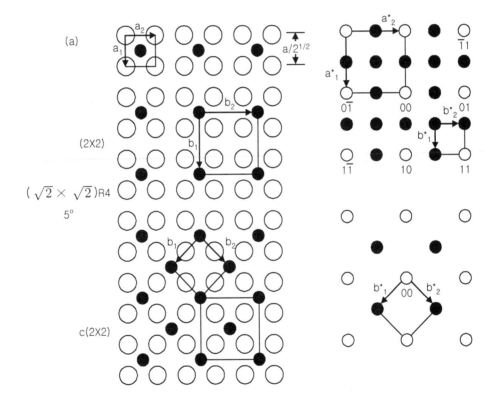

그림 6.4 FCC (100)면에서 흡착구조(좌측)와 회절상(우측)

(a) (2×2)구조, 피복률 : 1/4원자층, (b) $(\sqrt{2} \times \sqrt{2})R\,45°(c)R\,45°$구조, 피복률 : 1/2원자층, a는 격자정수를 나타낸다.

a_1, a_2는 하지의 기본격자벡터, a_1^*, a_2^*는 이들 역격자벡터이다. b_1, b_2 및 b_1^*, b_2^*은 각각 흡착종의 격자벡터 및 역격자벡터를 나타낸다. 또, 하지의 기본격자에 대한 역격자점에서는 지수 hk가 만들어진다. 00은 회절중심을 나타낸다. 역격자점 결국 스크린 위의 회절점의 위치를 일반적으로 나타낸 것은 병진역격자벡터 $G = ha_1^* + ka_2^*$이다.

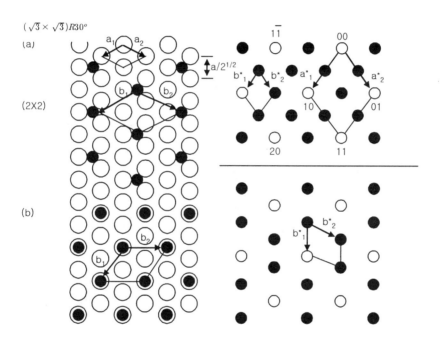

그림 6.5 FCC(111)면에서 흡착구조(좌)와 회절상(우)
(a) (2×2)구조, 피복률 : 1/4원자층
(b) $(\sqrt{3} \times \sqrt{3})R30^o$구조, 피복률 1/3원자층

회절반점의 강도는 이론적으로 기본격자 수의 2승에 비례하고, 반값의 폭은 기본격자의 수에 반비례한다. 그러나, 전술의 입사전자선의 불완전성 때문에 가간섭성(可干涉性)이 강한 회절이 일어나는 것은 표면의 직경 약 10㎚의 범위

내에 있는 원자에만 한정된다. 따라서, 이 범위 내에 다른 흡착구조가 존재하면, 이 영향이 회절상에 나타난다. 예를 들어, 흡착단위격자의 크기가 동일하여도 구역에 따라 단위격자의 회전이 생기는 경우를 그림 6.6에 나타냈다. (a) 및 (b)는 각각 FCC(100), FCC(111)면 위의 (1×2)구조이다. 흡착원자의 기본격자에는 (a)에서는 2가지 배치, (b)에서는 3가지 배치가 가능하므로, LEED상은 독립한 이들 격자군에서의 회절반점이 중첩되는 것을 관찰할 수 있다. (a) 및 (b)의 흡착구조(도메인구조라 부른다)가 각각 그림 6.4(a) 및 6.5(b)에 나타낸 (2×2)구조와 동일한 회절상을 주는 것은 이 이유 때문이다.

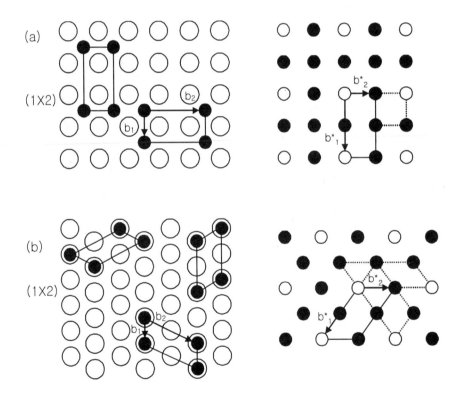

그림 6.6 도메인구조와 회절상
(a) FCC(100)-(1×2)구조, (b) FCC(111)-(1×2)구조

6-2 분자분광법[3]~6)

금속표면의 화학조성이나 전자상태를 연구하기 위해서 많이 이용하는 것이 전자분광법이다. 전자분광법에서는 전자충돌이나 단색광(전자파(電磁波))조사에 의해 표면에서 방출된 전자의 운동에너지를 관측하는 것과 단색화된 저속의 전자선을 입사하여 그 에너지손실스펙트럼을 측정하는 것이 있다. 전자에서는 Auger전자분광법(Auger Electron Spectroscopy ; AES), 적외광 전자분광법(Ultraviolet Photoelectron spectroscopy ; UPS), X선 광전자분광법(X-ray Photoelectron spectroscopy ; XPS)등이 있다. 후자는 전자에너지손실분광법(Electron Energy Loss Spectroscopy ; EELS)라 불리는 표면의 전자상태뿐만 아니라 진동상태의 정보를 얻을 수 있다. 여기서는 이들 전자분광법의 기본적인 원리와 특징을 기술한다.

6-2-1 Auger전자분광법(AES)

1926년 프랑스의 P.Auger에 의해 발견된 Auger효과를 기초로 한 AES는 고체 표면의 연구 특히, 표면조성의 측정에 중요하다. 그림 6.7에 나타낸 내각의 전자가 전자충돌이나 X선 조사에 의해 외부로 방출되면 내각에 공공이 생긴다. 이 상태는 여기상태이므로 고에너지의 곽(殻)에 있는 전자가 내각에 천이하여 공공을 메워 보다 안정한 상태가 된다. 이 천이에 따라 여분의 에너지가 방출되지만, 이 과정에는 2종류가 있다. 하나는 전자파로서 방출되는 것이 있는데 그 전자파를 특성X선이라 부르고, 다른 하나는 Auger과정이라 부르는데 다른 전자가 정전적 상호작용에 의해 에너지를 얻어 외부로 방출되는 것이다. 그림에 나타냈듯이 K각에 공공이 생기고, L각의 전자가 그 공공을 메우게 되면, 여분의 에너지 E_0는 $E_K - E_L$과 같다. 여기서 ,E_K, E_L은 각각 K, L단위의 결합에너지이다. 방출된 전자가 L각에 속하고 있는 경우에는 방출전자가 갖는 운동에너지 E_{kt}는 근사적으로

$$E_{kt} = 2E_0 - E_K \tag{6.5}$$

로 나타낼 수 있다. 이 식을 다시 쓰면

$$E_{kt} = E_K - 2E_L \qquad (6.6)$$

가 된다. E_K 과 E_L 는 원소의 특정값이므로 E_{kt} 를 측정하여 시료중의 원소가 동정된다.

이렇게 K각에 공공이 생겨 L각의 전자가 그곳으로 천이하기 위해 수반된 L각의 전자가 방출된 과정을 KLL Auger천이라고 부르고, 이 과정에서는 그 밖에 LMM, MNN천이 등이 있다. 각각의 천이에 의해 방출된 전자를 KLL, LMM, MNN Auger전자라 부르고, 역시 상기의 기구에서 밝혔듯이 수소와 헬륨에 대해서는 Auger전자방출은 일어나지 않는다.

Auger과정에 방출된 전자는 시료층을 통과할 때에 비탄성산란되어 에너지를 잃을 확률이 높으므로 Auger전자로서 측정되는 것은 두께 수nm이내의 표면층에서 생긴 것만 이다. 따라서, AES는 표면층의 원소분석법으로서 중요하고, 0.01단원자층 정도까지의 양의 원소의 검출이 가능하다. 역시 조사전자를 집속시켜 시료표면을 주사하면 원소의 표면 2차 분포를 측정할 수 있다. 이 방법으로 60nm정도의 공간분해능으로 조성분포가 구해진다.

Auger전자의 운동에너지의 측정에는 방지전위형 또는 정전편향형의 분석기가 이용된다. 전자는 감도가 낮고, 저속전자회절에 병용하는 경우를 제외하면, 후자로 원통경형분석기가 이용된다. Auger전자는 강한 브로드한 백그라운드에 중첩되어 나타나므로, 보통은 미분형의 스펙트럼으로서 측정된다. 그러나, 존재상태의 측정에는 피크의 에너지값을 정확히 아는 것이 필요하므로 미분형으로하지 않고, 전자의 에너지분포를 측정하지만, 감도는 미분형보다 낮다. 이런 AES에서는 전자의 운동에너지를 측정한 것이므로 시료는 진공중에 방치한다. AES를 이용한 연구는 표면확산, 편석, 표면조성 그 외에 넓은 범위에 이온에칭을 병용하면 깊은 방향의 원소분포를 알 수 있다.

6-2-2 광전자분광법

고체에 단색의 전자파를 조사하면 고체의 전자가 그 에너지 여기된 표면에서 방출된다. 이 방출된 전자의 운동에너지를 측정하는 것은 광전자분광법이 있고, 조사단색광이 연X선이나 적외선에 의해 각각 XPS, UPS라 부른다.

(1) X선광 전자분광법(XPS)

X선의 에너지는 적외선보다 크므로 그림 6.8에 나타낸 XPS에서는 원자의 내각의 결합에너지를 알 수 있다. 즉, 입사 X선의 진동수를 ν로 하면

$$h\nu = E_{kt} + E_b + C \tag{6.7}$$

이다. 여기서, h는 플랭크상수, E_b는 진공준위를 기준으로 한 에너지이고, C는 측정장치에 의존하는 보정항이다.

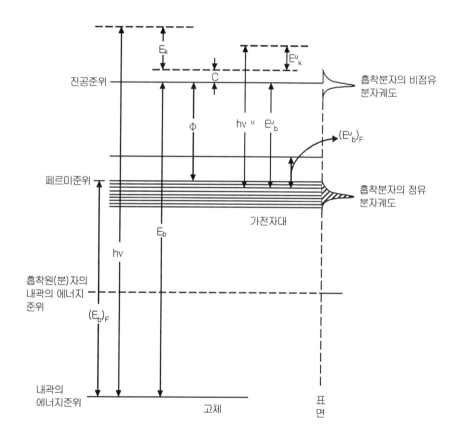

그림 6.8 광전자방출할 때의 에너지관계의 모식도 : 첨자 U는
적외선전자분광의 경우를 나타냄.

(Eb)F : 페르미준위를 기준으로 한 결합에너지
Φ : 일 계수, ν : 입사광의 진동수

내각의 결합에너지 $E_b(=E_K, E_L$ 등)은 원자에 의해 일정하므로 XPS는 AES와 동일한 고체표면층의 원소분포에 이용된다. 이 경우도 AES와 동일하게 비탄성산란을 받지 않는 전자를 측정하므로 두께 수 nm의 표면층 내의 원소 분석이 이루어진다. 역시 내각의 결합에너지는 그 원소의 화학결합상태에 따라 변화한다. 이것을 화학시프트라 부르고, XPS나 AES에서 이것을 측정하여 금속의 산화상태이거나 산소의 존재상태(흡착산소, 산화물의 산소, 수산염) 등을 일 수 있다.

XPS에 이용되는 연X선원으로는 주로 AlKα(1486.6eV), MgKα(1263.6eV) 선이나 싱크로트론방사광이 이용된다. XPS의 측정은 보통 다른 전자분광법과 같이 고진공 중의 시료를 대상으로 하지만, 차동배기에 의해 10^2Pa정도의 압력인 기체의 존재하에서 측정할 수 있는 장치도 있다. 역시 광전자의 방출에 의해 공공을 만들므로 XPS는 Auger전자의 발생을 수반한다.

(2) 적외광 전자분광법(UPS)

적외선을 여기광으로 하는 방법에서는 여기에너지가 작으므로 그림 6.8에 나타냈듯이 주로 가전자대 구조 및 흡착화학종의 분자궤도의 에너지준위(흡착에 수반되어 다소 확대된다)의 측정이 이루어진다. XPS에서도 가전자대의 정보가 얻어지지만, 이것은 전자대를 평균한 것이 된다. 또, UPS는 XPS에 비해 에너지분해능이 양호하므로 상기의 측정은 주로 UPS로 한다. UPS에 이용되는 선원은 싱크로트론방사광 이외에 희박가스공조선이 이용된다. 주로 He I(21 .22 eV), He II(40.82eV)이다.

방출된 전자를 측정각을 변화시켜 측정하는 방법(각도분해광 전자분광 : Angle resolved photoelectron spectroscopy)는 가전자대 구조의 상세한 정보를 얻는데 적합하고, 청정한 금속이나 반도체의 특정결정면의 표면전자상태나 흡착한 분자나 금속표면사이의 화학결합의 연구에 이용할 수 있다.

역시, 광전자분광의 역과정 즉, 전자를 입사하여 광자를 방출시키는 과정도 존재한다. 이것을 역광전자분광(Inverse photoemission)이라 부른다. 이 방법은 UPS가 주로 점유전자상태를 정보를 얻는데 비해, 비점유전자상태의 정보를 얻는 것이 다르다. 이 방법에서 금속단결절의 특정결정면의 비점유전자상태나 금속표면에 흡착한 분자의 비점유분자궤도의 정도가 얻어진다.

6-2-3 전자에너지손실분광법

전자가 고체표면에 충돌하면 고체 내에서의 전자천이, 플러즈몬여기, 진동여기 등을 일으키고, 에너지의 일부를 잃어버려 산란된다. 즉, 비탄성산란이다. 이 때 입사전자의 에너지가 100eV정도 낮으면 표면층 안에서 산란된 전자가 측정된다. 이것을 저속전자에너지손실분광법(EELS)라 부르고, 고체 표면층의 전자상태의 측정에 이용된다. 또, 입사전자의 에너지가 더욱 작아 10eV정도이하가 되면, 표면원자나 흡착분자의 진동을 여기하여 비탄성산란된다. 이 비탄성산란으로 잃어버린 에너지를 측정하는 것을 고분해능전자에너지손실분광법(High Resolution Electron Energy Loss Spectroscopy ; HREELS)라 부른다.

EELS에서는 전자상태의 정보가 얻어지지만, 광전자분광과 달리 높은 준위에서의 천이에 요구되는 에너지가 측정된다. 따라서, 광전자분광으로 축정된 에너지의 준위값을 이용하면, 비점유준위의 에너지를 알 수 있다. 이 방법은 다른 전자분광법보다 얇은 표면층이 측정되므로 반도체의 표면준위, 금속이나 반도체 표면에 흡착한 화학종의 존재상태, 표면 및 체적플러즈몬과 같이 초박막의 전자구조가 연구되고 있다. 역시, 입사전자선의 에너지를 변화시켜 측정된 표면층의 두께를 변화시키는 것이 가능하다. 이 방법으로 측정두께를 0.2nm에서 1.1nm까지 연속적으로 변화시킨 예가 있다.

HREELS에서는 입사전자는 고체 표면원자 및 흡착화학종의 진동을 여기하여 산란되지만, 그 기구는 단순하지 않다. 즉, 쌍극자산란, 충돌산란 및 공조산란의 기구가 존재한다. 쌍극자산란은 표면원자나 흡착화학종의 진동쌍극자와의 상호작용에 의해 일어나는 것으로 표면에서 2~10nm의 비교적 먼 거리로 산란된다. 이 산란은 고체 표면에 수직하게 진동하는 쌍극자의 상호작용으로만 일어나고, 표면선택율(6.3절)이 성립한다. 쌍극자산란된 전자는 거울면 반사방향에 날카로운 피크를 갖는 강도분포를 나타낸다. 따라서, 거울면 반사성분을 측정하는 HREELS는 고감도반사적외분광(6.3절)과 동일한 정보를 얻고, 표면화학종의 동정에 이용될 뿐만 아니라 그 표면에 대한 배향의 고찰도 할 수 있다.

충돌산란과 공조산란은 전자가 표면원자에 충돌하여 산란되는 것으로 쌍극자산란과 달리 그 강도는 거의 일정한 각도분포를 나타낸다. 이 경우에는 표면선택율이 성립하지 않고, 산란강도는 1승 이상 작다. 따라서, 측정은 표면에 평행하게 진동하는 쌍극자를 수반하는 진동의 측정이 가능하고, 적외분광으로 얻을 수 없는 정보를 얻을 수 있다.

HREELS를 고체 표면원자의 진동의 측정에 이용하면, 표면의 수 원자층의 진동상태를 알 수 있다. 이것은 표면층에서의 결합상태가 내부와 다르므로 표면층에 특유한 진동이 생기기 때문이다. 그러나, HREELS가 널리 이용되는 것은 표면에 흡착한 화학종의 연구이다. 즉, 이 방법은 감도가 높아 1분자층 이하의 미량인 흡착화학종의 측정이 용이하고, 각도분해측정에 의해 흡착분자의 배향에 대한 확실한 결론이 얻어진다. 이렇게 하여 흡착화학종의 동정, 흡착종 상호작용 또는 흡착구조 등이 연구되고 있다. 그러나, HREELS는 광학적 진동분광법보다 고감도인 반면에너지분해능이 낮고, 탈여기과정이나 흡착종간 및 흡착종-고체표면의 측정 이외에는 이용되지 않지만, 광학적 방법은 고진공 중은 물론 각종 분위기중에서 측정이 가능하다. 따라서, 기체나 액체중의 고체표면의 in situ측정은 오로지 광학적 방법으로 행하고 있다. 이런 HREELS 와 다음절에 다룰 광학적 진동분광법은 상호 보충적인 역할을 하고 있다.

6-3 진동분광법

물질을 구성하는 원자나 분자는 각각 고유의 진동수를 갖고 진동하고, 그 진동수는 분자내의 원자의 결합상태나 분자간의 상호작용 등에 따라 변화한다. 진동스펙트럼의 측정을 하여 구조에 관한 정보를 얻는 것이 진동분광법이다. 대표적인 진동분광법으로 이 절에서는 Raman분광법과 적외분광법으로 나뉜다.

금속표면의 흡착종의 측정에 최초로 이용된 것이 적외분광법이다. 초기의 흡착 연구는 투과법에 한정된 것이므로 실리카나 알루미나 등의 산화물에 분산 담지시킨 금속미립자가 이용된다. 이 방법은 측정이 단순하고, 충분한 감도가 얻어지므로 현재에도 촉매반응이 이용되고 있다. 한편, 다결정 또는 단결정 등의 벌크 금속표면을 대상으로 하는 측정법에 고감도반사분광법과 고분해능전자에너지손실분광법(HREELS)이 있다. 모두 LEED나 전자분광법과 병용하여 표면흡착층의 배향상태나 흡착 site등에 대한 자세한 정보가 얻어진다. HREELS에 대해서는 6.2에 기술하였다.

　　Raman분광법은 전극반응 등의 수용액중의 측정에 제일 적합한 방법이다. 특수한 금속표면에서는 SERS(Surface Enhanced Raman Scattering)이라 부르는 현상으로 미량 흡착종의 진동스펙트럼을 쉽게 측정할 수 있다. 이하에서는 고감도 반사분광법, Raman분광법(SERS) 이외에 고온의 시료의 측정에 유효하게 이용할 수 있는 적외분광법에 대해 기술한다. 역시 이에 앞서 분자진동의 기본적인 사항을 다음에 정리하여 놓았다.

6-3-1 분자진동[6), 7)]

　　분자진동은 평형위치를 중심으로 원자핵의 상대적 변위 운동이고, 정상상태에 대한 근사적인 전자의 운동과 분리하여 취급할 수 있다. 원자핵의 변위를 미소하다고 가정하여 고전역학적 운동방정식을 풀면 모든 원자핵이 동일 진동수로 진동한다는 결론이 도달된다. 이런 진동을 기준진동이라 한다. 분자진동은 몇 가지 기준진동의 중첩으로 나타낼 수 있지만, 그 수는 분자에 포함한 원자수에 의해 결정된다. N개의 원자로 구성된 비직선분자의 운동의 자유도는 3N이고, 이것에는 분자 전체로서의 병진 자유도 3과 회전의 자유도 3이 포함되어 있다. 따라서, 진동의 자유도 결국 기준진동의 수는 3N-6이 된다. 직선분자에서는 회전의 자유도가 2가 되므로 기준진동의 수는 3N-6로 나타낼 수 있다. 분자의 진동을 지배하는 것은 원자핵 간에 움직이는 정전적 반발력과 원자핵과 전자사이에 작용하는 인력이고, 다원자분자에서는 이들 표식이 매우 복잡하게 된다. 이하에서는 단순하게 2원자분자의 진동에 대해 다룬다.

　　2원자분자의 포텐셜에너지는 핵간거리 r 에 의해 변화하지만, 이것을 해석적으로 나타낸 것으로 Morse계수가 있다. 즉, 포텐셜에너지 $V(r)$ 는 평형핵간거리 r_o 와 정수 a 를 이용하여

$$V(r) = D^e[1 - e^{-a(r-r_e)}]^2 \qquad (6.8)$$

의 형태로 주어진다. D_e 는 계수의 극소점을 기준으로 한 해리에너지이다.

Morse계수를 나타내면 그림 6.9와 같이 된다. 극소진동($|r-r_e| \ll r$)에 대해서는 $V(r)$는 근사적으로 $(r-r_e)$의 멱급수로 전개할 수 있다.

$$V(r) = V(r_e) + (r-r_e)(\frac{dV}{dr})_{r_e} + \frac{1}{2}(r-r_e)^2(\frac{d^2V}{dr^2})_{r_e} + \cdots \qquad (6.9)$$

평형위치에서는 포텐셜에너지는 극소가 되므로 이 때의 값을 0으로 하면, 식 (6.9)의 우변 제 3항만이 남는다. $(\frac{d^2V}{dr^2})_{r_e} = f$, $r-r_e = q$로 치환하여

$$V(r) = \frac{1}{2}fq^2 \qquad (6.10)$$

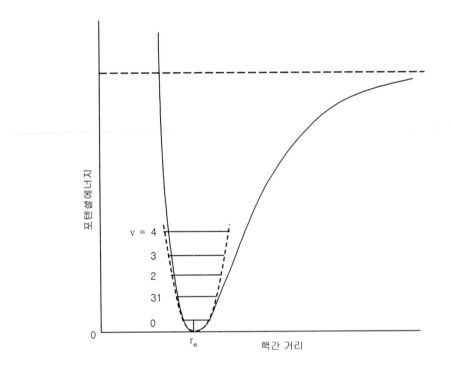

그림 6.9 2원자분자의 포텐셜에너지곡선
실선은 비조화진동, 점선은 조화진동을 한 분자

을 얻는다. 이것이 조화진동을 한 2원자분자의 포텐셜에너지계수이고, 그림

6.9의 점선으로 나타낸 곡선이 이에 대응한다. f는 힘의 정수라 부르고, 원자간의 결합강도를 나타낸다.

포텐셜에너지가 식 (6.10)으로 나타낸 2원자분자의 신축진동의 진동수는 그 운동에너지나 진폭에 의하면 다음과 같이 쓸 수 있다. 포텐셜에너지가 식 (6.10)로 나타낸 2원자분자의 신축진동의 진동수는 그 운동에너지나 진폭에 의해 다음과 같이 나타낼 수 있다.

$$\nu = \frac{1}{2\pi}\sqrt{\frac{f}{\mu}} \tag{6.11}$$

μ는 환산질량이라 부르고, 원자의 질량을 각각 m_1, m_2로 하면, $\mu = \frac{m_1 m_2}{(m_1 + m_2)}$이다. ν를 파수(cm^{-1})로 나타내면, 광속을 c로서

$$\nu = \frac{1}{2\pi c}\sqrt{\frac{f}{\mu}} \tag{6.12}$$

가 된다.

양자역학에 의하면, 정상상태에 있는 분자의 진동에너지는 몇 가지의 준위로 나뉜다. 조화진동의 에너지준위는 플랭크정수 h와 진동수에 의해 아래와 같이 나타낼 수 있다.

$$E_v = h\nu\left(v + \frac{1}{2}\right) \tag{6.13}$$

v는 진동양자수이고, 0, 1, 2, 3 등의 값을 갖는다. $v=0$을 기저상태라 부르고, 기타의 준위를 여기상태라 부른다. 열평형에 있는 분자는 볼츠만분포를 나타내므로 보통의 온도에서는 거의 분자가 기저상태에 있다. 조화진동을 한 분자에서는 양자수가 1만큼 변화하는 진동천이만이 허용되므로 볼츠만분포법칙에 의해 $v=0{\rightarrow}1$의 천이가 제일로 확률이 높다.

진동준위 $E_{v'}$와 $E_{v''}$사이에 천이가 일어나기 위해서는 분자는 그 에너지차 ΔE에 상당하는 진동수 $\nu_{v'v''}$의 빛을 흡수하거나 방출하지 않으면 안 된다. $\nu_{v'v''}$와 ΔE의 관계는

$$\Delta E = |E_{v'} - E_{v''}| = h\nu_{v'v''} \tag{6.14}$$

이다. 이것을 Bohr의 양자조건이라 부르고, 위에 의해 조화진동 근사에서는 천이에 의해 흡수 또는 방출되는 빛의 진동수는 분자진동의 진동수와 동일하다는 것을 알았다. 이 경우 ν 는 적외선의 진동수에 상당하므로 상기의 흡수 또는 방출을 각각 적외흡수, 적외발광이라 부른다.

적외흡수 또는 발광스펙트럼에 나타낸 진동의 수는 기준진동의 수와 반드시 일치하지는 않는다. 그 이유는 분자에 전기쌍극자모멘트의 변화를 초래하는 진동만이 적외활성되기 때문이다. 예를 들어, 등핵 2원자분자의 신축진동은 적외흡수를 나타내지 않는다. 또, CO_2에서는 그림 6.10에 나타냈듯이 4가지의 기준진동이 존재한다. 이들의 전자쌍극자모멘트변화하기 위해서는 ν_2, ν_3, ν_4 이지만, ν_3 과 ν_4 는 진동의 방향이 다른 만큼 동일한 진동수를 갖고 있다. ν_3 과 ν_4 는 이중으로 축중(縮重)한다. 결국, 적외불활성의 ν_1 이나 등핵 2원자분자의 신축진동은 후술의 Raman효과로 나타낼 수 있다.

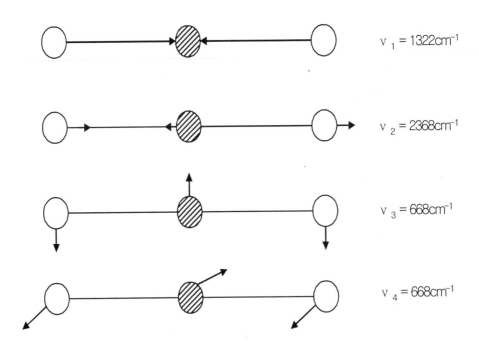

$$\nu_1 = 1322 \text{cm}^{-1}$$

$$\nu_2 = 2368 \text{cm}^{-1}$$

$$\nu_3 = 668 \text{cm}^{-1}$$

$$\nu_4 = 668 \text{cm}^{-1}$$

그림 6.10 CO_2의 규준진동

6-3-2 고감도반사적외분광법[8), 9)]

(1) 원리

적외영역에서는 금속의 반사율이 일반적으로 크므로, 벌크금속표면의 적외흡수의 측정은 반사에 의하지 않으면 안 된다. 고감도반사적외분광법은 이하에 기술하듯이, 입사면에 대하여 평행한 전기벡터를 갖는 빛(P편광)을 금속표면에 아주 가깝게 입사하여 표면의 수직방향에 큰 진동전기벡터를 갖는 정상파가 형성되는 것을 이용한 것이다. 빛이 금속/매질계면에 기울여 입사하여 반사할 때에는 위상과 진폭이 변화하는데 이들 변화의 방향은 입사광의 편광상태에 의해 다르다. 빛이 투명한 매질로부터 평활하게 금속표면에 입사할 때의 복소진폭반사율(Fresnel의 반사계수)는 S 및 P편광의 경우에 대해 각각 다음과 같이 주어질 수 있다.

$$r_{ij}(\text{S}) = -\frac{\sin(\phi_i - \phi_j)}{\sin(\phi_i + \phi_j)} = \frac{n_i\cos\phi_i - n_j\cos\phi_j}{n_i\cos\phi_i + n_j\cos\phi_j}$$

$$r_{ij}(\text{P}) = \frac{\tan(\phi_i - \phi_j)}{\tan(\phi_i + \phi_j)} = \frac{n_j\cos\phi_i - n_i\cos\phi_j}{n_j\cos\phi_i + n_i\cos\phi_j} \tag{6.15}$$

여기서, n_i 및 n_j는 각각 매질의 굴절율 및 금속의 복소굴절율이다. 또, ϕ_i는 입사각, ϕ_j는 복소굴절각을 나타낸다. ϕ_i와 ϕ_j의 사이에는 Snell의 법칙에 의해 $n_i\sin\phi_i = n_j\sin\phi_j$의 관계가 있다. r_{ij}에서는 반사일 때에 일어난 위상의 변화가 포함되어 있고, 이것을 δ로 나타내면

$$\delta(\text{S}) = \tan^{-1}\frac{Im\{r_{ij}(S)\}}{Re\{r_{ij}(S)\}}$$

$$\delta(\text{P}) = \tan^{-1}\frac{Im\{r_{ij}(P)\}}{Re\{r_{ij}(P)\}} \tag{6.16}$$

이다. Im 및 Re는 각각 실부, 허부를 나타낸다.

금속의 복소굴절율은 빛의 파장에 의해 다르지만, 적외영역에서는 일반적으로 $n_j^2 + k_j^2 \gg 1$이므로, 적외광이 진공 또는 대기($n_i = 1$)에서 금속표면에 입

사할 때의 δ의 입사각 의존성은 그림 6.11에 나타낸 편광상태에 의해 현저히 다르다. 즉, S편광에서는 위상의 변화는 입사각에 그다지 의존하지 않고, 거의 $-\pi$이므로 금속표면에 형성된 정상파의 진폭은 그림 6. 12(a)에 나타냈듯이 0에 가깝다. 한편, P편광을 이용하면 위상변화는 수직입사시의 0에 가까운 값이므로 입사각 90°일 때의 $-\pi$까지 변화하므로 표면정상수의 진폭이 크게 되는 입사각이 존재한다(그림 6.12(b)). 이 입사각은 반사율이 높은 금속이 크고, 일반적으로 반사율이 작은 금속을 제외하면 86°~89°의 범위에 있다. 금속표면위에 적외광을 흡수하는 물질이 존재할 때 그 흡수강도는 표면정상파의 진폭의 2승에 비례하고, 빛이 조사하는 시료면적에도 비례한다. 따라서, 위에서 기술했듯이 P편광을 큰 입사각으로 입사하여 물질의 적외흡수스펙트럼을 고감도로 측정하는 것이 가능하다. 이 방법에서는 금속표면에 가능한 정상파의 진동전기벡터를 표면에 대하여 수직방향에 있으므로 분자진동과의 상호작용은 이 방향에서 최대가 된다. 결국, 표면에 수직으로 쌍극자모멘트의 변화하는 진동의 상대강도가 현저히 증가한다. 이런 표면선택율을 Normal dipole selection rule이라 한다. 이것을 적용하면 흡착분자의 배향이나 박막의 이방성에 관한 정보가 얻어진다.

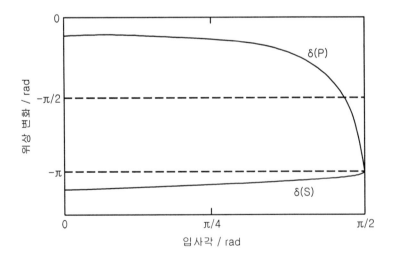

그림 6.11 금속표면에서 편광적외선이 반사할 때의 위상변화

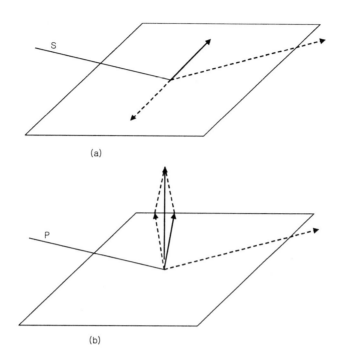

(a)

(b)

그림 6.12 금속표면에 입사 및 반사광의 진동전기스펙트럼 (a) S편광, (b) P편광

(2) 표면박막에 의한 반사율의 변화

고감도반사법에서는 시료에 의한 흡수가 빛의 반사율의 감소로서 측정되어, 시료의 두께가 파장의 1/10정도 이하의 경우 흡수의 파수는 투과법에 의한 것과 근사적으로 일치한다. 여기서, 이런 박막이 금속표면에 존재할 때의 적외흡수강도에 대해 고려해 보자.

대기중의 금속표면(복소유전율 ϵ_3)의 반사율 R_o가 두께 d의 박막에 의해 ΔR만큼 감소할 때의 흡수강도는 $\Delta R/R_0$로 나타낼 수 있다. 빛의 파장 λ에 대해 $\frac{d}{\lambda} \ll 1$인 경우의 P 및 S편광에 의해 흡수강도는 다음과 같이 나타낼 수 있다[10].

$$\left(\frac{\Delta R}{R_0}\right)_P = \frac{8\pi d cos\phi_1}{\lambda} Im\left\{\frac{\epsilon_2-\epsilon_3}{1-\epsilon_3}\frac{(1/\epsilon_2)(1/\epsilon_3)(\epsilon_2+\epsilon_3)sin^2\phi_1}{1-(1/\epsilon_3(1+\epsilon_3)sin^2\phi_1}\right\} \qquad (6.17)$$

$$\left(\frac{\Delta R}{R_0}\right)_S = \frac{8\pi d cos\phi_1}{\lambda} Im\left(\frac{\epsilon_2-\epsilon_3}{1-\epsilon_3}\right) \qquad (6.18)$$

여기서, ϕ_1은 박막에 대한 빛의 입사각, ϵ_2는 박막의 복소유전율을 나타낸다. 식 (6.18)에 의해 알 수 있듯이 입사각이 0°일 때에 $\left(\frac{\Delta R}{R_0}\right)_S$는 최대가 되지만, 일반적으로 $\epsilon_3 \gg \epsilon_2$이므로 $\left(\frac{\Delta R}{R_0}\right)_S$는 거의 0이 된다. 한편, $\left(\frac{\Delta R}{R_0}\right)_P$는 입사각이 크면 최대가 된다. 예를 들어 철표면에 두께 6nm의 균질등방인 박막이 존재할 때의 $\left(\frac{\Delta R}{R_0}\right)_P$의 계산결과를 그림 6.13에 나타냈다. 계산에는 $\lambda = 10\mu m, \epsilon_2 = 1.68+0.26i$, $\epsilon_3 = -606+368i$ 가 이용되고 있다. 그림 중의 점선은 박막이 존재하지 않는 철의 P편광반사율이다. 역시 동일 계에서 $\left(\frac{\Delta R}{R_0}\right)_S$의 계산값은 약 1×10^{-6}이고, $\left(\frac{\Delta R}{R_0}\right)_P$의 약 1/100에 지나지 않는다. 흡수계수 또는 박막두께가 작은 물질에 주지는 반사율의 변화는 매우 작고, 고감도반사의 측정에 대해서도 충분한 신호가 얻어지지 않는다. 이런 경우에 변조법을 병용하면 S/N비가 현저히 개선되므로 측정이 가능한 경도가 있다. 변조법의 주된 것으로 진동수변조법과 편광변조법이 있는데 잘 이용되는 것은 편광변조법이다. 이것에 대해 기술해보자.

(3) 편광변조법

금속표면에 P 및 S편광을 교대로 입사하면 표면화학종의 흡수강도는 그 주기에 따라 변화는 한편, 등방적인 매질에 의한 흡수는 편광면의 회전에 의해 변화하지 않는다. 다시 말해, 반사광을 적외검출기에 도입하여 로크인증폭기를 이용하여 위상민감검파를 하면 표면의 흡수만이 선택적으로 측정할 수 있다. 이 방법에 의하면 대기중의 수증기나 탄산가스에 의한 흡수의 방해와 검출장치의 전기적 복음의 제거가 가능하여 스펙트럼의 S/N비가 향상한다. 고감도반사법은 HREELS와 동일하게 초고진공중의 청정단결정

표면에 흡착한 분자의 측정에도 이용할 수 있는데, 편광변조법을 이용하여 기상과 평형인 금속표면흡착종의 측정에 이용될 수 있다. 또 수용액 층을 1㎛정도로 하면, 수용액중의 금속표면에 존재하는 화학종의 측정이 가능하므로 전극표면의 흡착 연구에 응용할 수 있다.

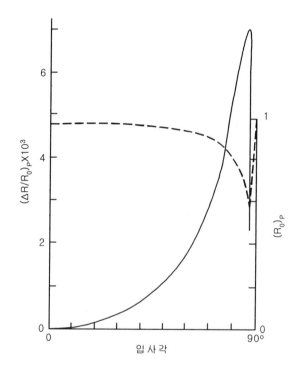

그림 6.13 철 표면에서 적외P편광의 반사율(점선)과 박막의 적외흡수강도(실선)

6-3-3 적외발광분광법[8]

고온에서는 진동여기상태에 있는 분자의 수가 상대적으로 증가하므로 적외광을 방출하여 기저상태로 천이하는 분자의 비율도 증가한다. 다시 말해, 고온의 시료를 대상으로 하는 경우에는 흡수스펙트럼 대신에 발광스펙트럼의

측정이 이루어지고 있다. 여기서는 이하에 기술하듯이 금속표면에 매우 근방
에 존재하는 화학종에서의 진동쌍극자 복사를 다룬다.

그림 6.14는 발광의 모식도이다. 표면의 발광체(진동쌍극자)를 한 방향에서
관측하면 거기에서 방사된 빛은 근사적으로 발광체에서 직접 방사된 빛과 금속
표면에서 한번 반사하였으므로 동일한 방향으로 방사된 빛의 간섭광으로 고려
할 수 있다. 여기서, 측정된 빛의 진폭 즉, 강도는 직접광과 반사광의 광로차에

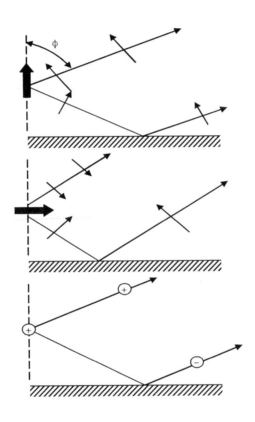

그림 6.14 금속표면 근방에 있는 진동쌍극자에서의 적외발광

φ: 측정각, 화살표 : 빛의 전기스펙트럼⊕ 및 ⊖은 전기스펙트
럼이 지면에 대해 각가 상, 하방향에 있는 것을 나타냄

의해 정해지지만, 발광체가 빛의 파장에 비례하여 매우 작은 경우에는 광로차

는 무시할 수 있으므로 반사에 의한 위상의 변화만이 중요하게 된다. 따라서, 그림 6.14(b), (c)와 같이 금속표면에 평행하게 진동하는 쌍극자에서의 발광은 측정각(ϕ)에 의하면 직접광과 반사광이 간섭하여 소실하므로 강도는 매우 약하고, (a)의 경우 즉 표면에 직접 쌍극자에서의 발광강도는 측정각이 클 때에 강하게 측정된다. 역시, 발광시료가 두꺼우면, 직접광과 반사광의 행로차가 무시할 수 없어 자기흡수도 증가하므로 발광강도는 다른 각도분포를 나타낸다.

6-3-4 Raman분광법

(1) Raman효과[6), 7)]

투명한 물질에 진동수 ν의 빛을 쬐면 보통의 레일리산란에 의해 ν의 빛 이외에 이것과 약간 다른 진동수 $\nu \pm \Delta \nu$의 빛이 산란된다. 이 현상을 Raman (1928년)에 의해 발견되었다. Raman산란의 기구는 다음과 같이 설명할 수 있다.

분자에 빛의 진동전장이 작용하면, 분자 내에 전하의 편향을 생기게 하여 쌍극자모멘트가 유기된다. 이 유기쌍극자모멘트의 크기는 여기광의 전장강도 E 및 분자의 분극율 α에 의해 다음과 같이 나타낼 수 있다.

$$M = \alpha E = \alpha E_o \cos 2\pi\nu t \tag{6.19}$$

분극율은 주로 여기광의 전장에 의해 분자 내의 전자 변위의 정도를 나타내므로 원자핵의 진동에 따라 변화한다. 원자핵의 변위를 q로 나타내고, q가 매우 작다고 가정하면, 분극율은 근사적으로

$$\alpha = \alpha_o (\frac{\partial \alpha}{\partial q})_o q \tag{6.20}$$

으로 나타낼 수 있다. 여기서, α_o는 원자핵의 평형위치에 대한 분극율이다. 또 진동수를 ν_1으로 나타내면, q는 다음 식으로 나타낼 수 있다.

$$q = q_o \cos 2\pi\nu_1 t \tag{6.21}$$

식 (6.20)과 (6.21)에 의해 식 (6.19)는

$$M = \alpha E_o \cos 2\pi\nu t + E_o q_o \left(\frac{\partial\alpha}{\partial q}\right)_o \cos 2\pi\nu t \cdot \cos 2\pi\nu_1 t \tag{6.22}$$

로 나타낼 수 있다. 식 (6.22)의 우변 제 2항을 여현의 합으로 쓰면

$$M = \alpha E_o \cos 2\pi\nu t + \tag{6.23}$$

$$\frac{1}{2} E_o q_o \left(\frac{\partial\alpha}{\partial q}\right)_o [\cos 2\pi(\nu+\nu_1)t \cdot \cos 2\pi(\nu+\nu_1)t]$$

이 된다. 식 (6.23)의 우변 제 1항은 레일리광의 산란을 제 2항은 $(\nu+\nu_1)$ 및 $(\nu-\nu_1)$의 진동수를 갖는 Raman광의 산란을 나타낸다. 이들을 모식적으로 나타낸 것이 그림 6.15이다. 여기서, $(\nu-\nu_1)$ 및 $(\nu+\nu_1)$의 Raman광은 각각 스트록선, 반스트록선이라 부른다. 일반적인 온도에서는 대부분의 분자가 진동기저상태에 있으므로 슽록선이 강하게 나타난다. 완화진동을 하여 분자의 Raman효과에 대해 허용되는 천이는 진동양자수가 1만큼 변화할 때이다. 실제로는 진동에 의한 분극율의 변화 $\frac{\partial\alpha}{\partial q}$ 는 작으므로 Raman광의 강도는 레일리에 비해 현저히 약하다. 또, $\frac{\partial\alpha}{\partial q}$ =0이 되는 진동은 Raman효과를 나타내지 않는다. 즉, 분극율의 변화를 수반하는 진동만이 Raman활성된다. 2원자 분자에서는 등핵(等核), 이행(異核)을 가리지 않고 Raman활성된다. 분자에 대칭이 존재할 때 이에 대한 대칭적 진동은 Raman활성이고, 적외불활성이 된다. 역대칭의 진동은 Raman불활성, 적외활성이 된다. 이 규칙을 상호금지법칙(相互禁止法則)이라 부르고, 위의 설명에서는 분자의 분극율 α 로 나타냈지만, 일반적으로는 α_{xx}, α_{xy} 등을 성분으로 하는 Tensile으로 나타낼 수 있다.

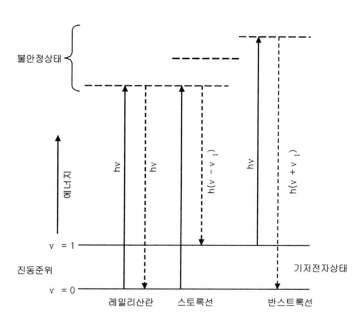

그림 6.15 에너지적으로 본 Raman산란의 기구

(2) 측정법

Raman스펙트럼의 측정은 이상 가시영역에서 이루어지므로 시료 셀의 재질로
서 유리가 사용될 수 있고, 수용액 중에서의 측정이 가능하다는 특징이 있다.
그러나, Raman광은 매우 미약하므로 고체표면의 제한된 수의 흡착종의 측정
을 하는데는 쉽지 않다. 다시 말해, 보통은 분말이나 다공성 물질을 흡착매로
서 이용하는 측정이 많다. 다른 한가지 방법은 Raman산란강도가 $10^6 \sim 10^4$배
로 증가하는 공명 Raman효과를 이용하는 방법이다. 공명 Raman효과란, 여
기광의 에너지가 분자의 전자천이의 에너지에 가깝게 되면, 분극율Tensile이
현저히 증가하는 현상이다. 그러나, 측정대상이 착색분자에 한정되고, 여기광
의 흡수에 의한 시료의 분해가 일어난다.

벌크의 금속표면에 존재하는 화학종에서 Raman산란강도는 적외고감도반사나 발광의 경우와 동일하게 측정조건에 따라 변화한다. Raman산란은 여기광의 진동전장에 의해 분자가 높은 에너지상태로 천이하는 과정과 낮은 에너지상태로 전이할 때의 빛의 방출 과정으로 이루어진다. 다시 말해 금속표면의 시료에서의 Raman산란강도는 표면에 형성된 여기진동전장의 강도와 방출된 Raman광의 강도의 각도분포에 의해 결정한다고 생각해도 무방하다. 여기서, 간단한 모델로서 금속표면에 존재하는 단분자층 정도의 진동쌍극자에 대해 위의 계산을 해보면, 그림 6.16에 나타낸 결과가 얻어진다[11]. 즉, P편광을 70°로 입사하여 표면의 법선에서 약 60°의 방향으로 산란된 Raman광을 측정하면 최대 강도가 얻어진다는 것을 알았다. 가시광은 적외광에 의해서도 파장이 매우 작으므로, 그림의 결과는 약 10nm이상의 두께의 시료에서는 적용할 수 없다. 막두께가 매우 얇은 경우에는 S편광이 만든 표면에 평행한 전장은 무시할 수 있으므로 Raman산란에 중요하지 않지만, 두께가 두꺼우면 평행한 전장의 기여가 증가하므로 S편광에서도 Raman산란의 측정이 가능하다.

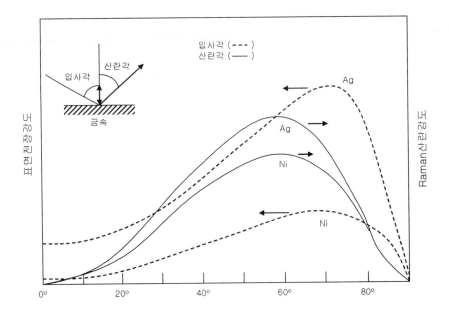

그림 6.16 금속표면에서 가시여기광의 진동전장강도 및 표면에 수직인
진동쌍극자에서 방출된 Raman산란강도의 각도분포[11]

(3) SERS

　　SERS의 발견은 Ag전극표면의 산화환원 반복에 의해 표면에 흡착한 핀 홀의 Raman스펙트럼이 미리 미리 측정할 수 있어서 가능하게 되었다[12]. 이 후 10^6배에 달하는 Raman산란강도의 증가가 일어나는 것을 확인하였고, Ag뿐만이 아니라 Au, Cu등의 콜로이드입자나 도상(島狀)증기막에서도 SERS가 일어난다는 것을 알았다. SERS에 대한 산란강도의 현저한 증가의 원인으로는 주로 평활하지 않은 자유전자 금속표면에 유기된 강한 전자장과 흡착분자-표면 사이의 전하이동에 따른 일종의 공명Raman효과에 의한 것이다. 전자장효과에서는 파장과 같은 정도의 주기적 요철구조를 갖는 표면에 일어나는 Surface Plasmon Ploariton(SPP)의 여기와 표면의 미세한 돌기 또는 도상금속에 유기된 전자의 진단공명이다. SPP의 전장은 표면에서 100㎚정도까지 미치고, 전자의 집단공명에 따른 전장은 10㎚이하의 짧은 거리에 작용한다. 화학효과에서는 표면 제1층의 흡착분자만이 관여하지만, Ag단결정표면에 흡착한 필리진의 Raman산란강도는 매우 약하다. 다시 말해, Ag전극표면에 흡착한 필리진의 산란강도가 산화환원처리에 의해 현저히 증가하는 것은 흡착 Ag원자 등의 화학활성점의 증가와 미세한 돌기에 의한 전자의 집단공명 등의 효과가 중요하기 때문이라고 생각된다.

　　산화환원처리를 한 표면에서 관측된 Raman스펙트럼의 강도는 여기광의 편광상태, 입사각 및 측정각에 의해 그다지 변화하지 않지만, 여기파장에 강하게 의존하는 금속종류에 따라 최대 Raman산란강도를 주는 파장은 다르다. 동일한 여기파장의존성은 초고진공 중에서 저온증착한 Ag, Cu, Au 등의 표면에 흡착한 필리진이나 CO의 SERS에 대해서도 확인되었다.

6-4 기타의 측정법

6-4-1 FEM[13)]과 FIM[14)]

　　전계전자현미경(Field Emission Microscope ; FEM)은 Muller(1936)에 의해

고안된 것으로 그 원리는 전자의 전계방출현상에 기초하고 있다. 그림 6.17에 FEM의 기본구조를 나타냈다. 초고진공 용기 내의 침상 칩을 음극으로 대향한 양극 사이에 큰 전계를 걸면 터널효과에 의해 전자가 칩의 끝에서 방출하여 형광스크린에 충돌한다. 이것으로 전자상을 스크린 위에 확대 투영할 수 있다. 칩 표면의 청정화에는 진공가열이나 전계증발 등의 방법이 이용된다. 칩의 형상은 매우 중요하다. 즉, 강한 전계가 작용하도록 칩을 가능한 가늘게 하고, 방사상의 전자방출이 일어나도록 끝을 반구상(직경 100㎚ 이하)로 할 필요가 있다.

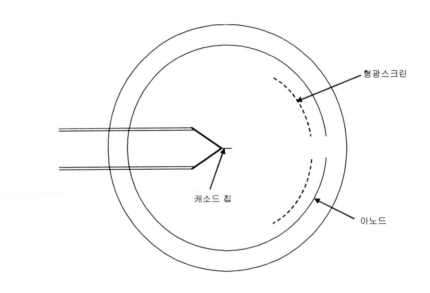

그림 6.17 FEM의 기본구조

전자의 전계방출은 인가전압과 표면의 일 관계에 의해 변화하고, 일관계는 표면의 결정방위에 따라 다르다. 따라서, 칩 끝과 스크린이 반구상이면 표면의일계수의 분포를 스크린 위에 그릴 수 있다. 즉, 일계수가 작은 면에서 전자상은 밝게 되고, 일계수가 큰 면에서의 상은 어둡다. FEM에서는 약 2㎚ 정도의 분해능이 가능하므로 표면의 원자적 구조나 원자·분자의 흡착과 탈리의 거동을 직접 관찰할 수 있다.

전자에 매우 희박가스이온을 결상입자(結像粒子)로서 이용하는 것이 전계이온현미경(Field Ion Microscope ; FIM)이다. FIM은 전자보다 큰 하전입자를 이용하여 분해능이 향상된 것을 얻도록 제안되었다(Muller, 1961). 제일 잘 이용되는 이온은 분해능이 작고, 고분해능이 얻어지는 He$^+$이다. FIM의 장치는 FEM과 기본적으로 동일하지만, 다른 점은 진공용기 내에 10^{-2}Pa정도의 희박가스를 도입한다는 것, 칩을 양극으로 작용시킨다는 것이다. 즉, FIM에서는 용기 내의 희박가스분자가 높은 전계에 있는 칩 끝에 접근하면 전리하여 양이온이 된다. 이것을 전계이온화라 한다. 전계이온은 그림 6.18에 나타냈듯이 희박가스분자의 전자가 금속측에 터널하는 것에 의해 생긴다. 칩 끝에서 입계거리x_c만큼 떨어진 위치에서는 희박가스의 전자의 기저상태와 금속의 페르미준위가 일치하므로, 터널장벽이 제일 낮게 되어 터널확률이 최대가 된다. 희박가스의 이온화에너지를 I_p로 하면 임계거리는 다음 식과 같이 나타낼 수 있다.

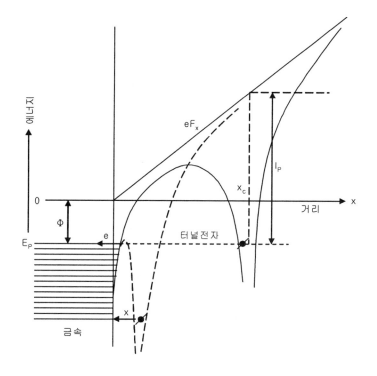

그림 6.18 희박가스가 금속표면에 접근하여 전계이온화할 때의 포텐셜에너지의 변화
   IP : 희박가스의 이온화에너지, Φ : 금속의 일계수, xc : 임계거리, F : 전계강도

$$x_c = \frac{I_p - \Phi}{eF} \tag{6.24}$$

희박가스가 x_c에 의해 더욱 금속측으로 접근하면, 터널효과는 일어나지 않고 이온화는 일어나지 않는다. 왜냐하면, 전자가 장벽을 메워 이동하도록 금속 내의 전위는 모두 금속전자에 점유하기 때문이다. 칩 끝에서 x_c의 지점에서 이온화한 희박가스분자는 전계의 작용으로 가속되고, 형광스크린에 충돌하여 표면의 원자상을 만든다. 거울상 힘의 영향으로 표면에서 0.6~1nm정도에서 이온화하는 확률이 제일 크다.

FIM에서는 인접한 금속원자를 구별할 수 있는 정도의 분해능이 얻어지므로 금속결정의 원자적 결함이나 표면원자의 확산 및 재구성의 관찰에 매우 유효하다. 또, 비행시간(Time of flight)형의 질량분석기를 이용하면, 전계증발에 의해 칩 표면에서 증발한 각각의 이온종을 검출할 수 있고, 국소적인 표면조성분석을 할 수 있다. 이 방법을 Atom probe법이라 부른다. 역시, 전계증발은 표면을 구성하는 원자가 고전계에 따른 포텐셜장벽의 저하에 의해 이온화로서 표면에서 증발하는 현상이다.

6-4-2 SIMS[16]

이온 빔을 고체에 조사하여 표면에서 구성원자가 검출되는 현상을 스퍼터링이라 이라 부른다. 1~100keV의 고에너지이온을 이용하면 이온은 고체 내부의 원자와 차례로 충돌하여 방향을 변화하면서 진행한다. 이 과정에서 중성원자 이외에 여기원자, 전자, 2차 이온이 방출된다. 이들 중 2차 이온을 고감도질량분석기로 검출하여 원소분석을 하는 것을 2차 이온질량분석법(Secondary Ion Mass Spectrometry ; SIMS)라 한다. 이온원으로서 Ar^+, Ne^+, He^+, O_2^-, O^-, N_2^-, C_s^+등이 이용되고 있다. SIMS는 보통 질량분석법과 달리 스퍼터링을 수반한 분석법이므로 표면에서 내부까지 넓은 범위의 원소분석이 가능하다.

SIMS에 의한 측정에는 고에너지 및 고전류밀도의 입사이온을 이용하는 동적 방법(Dynamic methode)와 에너지와 전류밀도를 가능한 한 작게 하는 동적방법(Static methode)가 있다. 전자는 깊이 방향의 원소농도분포의 측정에, 후자는 표면의 박막 분석에 이용된다. 일반적으로 스패터율(1개의 입사이온에 의해 방출되는 원자수)는 입사이온의 종류, 에너지, 입사각 등에 의해 변화한다. 금속이나 반도체에 대한 스패터율은 입사에너지가 수십~수백keV일 때 최대가 되고, 1~10정도의 스패터율을 얻는다. 표면분석에는 1keV이하의 이온이 이용되고 있다. SIM의 측정대상은 금속, 반도체, 절연체로 넓고, 또 금속표면 위의 유기박막의 분자구조의 해석에도 이용된다. 절연체에서는 대전에 의해 2차 이온의 방출을 막으므로 음의 1차 이온을 이용한다. SIM의 검출감도는 매우 높고, 수소를 포함한 모든 원소의 분석이 가능하다. 그러나, 2차 이온의 생성 및 방출과정이 복잡하므로 정량성에 결함이 있다는 문제가 있다. 이것을 해결하기 위해서 표준시료를 이용하는데 스패터율이나 이온화율이 원소의 종류 및 농도에 따라 다르다는 점을 고려할 필요가 있다.

【인용문헌】

1) M.A.Van Hove and S.Y.Tong : Surface Crystallography by LEED, Springer-Verlag, Berlin(1979).

2) G.Ertl and Kuppers : Low Energy Electron and Surface Chemistry, Verlag Chemie, Winhiem(1974).

3) 靑野正和, 八木克道 編 : 表面處理工學ハンドブック, 환선(1987).

4) J.M.Walls, Ed : Methode of Surface Analysis : Techniques and Applications, Cambridge Univ. Press(1988).

5) D.F.Woodruff and T.A.Delchar : Modern Techniques of Surface Science, Cambridge Univ. Press(1988).

6) E.B.Wilson, J.C.Decius and P.C.Cross : Molecular Vibrations, McGraw-Hill, New York(1955).

7) 水島三一郎, 島内武彦 : 赤外線吸收とラマン效果, 公立出版(1960).

8) 末高 治編 : 表面赤外およびラマン分光, IPC出版部(1990).

9) F.M.Hoffman : Surface Science Reports, 3, pp.107(1983).

10) J.D.E.McIntyre and D.E.Aspnes : Surface Sci., 24, pp.417(1971).

11) R.G.Greenler and T.L.Slager : Spectorchim Acta, 29A, pp.193(1973).

12) M.Fleischmann, P.H.Hendra and A.J.McQuilland : Chem. Phys. Lett., 26, pp.163 (1974).

13) E.W.Muller : Physical Methods in Chemical Analysis, Ed. by W.G.Berl, Vol III, Academic Press, New York, pp.135(1956).

14) E.W.Muller and T.T.Tsong : Field Ion Microscopy : Principles and Applications,

Elsevier, New York(1969).

15) 梁野 檀, 安盛岩雄編 : 表面分析, 講談社(1976).

16) 田村一二三 : 表面科學, 1, pp.2(1980).

참고문헌

1) J.B.Pendty : Low Energy Electron Diffraction, Academic Press(1974).

2) E.G.Derouane and A.A.Lucas, Eds. : Electronic Structure and Reactivity of Metal Surfaces, Plenum Press, New York(1976).

3) T.N.Rhodin and G.Ertl Eds. : The Nature of the Surface Chemical Bond, North-Holland, Amsterdam(1979).

4) H.Ibach, Eds. : Electron Spectroscopy for Surface Analysis, Spinger-Verlag, Berlin(1977).

5) H.Ibach and D.L.Mills : Electron Energy Loss Spectroscopy and Surface Vibrations, Academic Press, New York(1982).

6) 坪井正道, 田中誠之, 田隅三生編 : 化學の領域, 赤外・ラマン・振動「I」「II」, 南江堂(1983).

7) A.T.Bell and M.L.Hair, Eds. : Vibrational Spectroscopies for Adsorbed Species, Am. Chem. Soc., Washington, D.C(1980).

8) R.F.Willis, Ed. : Vibrational Spectroscopies for Adsorates, Springer-Verlag, Berlin(1980).

9) T.J.Yates Jr. and T.E.Madey, Eds. : Vibrational Spectroscopy of Molecules on Surfaces, Plenum Press, New York(1987).

10) R.K.Chang and T.E.Furtak, Eds. : Surface Enhanced Raman Scattering, Plenum Press, New York(1982).

11) A.Otto : Light Scattering in Solids IV, Ed. by M.Cardona and G.Guntherodt, Springer-Verlag, Berlin, pp.289(1983).

12) R.P.Van Duyne : Chemical and Biological Applications of Lasers, Vol 4, Ed. by C.B.Moore, Academic Press, New York, pp.101(1979).

13) J.F.Van der Veen and M.A.Van Hove, Eds. : The Structure of Surfaces II, Springer-Verlag, Berlin(1988).

14) A.Modinos : Field, Thermionic and Secondary Electron Emission Spectroscopy, Plenum Press, New York(1984).

부록

부록 I. 표면처리기술의 종류

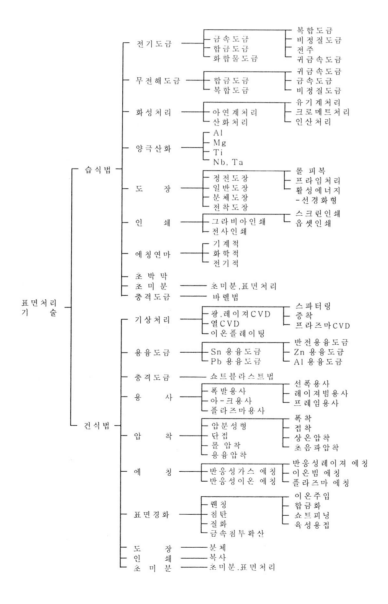

부록 ||

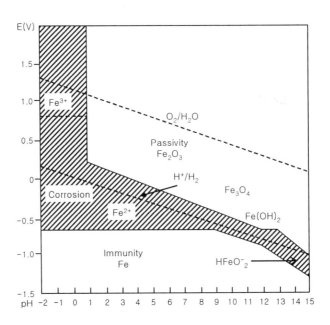

그림 1 Fe의 pH-전위도표 여러 분위기에서의 Fe의 내식성

	내식성을 가지는 분위기	부식되는 분위기
산용액	– H_2CrO_4 – HNO_3, 진한 용액 – H_2SO_4>70% – HF>70%	– 그외 다른 모든 산용액
알칼리용액	– 대부분의 알칼리용액	– 응력상태에서의 진한 알칼리 (고온) : 가성취성
염용액	– $KMnO_4$>1g/ℓ – H_2O_2>3g/ℓ – K_2CrO_4	– $KMnO_4$<1g/ℓ – H_2O_2<3g/ℓ – 산화염($FeCl_3$, $CuCl_2$, $NaNO_3$) – 가수분해염($AlCl_3$, $Al_2(SO_4)_3$, $ZnCl_2$, $MgCl_2$)
기체	– 대기<450℃ – Cl_2<200℃ – SO_2(건조)<300℃ – NH_3<500℃ – H_2O(기체)<500℃ – H_2S<300℃	– 대기>450℃ – Cl_2>200℃ – F_2 – SO_2, 습한 상태 – NH_3>500℃ – H_2S>300℃ – H_2O(기체)>500℃

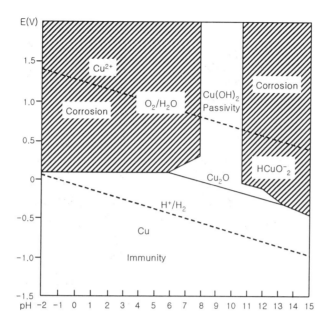

그림 2 Cu의 pH-전위도표 여러 분위기에서의 Cu의 내식성

	내식성을 가지는 분위기	부식되는 분위기
산용액	탈기된 비산화산 - HCl<10%, <75℃ - HF<70%, 100℃ - H₂SO₄<60%, 100℃ - H₃PO₄, 실온 - 초산, 실온	- HNO₃ - H₂SO₄, 고온의 진한 용액 - 통기되고 있는 산 - HCl>10%
알칼리용액	- NaOH, KOH, Na₂CO₃, K₂CO₃ 등 의 묽은 용액	- NaOH, KOH, NH₄OH, KCN, NaCN, NaClO

염용액	- KMnO₄, K₂CrC₄, NaClO₃
	- 황산염, 질산염, 염화물 등의 탈
	기된 정체용액
	- 해수
		- 대부분의 산화염
		  (예 : FeCl₃, Fe₂(Fe(SO₄)₃, CuCl₂,
		  AgNO₃, Hg(NO₃)₂
		- 통기되고 있는, 교반용액

기체	대부분의 건조지체 - Co, CO₂ - F₂, Cl₂, Br₂, SO₂ - 순수 H₂ - O₂<200℃ - OF₂, ClF₃, ClO₃F	습한 기체 - SO₂, H₂S, CS₂, CO₂ - F₂, Cl₂, Br₂ - H₂(O₂포함) - 건조한 O₂>200℃

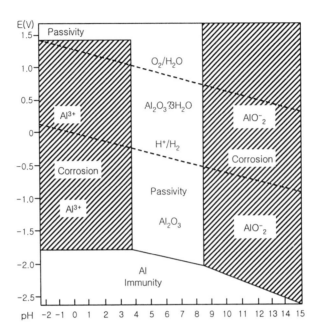

그림 3 Al의 pH-전위도표 여러 분위기에서의 Al의 내식성

	내식성을 가지는 분위기	부식되는 분위기
산용액	- 초산, 실온 - 구연산, 실온 - 주석산, 실온 - 붕산, 실온 - NHO_3>80%, <50℃ - 지방산	- HCl, HBr, H_2SO_4, HF - $HClO_4$, H_3PO_4 - 개미산 - 3염초산 - 수산
알칼리용액	- $Ca(OH)_2$(콘크리트) - NH_4OH>10, <50℃ - $(NH_4)_2S$, Na_2SiO_3	- LiOH, NaOH, KOH, $BaOH_2$ - Na_2S, NaCN, NH_4OH<10%
염용액	- NH_4, Na, K, Ca, Ba, Mg, Mn, Zn, Cd, Al등의 황산염, 질산염, 인산염, 초산염 - $NaClO$(Na_2SO_3로 억제) - $NaClO_4$(Cl^-이온이 없는) - $KMnO_4$, 1~10%, 실온	- 중금속염 (예 : Hg, Sn, Cu, Ag, Pb, Co, Ni) - $NaClO_4$(Cl^-이온이 있는) - NaClO, $Ca(ClO_2)$
기체	- 대부분의 건조기체 : Br_2, Cl_2<125℃, F_2<230℃, HCl, HBr, 오존, S_2, SO_2, SO_3, H_2S, NO, NO_2, NH_3	- 습한 SO_2, SO_3, Cl_2, HCl, NH_3 - CCl_4, CH_3Cl, CH_3Br

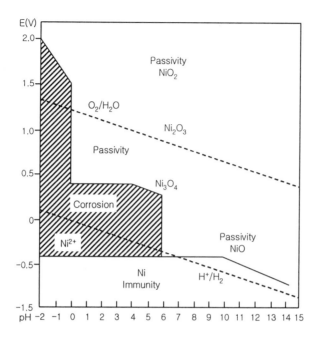

그림 4 Ni의 pH-전위도표 여러 분위기에서의 Ni의 내식성

	내식성을 가지는 분위기	부식되는 분위기
산용액	– 묽은 비산화산 – 탈기된 $H_2SO_4<80\%$, 실온 – 탈기된 $HCl<15\%$, 실온 – 통기되고 있는 $HCl<1\%$, 실온 – HF, 실온 – 탈기된, 묽은 유기산 – 순수 H_3PO_4, 탈기, 실온	– 산화산 – HNO_3 – $H_2SO_4>80\%$ – HF, 고온 – H_3PO_4, 고온의 진한 용액 – 통기되고 있는 유기산
알칼리용액	– LiOH, NaOH, KOH : 비등점 이내, 모든 농도 – $NH_4OH<1\%$	– $NH_4OH>1\%$
염용액	– 대부분의 비산염 – $NaClO_4$ – $KMnO_4$, 실온	– 대부분의 산화염 : $FeCl_3$, $CuCl_2$, $K_2Cr_2O_7$ – NaClO
기체	– 건조한 할로겐<200℃ – 건조한 할로겐화수소<200℃ – H_2O(기체)<500℃ – $H_2<550℃$ – $SO_2<400℃$ – $S_2<300℃$	– 습한 할로겐 및 할로겐화수소 – H_2O(기체)>500℃ – $Cl_2>450℃$ – $H_2S>65℃$ – NH_3, 고온 – $S_2>300℃$

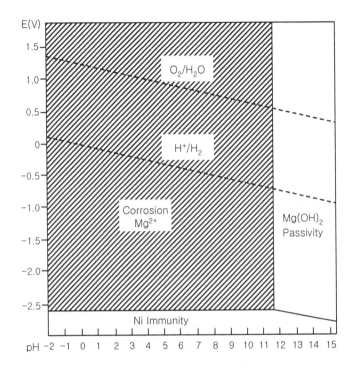

그림 5 Mg의 pH-전위도표 여러 분위기에서의 Mg의 내식성

	내식성을 가지는 분위기	부식되는 분위기
산용액	- HF>2% - 순수 H_2CrO_4(Cl^-이온과 SO^{-2}_4이온 이 없는)	- 유기산 및 그 외의 무기산
알칼리용액	- NaOH, KOH<60℃ - 콘크리트 - NaClO, NH₄OH	- NaOH, KOH>60℃
염용액	- Na, K, Ca, Ba, Mg, Al등의 크 롬산염, 불화물, 질산염	- 염화물, 브롬화물, 옥화물, 황산염, 과황산염, 염소산염, 치아염소산염 - 중금속염
기체	- 약간의 건조기체(예 : F_2, Br_2, S_2, H_2S, SO_3) - 건조프레온	- Cl_2, I_2, NO, NO_2 - 알킬할로겐화합물 - 습한 프레온

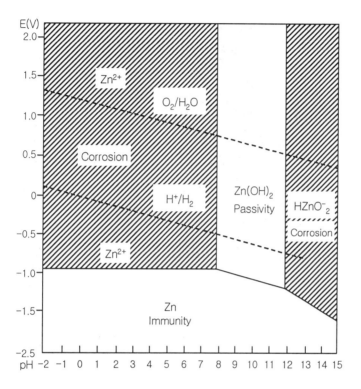

그림 6 Zn의 pH-전위도표 여러 분위기에서의 Zn의 내식성

	내식성을 가지는 분위기	부식되는 분위기
산용액		- 무기 또는 유기의 어떤 산에도 부식된다.
알칼리용액	- pH<12	- pH>12
염용액	- $Na_2Cr_2O_4$, $Na_4B_2O_7$, Na_2SiO_3, $(NaPO_3)_4$(부식억제제) - I, g/ℓ, 실온	- 통기되고 있는 염 용액
기체	- N_2, CO_2, CO, N_2O - 건조한 Cl_2 - 건조한 NH_3	- 습한 Cl_2 - 습한 C_2H_2

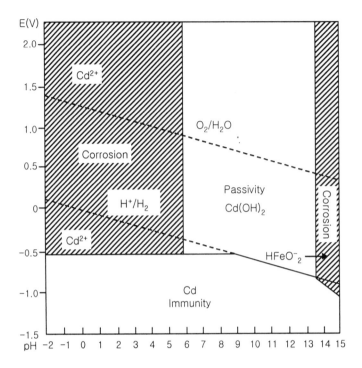

그림 7 Cd의 pH-전위도표 여러 분위기에서의 Cd의 내식성

	내식성을 가지는 분위기	부식되는 분위기
산용액		- 무기 또는 유기의 어떤 산에도 부식된다.
알칼리용액	- LiOH, NaOH, KOH, NH₄OH 등의 묽은 용액	- LiOH, NaOH, KOH 등의 진한 용액
염용액	- Na₂CrO₄, Na₄B₂O₇, Na₂SiO₃, (NaPO₃)₆ (부식억제제)	- 통기되고 있는 염용액
기체	- 건조한 NH₃ - H₂, H₂ - 대기, O₂<250℃ - 건조한 SO₂, 실온	- Cl₂, Br₂ - SO₂ : 습한 상태

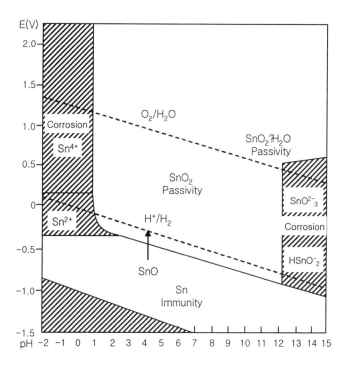

그림 8 Sn의 pH-전위도표 여러 분위기에서의 Sn의 내식성

	내식성을 가지는 분위기	부식되는 분위기
산용액	- 탈기도니, 비산화의 유기 및 무기의 묽은 용액	- 산화산(Oxidizing acid) - 통기되고 있는 유기산 및 무기산
알칼리용액	- pH<12 - 인산염, 크롬산염, 규산염이 존재할 경우의 높은 pH	- pH>12
염용액	- 인산염, 크롬산염, 붕산염	- 염화물, 황산염, 질산염 - Sn보다 더 귀전위를 가진 금속염
기체	- F_2<100℃	- Cl_2, Br_2, I_2 : 실온 - F_2>100℃ - O_2>100℃ - H_2S>100℃

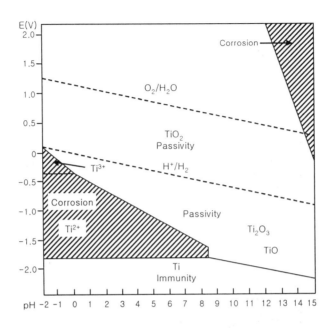

그림 9 Ti의 pH-전위도표 여러 분위기에서의 Ti의 내식성

	내식성을 가지는 분위기	부식되는 분위기
산용액	- HNO_3, 비등점 이내, 모든 농도 - H_2SO_4<10%, HCl<10% : 실온 - H_3PO_4<30%, 35℃ - H_3PO_4<5%, 비등상태 - H_2CrO_4, 초산, 수산, 개미산 : 실온	- H_2SO_4>10%, HCl>10% - HF, 끓는 질산 - H_3PO_4>30%, 35℃ - H_3PO_4>5%, 비등상태 - 3염초산, 비등상태 - 수산, 비등상태 - 개미산, 비등상태
알칼리용액	- 묽은, 실온의 용액 - NaClO	-진한 고온의 용액
염용액	- 대부분의 염용액 - 비등점 이내의 염화물이나 산화염 : $FeCl_3$, $CuCl_2$	- 불화물 - $AlCl_3$, 진한, 끓는 용액 - $MgCl_2$, 진한, 끓는 용액 - $CaCl_2$, 진한, 끓는 용액
기체	- 습한 Cl_2, ClO_2 - 대기, O_2<425℃ - N_2<700℃ - H_2<750℃	- F_2, 건조한 Cl_2 - 대기, O_2>500℃ - N_2>800℃ - H_2>750℃

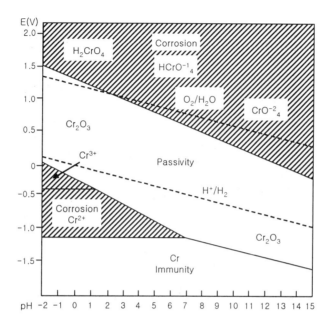

그림 10 Cr의 pH-전위도표 여러 분위기에서의 Cr의 내식성

	내식성을 가지는 분위기	부식되는 분위기
산용액	HNO_3<50%,<75℃, H_2SO_4+$CuSO_4$ H_2SO_4 +Fe_2SO_4, H_2SO_4<5%, 통기, 실온, SO_2 용액, H_3PO_4, 통기, 실온	HCl, HBr, HI, 진한 HNO_3, 고온, H_2SO_4>5%, >50℃ HF, H_2SiF_6, $HClO_3$, H_3PO_4>60%, >100℃, H_2CrO_4
알칼리용액	탈기된, 실온의 묽은 알칼리용액	통기되고 있는, 고온의 진한 알카리용액
염용액	대부분의 비할로겐염	할로겐염, 산화염(예 : $FeCl_3$, $CuCl_2$, $HgCl_2$, NaClO)과 산염(예 : $ZnCl_2$, $AlCl_3$)은 균열 부식을 야기, 그 외 다른 할로겐염은 공식과 틈부식을 야기
기체	O_2<1100℃, H_2O<850℃ SO_2<650℃, H_2S, S_2<500℃ NH_3<500℃, Cl_2, HCl<300℃ F_2, HF<250℃	O_2>1100℃, H_2O>850℃ SO_2>650℃, H_2S, S_2>500℃ NH_3>500℃, Cl_2, HCl>300℃ F_2, HF>250℃

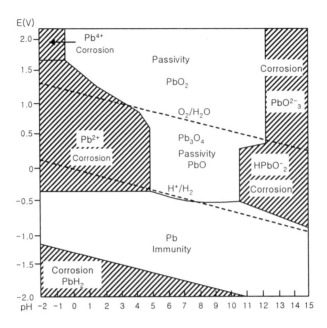

그림 11 Pb의 pH-전위도표 여러 분위기에서의 Pb의 내식성

	내식성을 가지는 분위기	부식되는 분위기
산용액	- H₂SO₄<96%, 실온 - H₂SO₄<80%, 100℃ - 일반 H₃PO₄ - H₂CrO₄ - HF<60%, 실온 - H₂SO₃	- H₂SO₄>96%, 실온 - H₂SO₄>70%, 비등상태 - 순수 H₃PO₄ - NHO₃<80% - HCl - 유기산
알칼리용액	- pH<11 - NH₄OH<1% - Na₂CO₃ - 콘크리트	- LiOH, NaOH, KOH, pH>12 - NH₄OH>1%
염용액	- 황산염 - 탄산염 - 중탄산염 - 순수 NaClO₄	- FeCl₃ - NaCl과 함께 존재하는 NaClO₄ - 질산염 - 초산염
기체	- Cl₂(건조 또는 습한), <100℃ - SO₂, SO₃, H₂S - Br₂건조한 상태의 실온	- Cl₂>100℃ - Br₂, 습하거나 고온 - HF

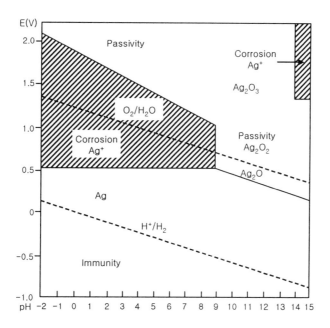

그림 12 Ag의 pH-전위도표 여러 분위기에서의 Ag의 내식성

	내식성을 가지는 분위기	부식되는 분위기
산용액	- HCl, 실온의 묽은 용액 - HF, 고온, 탈기 - H_3PO_4, 실온 - H_2SO_4, 실온 - 유기산	- HCl, 고온의 진한 용액 - HF, 고온, 통기 - HNO_3, 실온의 묽은 용액 - H_3PO_4, 고온의 진한 용액 - H_2SO_4, 고온의 진한 용액
알칼리용액	- LiOH, NaOH, KOH : 비등점까지, 모든 농도	- NH_4OH, Na_2S, NaCN

염용액	- 대부분의 비산화염
	- $KMnO_4$, 실온
		- 산화염 : $K_2S_2O_8$, $FeCl_3$, $CuCl_2$,
		    $HgCl_2$
		- 복합염 : 시안화물, 다황화물, 티
		    오황산염, 암모늄

기체	- F_2, Cl_2, Br_2 : 실온 - HCl<200℃ - SO_2, 실온 - 대기, O_2	- HCl, Cl_2>200℃ - H_2S, S_2, 실온 - SO_2, 고온

찾아보기

《 ㅅ 》

《 ㅇ 》

《 ㅈ 》

금속표면처리공학 개론

정가 29,000원

2004 年 1 月 5 日 初版 發行

共著者 : 권호영 · 강길구
양학희 · 송광호
發行人 : 박승합
發行處 : 도서출판 골드

주소 : 서울특별시 용산구 갈월동 11-50
등록 : 1988.1.21 第3-163號
TEL : 754 - 1867, 0992   FAX : 753 - 1867

ISBN 89 - 8458 - 074 - 0 - 93580